rowohlt

Eugen Ruge

In Zeiten des abnehmenden Lichts

Roman einer Familie

Rowohlt

8. Auflage Dezember 2011
Copyright © 2011 by Rowohlt Verlag GmbH,
Reinbek bei Hamburg
Satz Kepler MM PostScript, InDesign,
bei Pinkuin Satz und Datentechnik, Berlin
Druck und Bindung CPI – Clausen & Bosse, Leck
Printed in Germany
ISBN 978 3 498 05786 2

für euch

2001

Zwei Tage lang hatte er wie tot auf seinem Büffelledersofa gelegen. Dann stand er auf, duschte ausgiebig, um auch den letzten Partikel Krankenhausluft von sich abzuwaschen, und fuhr nach Neuendorf.

Er fuhr die A 115, wie immer. Schaute hinaus in die Welt. Prüfte, ob sie sich verändert hatte. Und – hatte sie?

Die Autos kamen ihm sauberer vor. Sauberer? Irgendwie bunter. Idiotischer.

Der Himmel war blau, was sonst.

Der Herbst hatte sich eingeschlichen, hinterrücks. Tupfte kleine gelbe Markierungen in die Bäume. Es war inzwischen September geworden. Und wenn er am Samstag entlassen worden war, musste heut Dienstag sein. Das Datum hatte er während der letzten Tage verloren.

Neuendorf besaß neuerdings eine eigene Autobahn-abfahrt – «neuerdings» hieß für Alexander immer noch: nach der Wende. Man kam direkt auf die Thälmannstraße (hieß immer noch so). Die Straße war glatt asphaltiert, rote Fahrradstreifen zu beiden Seiten. Frisch renovierte Häuser, wärmegedämmt nach irgendeiner EU-Norm. Neubauten, die aussahen wie Schwimmhallen: Stadtvillen nannte man das.

Aber man brauchte nur einmal links abzubiegen und ein paar hundert Meter dem krummen Steinweg zu folgen, dann noch einmal links – hier schien die Zeit stillzustehen: eine schmale Straße mit Linden. Kopfsteingepflasterte Bürgersteige, von Wurzeln verbeult. Morsche Zäune und Feuerwanzen. Tief in den Gärten, hinter hohem Gras, die toten Fenster von Villen, über deren Rückübertragung in fernen Anwaltskanzleien gestritten wurde.

Eins der wenigen Häuser hier, die noch bewohnt waren: Am Fuchsbau sieben. Moos auf dem Dach. Risse in der Fassade. Die Holunderbüsche berührten schon die Veranda. Und der Apfelbaum, den Kurt immer eigenhändig beschnitten hatte, wuchs kreuz und quer in den Himmel, ein einziges Gewirr.

Das «Essen auf Rädern» stand schon in der ISO-Verpackung auf dem Zaunpfeiler. Dienstag, fand er auf der Packung bestätigt. Alexander nahm die Packung und ging hinein.

Obwohl er einen Schlüssel hatte, klingelte er. Testen, ob Kurt aufmachte – sinnlos. Ohnehin wusste er, dass Kurt *nicht* aufmachen würde. Aber dann hörte er das vertraute Quietschen der Flurtür, und als er durch das Fensterchen schaute, erschien Kurt – wie ein Geist – im Halbdunkel des Vorraums.

– Mach auf, rief Alexander.

Kurt kam näher, glotzte.

– Mach auf!

Aber Kurt rührte sich nicht.

Alexander schloss auf, umarmte seinen Vater, obwohl ihm die Umarmung seit langem unangenehm war. Kurt roch. Es war der Geruch des Alters. Er saß tief in den Zellen. Kurt roch auch gewaschen und zähnegeputzt.

– Erkennst du mich, fragte Alexander.

– Ja, sagte Kurt.

Sein Mund war mit Pflaumenmus verschmiert, der Morgendienst hatte es wieder mal eilig gehabt. Seine Strickjacke war schief geknöpft, er trug nur einen Hausschuh.

Alexander machte Kurts Essen warm. Mikrowelle, Sicherung einschalten. Kurt stand interessiert daneben.

– Hast du Hunger, fragte Alexander.

– Ja, sagte Kurt.

– Du hast immer Hunger.

– Ja, sagte Kurt.

Es gab Gulasch mit Rotkohl (seit Kurt sich an einem Stück Rindfleisch einmal fast tödlich verschluckt hatte, wurde nur noch Kleinteiliges bestellt). Alexander brühte sich einen Kaffee. Dann nahm er Kurts Gulasch aus der Mikrowelle, stellte es auf die Igelit-Decke.

– Guten Appetit, sagte er.

– Ja, sagte Kurt.

Begann zu essen. Eine Weile war nur Kurts konzentriertes Schniefen zu hören. Alexander nippte an seinem noch viel zu heißen Kaffee. Sah zu, wie Kurt aß.

– Du hast die Gabel falsch herum, sagte er nach einer Weile.

Kurt hielt einen Augenblick inne, schien nachzudenken. Aß dann aber weiter: Versuchte, das Stück Gulasch mit dem Gabelstiel auf die Messerspitze zu schieben.

– Du hast die Gabel falsch herum, wiederholte Alexander.

Er sprach ohne Betonung, ohne mahnenden Unterton, um die Wirkung der reinen Begriffe auf Kurt zu testen. Keine Wirkung. Null. Was ging in diesem Kopf vor? In diesem immer noch durch einen Schädel von der Welt abgegrenzten Raum, der immer noch irgendeine Art Ich enthielt. Was

9

fühlte, was dachte Kurt, wenn er im Zimmer umhertapste? Wenn er vormittags an seinem Schreibtisch saß und, wie die Pflegerinnen berichteten, stundenlang in die Zeitung starrte. Was dachte er? Dachte er überhaupt? Wie dachte man ohne Worte?

Kurt hatte endlich das Gulaschstück auf die Messerspitze geladen, balancierte es jetzt, schon zitternd vor Gier, zum Mund. Absturz. Zweiter Versuch.

Eigentlich ein Witz, dachte Alexander, dass Kurts Verfall ausgerechnet mit der Sprache begonnen hatte. Kurt, der Redner. Der große Erzähler. Wie er dagesessen hatte in seinem berühmten Sessel – Kurts Sessel! Wie alle an seinen Lippen hingen, wenn er seine Geschichtchen erzählte, der Herr Professor. Seine Anekdoten. Komisch aber auch: In Kurts Mund verwandelte sich alles in eine Anekdote. Egal, was Kurt erzählte – selbst wenn er davon erzählte, wie er im Lager beinahe krepiert wäre –, immer hatte es eine Pointe, immer hatte es Witz. Hatte gehabt. Fernste Vergangenheit. Der letzte Satz, den Kurt zusammenhängend hatte sagen können, war: Ich habe die Sprache verloren. Auch nicht schlecht. Verglichen mit seinem heutigen Repertoire eine Glanznummer. Doch das war zwei Jahre her: Ich habe die Sprache verloren. Und die Leute hatten wirklich gedacht, sieh mal an, er hat die Sprache verloren, aber sonst ... Sonst schien er noch einigermaßen beisammen zu sein. Lächelte, nickte. Zog Grimassen, die irgendwie passten. Verstellte sich schlau. Nur hin und wieder unterlief ihm Sonderbares: dass er den Rotwein in seine Kaffeetasse goss. Oder auf einmal ratlos mit einem Korken dastand – und ihn schließlich ins Bücherregal steckte.

Miserable Quote: Ein Stückchen Gulasch hatte Kurt bisher geschafft. Jetzt griff er zu: mit den Fingern. Schaute schräg von unten zu Alexander herauf, wie ein Kind, das die Reaktion seiner Eltern prüft. Stopfte das Stück in den Mund. Und noch eins. Und kaute.

Und während er kaute, hielt er seine beschmierten Finger hoch wie zum Schwur.

– Wenn du wüsstest, sagte Alexander.

Kurt reagierte nicht. Hatte endlich eine Methode gefunden: die Lösung des Gulaschproblems. Stopfte, kaute. Die Soße rann in einer schmalen Spur über sein Kinn.

Kurt konnte *nichts* mehr. Konnte nicht sprechen, sich nicht mehr die Zähne putzen. Nicht einmal den Arsch abwischen konnte er sich, man musste froh sein, wenn er sich zum Scheißen aufs Klo setzte. Das Einzige, dachte Alexander, was Kurt noch konnte, was er aus eigenem Antrieb noch tat, wofür er sich wirklich interessierte und worauf er sein letztes bisschen Schlauheit verwendete, war essen. Nahrung aufnehmen. Kurt aß nicht mit Genuss. Kurt aß nicht etwa, weil es ihm schmeckte (seine Geschmacksnerven, davon war Alexander überzeugt, waren durch das jahrzehntelange Pfeiferauchen vollständig ruiniert). Kurt aß, um zu leben. Essen = Leben, diese Formel, dachte Alexander, hatte er im Arbeitslager gelernt, und zwar gründlich. Ein für alle Mal. Die Gier, mit der Kurt aß, mit der er sich Gulaschstückchen in den Mund stopfte, war nichts anderes als Überlebenswille. Das war das Letzte, was von Kurt übrig geblieben war. Was ihn über Wasser hielt, was diesen Körper weiter funktionieren ließ, eine außer Rand und Band geratene Herz-Kreislauf-Maschine, die sich selbst in Betrieb hielt – und sich wohl, so war zu befürchten, noch eine Weile in Betrieb halten würde. Kurt hatte alle überlebt. Er hatte Irina überlebt. Und nun bestand die reale Chance, dass er auch ihn, Alexander, überleben würde.

Ein dicker Soßetropfen bildete sich an Kurts Kinn. Alexander überkam der starke Drang, Kurt wehzutun: ein Stück Küchenkrepp abzureißen und ihm die Soße grob aus dem Gesicht zu wischen.

Der Tropfen zitterte, stürzte ab.

War es gestern gewesen? Oder heute? Irgendwann während dieser zwei Tage, als er auf dem Büffeledersofa lag (reglos und aus irgendeinem Grunde immer bemüht, nicht mit der bloßen Haut an das Leder zu kommen), irgendwann war ihm der Gedanke gekommen: Kurt umzubringen. Mehr als nur der Gedanke. Er hatte Varianten durchgespielt: Kurt mit dem Kissen ersticken oder – der perfekte Mord – Kurt ein zähes Rindersteak servieren. So wie das Steak, an dem er beinahe erstickt war. Und hätte Alexander ihn, als er schon blau anlief und auf die Straße taumelte und dort bewusstlos umfiel – hätte Alexander ihn damals nicht instinktiv in die stabile Seitenlage gedreht und wäre nicht infolgedessen, zusammen mit Kurts Gebiss, auch der beinahe kugelrunde, durch endloses Kauen zusammengepappte Fleischkloß aus Kurts Rachen gerollt, dann wäre Kurt vermutlich schon nicht mehr am Leben, und diese Niederlage (wenigstens diese) wäre Alexander erspart geblieben.

– Hast du bemerkt, dass ich eine Weile nicht da war?

Kurt war jetzt beim Rotkohl – seit einiger Zeit hatte er die infantile Angewohnheit angenommen, die Abteilungen nacheinander zu leeren: zuerst das Fleisch, dann das Gemüse, dann die Kartoffeln. Erstaunlicherweise hatte er jetzt die Gabel wieder in der Hand – sogar richtig herum. Schaufelte Rotkohl.

Alexander wiederholte seine Frage:

– Hast du bemerkt, dass ich eine Weile nicht hier war?

– Ja, sagte Kurt.

– Das hast du also bemerkt. Wie lange denn: eine Woche oder ein Jahr?

– Ja, sagte Kurt.

Oder sagte er: Jahr?

– Ein Jahr also, fragte Alexander.

– Ja, sagte Kurt.

Alexander lachte. Dabei kam es ihm tatsächlich vor wie ein Jahr. Wie ein anderes Leben – nachdem das Leben davor mit einem einzigen, mit einem banalen Satz beendet worden war:

– Ich schicke Sie mal in die Fröbelstraße.

So hieß der Satz.

– Fröbelstraße?

– Klinikum.

Erst draußen war er auf die Idee gekommen, die Schwester zu fragen: ob das heiße, dass er Schlafanzug und Zahnbürste mitnehmen solle. Und die Schwester war nochmal ins Sprechzimmer gegangen und hatte gefragt, ob das heiße, dass *der Patient* Schlafanzug und Zahnbürste mitnehmen solle. Und der Arzt hatte gesagt, *der Patient* solle Schlafanzug und Zahnbürste mitnehmen. Und das war's.

Vier Wochen. Siebenundzwanzig Ärzte (er hatte nachgezählt). Moderne Medizin.

Der Assistenzarzt, der wie ein Abiturient aussah und ihm – in einem irrwitzigen Aufnahmesaal, wo hinter Paravents irgendwelche Schwerkranken stöhnten – die Grundsätze der Diagnostik erklärt hatte. Der Pferdeschwanz-Arzt, der gesagt hatte: Marathonläufer haben keine gefährlichen Krankheiten (sehr sympathischer Mann). Die Radiologin, die ihn gefragt hatte, ob er in seinem Alter etwa noch Kinder zeugen wolle. Der Chirurg mit dem Namen Fleischhauer. Und natürlich der pockennarbige Karajan: Oberarzt Dr. Koch.

Und noch zweiundzwanzig andere.

Und wahrscheinlich noch zwei Dutzend Laboranten, die das ihm abgezapfte Blut in Reagenzgläser gefüllt, seinen Urin durchleuchtet, sein Gewebe unter irgendwelchen Mikroskopen betrachtet oder in irgendwelche Zentrifugen gesteckt hatten. Und das alles mit dem erbärmlichen, mit dem geradezu unverschämten Ergebnis, das Dr. Koch in zwei Worte gefasst hatte:

– Nicht operabel.

Hatte Dr. Koch gesagt. Mit seiner knarzigen Stimme. Mit seinen Pockennarben. Seiner Karajan-Frisur. Nicht operabel, hatte er gesagt und sich auf seinem Drehstuhl hin und her gewiegt, und die Gläser seiner Brille hatten geblitzt im Rhythmus seiner Bewegung.

Kurt hatte jetzt auch das Rotkohlfach geleert. Machte sich an die Kartoffeln: trocken. Alexander wusste schon, was jetzt kam (falls er Kurt nicht sofort ein Glas Wasser hinstellte). Nämlich dass die trockenen Kartoffeln Kurt im Hals stecken blieben, dass er einen brüllenden Schluckauf bekam, sodass man glaubte, der Magen würde gleich mit herauskommen. Wahrscheinlich konnte man Kurt auch mit trockenen Kartoffeln ersticken.

Alexander stand auf und füllte ein Glas mit Wasser.

Kurt, komischerweise, war *operabel*: Kurt hatte man drei Viertel des Magens herausoperiert. Und er aß mit seinem Rest Magen, als hätte man ihm noch drei Viertel Magen dazugegeben. Egal, was es gab: Kurt aß immer den Teller leer. Er hatte auch früher immer den Teller leer gegessen, dachte Alexander. Egal, was Irina ihm vorgesetzt hatte. Er hatte es aufgegessen und gelobt – ausgezeichnet! Immer dasselbe Lob, immer dasselbe «Danke» und «Ausgezeichnet», und erst Jahre später, nach Irinas Tod, als es gelegentlich dazu kam, dass Alexander kochte – erst da hatte Alexander begriffen, wie zermürbend, wie demütigend dieses ewige «Danke!» und «Ausgezeichnet!» für seine Mutter gewesen sein mussten. Man konnte Kurt nichts vorwerfen. Tatsächlich hatte er nie etwas verlangt, noch nicht einmal von Irina. Wenn keiner kochte, ging er ins Restaurant oder aß eine Butterstulle. Und wenn jemand für ihn kochte, bedankte er sich artig. Dann machte er seinen Mittagsschlaf. Dann seinen Spaziergang. Dann erledigte er seine Post. Was war dagegen zu sagen? Nichts. Das war es ja gerade.

Kurt tupfte mit den Fingerspitzen die letzten Kartoffelkrümel auf. Alexander reichte ihm eine Serviette. Kurt wischte sich tatsächlich den Mund, faltete die Serviette wieder ordentlich zusammen und legte sie neben den Teller.

– Hör zu, Vater, sagte Alexander. Ich war im Krankenhaus.

Kurt schüttelte den Kopf. Alexander fasste ihn am Unterarm und versuchte es noch einmal mit Nachdruck.

– Ich – er zeigte auf sich – war im Kran-ken-haus! Verstehst du?

– Ja, sagte Kurt und stand auf.

– Ich bin noch nicht fertig, sagte Alexander.

Aber Kurt reagierte nicht. Tapste ins Schlafzimmer, noch immer mit nur einem Hausschuh, zog seine Hosen aus. Sah Alexander erwartungsvoll an.

– Mittagsschlaf?

– Ja, sagte Kurt.

– Na, dann wechseln wir mal die Windel.

Kurt tapste ins Bad, Alexander glaubte schon, dass er verstanden hätte, aber im Bad zog Kurt die Windelhose ein Stück herunter und pisste in hohem Bogen auf den Fußboden.

– Was machst du denn da!

Kurt sah erschrocken auf. Konnte aber nicht mehr aufhören zu pissen.

Nachdem Alexander seinen Vater geduscht, ins Bett gebracht und den Badfußboden gewischt hatte, war sein Kaffee kalt. Er schaute auf die Uhr: um zwei. Der Abenddienst würde frühestens um sieben kommen. Kurz überlegte er, ob er jetzt die siebenundzwanzigtausend Mark aus dem Wandsafe nehmen und einfach verschwinden sollte. Beschloss aber zu warten. Er wollte es vor den Augen seines Vaters tun. Wollte ihm die Sache erklären, auch wenn es sinnlos war. Wollte, dass Kurt Ja dazu sagte – auch wenn Ja das einzige Wort war, das er noch beherrschte.

Alexander ging mit seinem Kaffee ins Wohnzimmer. Was nun? Was anfangen mit der verlorenen Zeit? Wieder ärgerte er sich darüber, dass er sich Kurts Rhythmus unterworfen hatte, und der Ärger darüber verband sich unwillkürlich mit dem schon notorisch gewordenen Ärger über das Zimmer. Nur dass es ihm jetzt, nachdem er vier Wochen nicht hier gewesen war, noch schlimmer vorkam: blaue Gardinen, blaue Tapeten, alles blau. Weil Blau die Lieblingsfarbe seiner letzten Angebeteten gewesen war ... Idiotisch, mit achtundsiebzig. Kaum dass Irina ein halbes Jahr unter der Erde gelegen hatte ... Sogar die Servietten, die Kerzen: blau!

Ein Jahr lang hatten die beiden sich aufgeführt wie Pennäler. Hatten einander Herzchenpostkarten geschickt und ihre gegenseitigen Liebesgeschenke in blaues Papier eingewickelt, dann hatte die Angebetete wohl bemerkt, dass Kurt zu verblöden begann – und war verschwunden. Zurück blieb der *blaue Sarg*, so nannte es Alexander. Eine kalte blaue Welt, die nun von niemandem mehr bewohnt wurde.

Nur die Essecke war noch wie früher. Obwohl, auch das nicht ... Kurt hatte zwar die Furniertapete nicht angerührt – Irinas Stolz: echte Furniertapete! Sogar das sogenannte Sammelsirium (Irina-Deutsch) war noch da – aber wie! Kurt hatte diese wildgewachsene Sammlung abstrusester Mitbringsel und Erinnerungsstücke, die die Furniertapete mit den Jahren überwuchert hatte, im Zuge seiner Renovierung komplett abgenommen, entstaubt, das «Wichtigste» (oder was Kurt dafür hielt) ausgewählt und in «lockerer Ordnung» (oder was Kurt dafür hielt) wieder an der Furniertapete platziert. Wobei er versucht hatte, schon vorhandene Nagellöcher «zweckmäßigerweise» zu nutzen. Kurts Kompromiss-ästhetik. So sah es auch aus.

Wo war der kleine Krummdolch, den der Schauspieler Gojkovic – Häuptling aller DEFA-Indianerfilme, immerhin! – Irina einmal geschenkt hatte. Und wo war der Kuba-Teller, den die Genossen aus dem Karl-Marx-Werk Wilhelm zum neunzigsten Geburtstag überreicht hatten, und Wilhelm, so wurde erzählt, hatte die Brieftasche gezückt und einen Hunderter auf den Teller geknallt – weil er glaubte, er werde um eine Spende für die Volkssolidarität gebeten ...

Egal. Gegenstände, dachte Alexander ... Einfach bloß Gegenstände. Für den, der nach ihm kam, ohnehin bloß ein Haufen Sperrmüll.

Er ging hinüber in Kurts Arbeitszimmer, das auf der anderen (wie Alexander fand: schöneren) Seite lag.

Ganz im Gegensatz zum Wohnzimmer, wo Kurt alles umgekrempelt hatte – auch Irinas Möbel hatte er ausgetauscht, die schöne alte Vitrine gegen irgendein grässliches Möbel aus MDF-Platten; selbst Irinas wunderbares, zeitlebens wackliges Telefontischchen hatte Kurt abgeschafft; und, was Alexander ihm besonders übelgenommen hatte, sogar die

Wanduhr: die freundliche alte Uhr, deren Mechanik zu jeder halben und vollen Stunde zu schnurren pflegte, zum Zeichen, dass sie noch immer ihren Dienst versah, obwohl das Gehäuse für den Gong fehlte, ursprünglich war es nämlich eine Standuhr gewesen, Irina hatte sie, einer Mode folgend, aus dem Kasten genommen und an die Wand gehängt, und Alexander konnte sich bis heute daran erinnern, wie Irina und er die Uhr geholt hatten und dass Irina es nicht fertiggebracht hatte, der alten Dame, die sich von der Uhr trennte, mitzuteilen, dass der Uhrkasten eigentlich überflüssig war; wie sie extra einen Nachbarn hatten bitten müssen, beim Verladen des kompletten Uhrkastens zu helfen, und wie der riesige Kasten, den sie nur zum Schein abtransportierten, aus dem Kofferraum des kleinen Trabbi herausgeragt hatte, sodass das Auto vorn fast die Bodenhaftung verlor – im Gegensatz zum totalrenovierten Wohnzimmer war in Kurts Zimmer noch alles, und zwar auf gespenstische Weise, beim Alten:

Der Schreibtisch stand schräg vor dem Fenster – vierzig Jahre lang war er nach jeder Renovierung wieder genau in die Druckstellen im Teppich gestellt worden. Ebenso die Sitzecke mit Kurts großem Sessel, in dem er mit krummem Rücken und gefalteten Händen gesessen und seine Anekdoten erzählt hatte. Und auch die große schwedische Wand (wieso eigentlich *schwedische* Wand?) stand wie eh und je. Die Bretter bogen sich unter der Last der Bücher; hier und da hatte Kurt ein zusätzliches, farblich nicht ganz passendes Brett eingezogen, aber die kosmische Ordnung war unverändert – eine Art letztes Back-up von Kurts Gehirn: Dort standen die Nachschlagewerke, die auch Alexander mitunter benutzt hatte (Aber zurückstellen!), dort die Bücher zur russischen Revolution, da in langer Reihe die rostbraunen Lenin-Bände, und links neben Lenin, in der letzten Abteilung, unter dem Ordner mit der strengen Aufschrift PERSÖNLICH, stand noch immer – Alexander hätte es blindlings herausgreifen können – das aufklappbare, ramponierte Schachbrett mit den Figuren, die irgendein namenloser Gulag-Häftling irgendwann einmal geschnitzt hatte.

Das Einzige, was – abgesehen von neuen Büchern – in vierzig Jahren hinzugekommen war, waren ein paar der ursprünglich zahlreichen Erinnerungsstücke, die die Großeltern aus Mexiko mitgebracht hatten; das meiste war nach ihrem Tod in einer überstürzten Aktion verschenkt und verscherbelt worden, und auch die wenigen Dinge, von denen sich Kurt merkwürdigerweise nicht hatte trennen wollen, hatten es nicht geschafft, ins «Sammelsirium» aufgenommen zu werden – angeblich aus Platzmangel, in Wirklichkeit aber, weil Irina ihren Hass auf alles, was aus dem Hause der Schwiegereltern kam, nie hatte überwinden können. Also hatte Kurt sie «provisorisch» in seine schwedische Wand eingefügt, und dort waren sie «provisorisch» geblieben, bis heute: Das ausgestopfte Haifischbaby, von dessen rauer Haut Alexander als Kind beeindruckt gewesen war, hatte Kurt mit Geschenkband an einer Regalsprosse aufgehängt; die furchteinflößende aztekische Maske lag noch immer mit dem Gesicht nach oben im Vitrinenfach mit den unzähligen kleinen Schnapsfläschchen; und die große, gewundene, rosafarbene Muschel, in die Wilhelm – keiner wusste, wie – eine Glühbirne eingebaut hatte, stand noch immer ohne Elektroanschluss auf einem der Unterschränke.

Wieder musste er an Markus denken: an seinen Sohn. Musste sich vorstellen, wie Markus hier umging, mit Kapuze und Kopfhörern in den Ohren – so hatte er ihn das letzte Mal, vor zwei Jahren, gesehen –, musste sich vorstellen, wie

Markus vor Kurts Bücherwand stand und die Regalbretter mit den Stiefelspitzen anstupste; wie er die Dinge, die sich in vierzig Jahren hier angesammelt hatten, durch seine Hände gehen ließ und auf Gebrauchswert oder Verkäuflichkeit prüfte: Kaum jemand würde ihm den Lenin abkaufen; für das klappbare Schachbrett bekam er womöglich noch ein paar Mark. Einzig das ausgestopfte Haifischbaby und die große rosa Muschel würden ihn vermutlich interessieren, und er würde sie in seiner Bude aufstellen, ohne sich über ihre Herkunft Gedanken zu machen.

Für eine Sekunde tauchte der Gedanke auf, die Muschel mitzunehmen, um sie dort, wo sie herkam, ins Meer zu werfen – aber dann kam es ihm vor wie eine Szene aus einer Fernsehschmonzette, und er verwarf den Gedanken wieder.

Er setzte sich an den Schreibtisch und öffnete die linke Tür. Im mittleren Schubfach ganz hinten, in der uralten ORWO-Fotopapierschachtel, lag, versteckt unter Klebstofftuben, seit vierzig Jahren der Schlüssel zum Wandsafe – und er lag immer noch da (plötzlich hatte Alexander die blödsinnige Vorstellung angefallen, der Schlüssel könnte verschwunden sein und seine Pläne wären im Eimer).

Er steckte den Schlüssel vorsichtshalber ein – als ob ihn jetzt noch jemand wegnehmen könnte. Trank einen Schluck kalten Kaffee.

Seltsam, wie winzig Kurts Schreibtisch war. An diesem Tischlein hatte Kurt sein Werk verfasst. Hier hatte er gesessen, in einer medizinisch schwer bedenklichen Sitzhaltung, auf einem Stuhl, der eine ergonomische Katastrophe war, hatte seine Pfeifen geraucht, seinen sauren Filterkaffee getrunken und im Viereinhalb-Finger-System auf seiner Schreibmaschine herumgehämmert, tack-tack-tack-tack, Papa arbeitet! Sieben Seiten täglich, das war seine «Norm», aber es kam auch vor, dass er zum Mittagessen verkündete: Zwölf Seiten heute! Oder: Fünfzehn! Eine komplette Spalte seiner schwedischen Wand hatte er auf diese Weise zusammengehämmert, ein Meter mal drei Meter fünfzig, alles voll mit dem Zeug, «einer der produktivsten Historiker der DDR», hatte es geheißen, und selbst wenn man die Artikel aus den Zeitschriften, in die sie eingebunden waren, und die Beiträge aus den Sammelbänden herausnahm und sie – zusammen mit den zehn oder zwölf oder vierzehn Büchern, die Kurt verfasst hatte – in eine Reihe stellte, hatte sein Werk noch immer eine Gesamtregalbreite, die fast mit der des Lenin'schen Werks konkurrieren konnte: ein Meter Wissenschaft. Für diesen Meter Wissenschaft hatte Kurt dreißig Jahre geschuftet, dreißig Jahre lang die Familie terrorisiert. Für diesen Meter hatte Irina gekocht und Wäsche gewaschen. Für diesen Meter hatte Kurt Orden und Auszeichnungen, aber auch Rüffel und einmal sogar eine Rüge von der Partei erhalten, hatte mit den vom ewigen Papiermangel gebeutelten Verlagen um Auflagenhöhen gefeilscht, hatte einen Kleinkrieg um Formulierungen und Titel geführt, hatte aufgeben müssen oder hatte mit List und Zähigkeit Teilerfolge erzielt – und nun war alles, alles MAKULATUR.

So hatte Alexander gedacht. Wenigstens diesen Triumph hatte er nach der Wende geglaubt verbuchen zu können: Alles das, so hatte er geglaubt, habe sich nun erledigt. Diese angebliche Forschung, dieses ganze halbwahre und halbherzige Zeug, das Kurt da über die Geschichte der deutschen Arbeiterbewegung zusammengehämmert hatte – das alles, so hatte Alexander geglaubt, würde mit der Wende hinweggespült, und nichts von Kurts sogenanntem Werk würde bleiben.

Aber dann hatte sich Kurt noch einmal auf seinen katastrophalen Stuhl gesetzt, mit schon fast achtzig, und hatte klammheimlich sein letztes Buch zusammengehämmert. Und obwohl dieses Buch kein Welterfolg geworden war – ja, zwanzig Jahre früher wäre ein Buch, in dem ein deutscher Kommunist seine Jahre im Gulag beschrieb, möglicherweise ein Welterfolg geworden (nur war Kurt zu feige gewesen, es zu schreiben!) –, aber auch wenn es kein Welterfolg geworden war, so war es doch, ob man wollte oder nicht, ein wichtiges, ein einzigartiges, ein «bleibendes» Buch – ein Buch, wie es Alexander nicht geschrieben hatte und nun wohl auch nicht mehr schreiben würde.

Wollte er das? Hatte er nicht immer davon geredet, dass er sich zum Theater hingezogen fühlte, gerade weil Theater etwas Vergängliches war? Vergänglich – klang gut. Solange man keinen Krebs hatte.

Die Mücken tanzten im Sonnenlicht, Kurt schlief noch immer – dabei hieß es doch, alte Leute schliefen nicht mehr so viel. Alexander beschloss, sich ebenfalls ein wenig hinzulegen.

Als er schon im Begriff war, das Zimmer zu verlassen, fiel sein Blick auf den Ordner mit der Aufschrift PERSÖNLICH, der ihn schon immer angezogen, den zu öffnen er aber nie gewagt hatte – obwohl er als Jugendlicher nicht einmal vor der erotischen Fotosammlung seines Vaters zurückgeschreckt war. Bis Kurt ein Sicherheitsschloss in die Schranktür einbauen ließ.

Er nahm den Ordner heraus: Zettel, Notizen. Kopien von Dokumenten. Obenauf mehrere Briefe, mit violetter Tinte geschrieben, wie es vor vielen Jahren in Russland üblich gewesen war:

«Liebste Ira!» (1954)

Alexander blätterte ... Typisch Kurt. Selbst seine Liebesbriefe hatte er akkurat zweiseitig beschrieben, in gestochener Schrift, alle Seiten bis zum Letzten gefüllt, und zwar in gleichmäßigem Zeilenabstand, ohne dass die Zeilen am Ende eines Briefes auseinanderrückten oder sich drängten oder dass irgendwo der Rand einer Seite zusätzlich beschrieben war ... Wie hatte der Kerl das gemacht? Und bei alldem die irritierend überschwänglichen Anreden, mit denen er Irina überschüttete:

«Liebe, liebste Irina!» (1959)

«Meine Sonne, mein Leben!» (1961)

«Meine geliebte Frau, mein Freund, meine Gefährtin!» (1973)

Alexander stellte den Ordner zurück und stieg die Treppen hinauf zu Irinas Zimmer. Er ließ sich auf das große, mit einer Art Teddybärfell bezogene Sofa fallen, versuchte ein bisschen zu schlafen. Stattdessen sah er wieder den pockennarbigen Karajan, der sich, wie aufgezogen, in seinem Drehsessel hin und her wiegte. Die Gläser seiner Brille blitzten, die Stimme wiederholte immer wieder denselben Satz ... Schluss damit. Er musste an etwas anderes denken. Er hatte einen Entschluss gefasst, es gab nichts mehr zu denken, nichts zu beschließen.

Er öffnete die Augen. Betrachtete Irinas Kuscheltiere, die auf der Lehne saßen, ordentlich nebeneinander – so wie die Putzfrau sie aufgereiht hatte: der Hund, der Igel, der Hase mit seinem angekokelten Ohr ...

Und was, wenn sie sich geirrt hatten?

Absurd, dachte er, dass Irina bis zum Schluss *dein Zimmer* gesagt hatte. *Ihr schlaft oben in deinem Zimmer*, der Satz klang ihm plötzlich im Ohr. Dabei konnte man sich wohl kaum ein Zimmer vorstellen, das mehr als dieses die perfekte, wenn auch späte Verwirklichung eines Mädchentraums darstellte: rosa Wände. Ein Rokokospiegel, beschädigt, aber echt. Am Fenster stand ein weiß angestrichener Sekretär, an dem Irina sich gern in nachdenklicher Pose hatte fotografieren lassen. Und die zerbrechlichen Vermutlich-auch-Rokoko-Stühlchen posierten so anmutig im Raum, dass man sich nicht daraufsetzen mochte.

Und tatsächlich, sobald er sich Irina hier vorzustellen versuchte, sah er sie auf dem Fußboden sitzen, bei ihren einsamen Orgien, wenn sie ihre krächzenden Wyssozki-Kassetten hörte und sich allmählich betrank.

Und dort das Telefon, noch der DDR-Apparat, der früher unten gestanden hatte. Noch derselbe Apparat, in den sie mit tonloser Stimme diese vier Worte gesprochen hatte:

– Saschenka. Du. Musst. Kommen.

Vier Worte aus dem Mund einer russischen Mutter, deren ganzer Stolz es gewesen war, ihren Sohn *niemals im Leben* um irgendetwas gebeten zu haben:

– Saschenka. Du. Musst. Kommen.

Und nach jedem Wort ein langes, atmosphärisches Knistern, sodass man versucht war aufzulegen, weil man glaubte, die Leitung sei unterbrochen.

Und er? Was hatte er gesagt?

– Ich komme, wenn du aufgehört hast zu trinken.

Er stand auf, ging zu dem weiß angestrichenen Sekretär, in dessen unübersichtlichen Geheimfächern sie nach Irinas Tod ihre Alkoholvorräte gefunden hatten. Öffnete ihn, begann wie ein Süchtiger ihn zu durchsuchen. Ließ sich wieder aufs Sofa fallen. Es gab hier keinen Alkohol mehr.

Oder hatte er «saufen» gesagt? Ich komme, wenn du aufgehört hast zu saufen?

Vierzehn Tage später war er zum Beerdigungsinstitut gefahren, um seine Mutter wieder zum Leben zu erwecken ... Nein, er war hingefahren, weil es noch irgendwelche Formalitäten zu erledigen gab. Aber dann, schon auf der Straße, hatte ihn die fixe Idee überkommen, er könnte seine Mutter wiedererwecken, wenn er nur zu ihr *sprach*. Und nachdem er zweimal um den Block marschiert war und sich die Sache auszureden versucht hatte, war er schließlich hineingegangen und hatte seine Mutter zu sehen verlangt und hatte sich auch nicht davon abbringen lassen, als man ihm fachkundig riet, sie doch lieber so in Erinnerung zu behalten, wie sie «im Leben» gewesen war.

Dann hatte man sie hereingerollt. Ein Vorhang ging zu. Er stand neben einer nachlässig zurechtgemachten Leiche, die, zugegeben, seiner Mutter nicht unähnlich sah (abgesehen von dem zu kleinen Gesicht und den ziehharmonikaartigen Fältchen auf der Oberlippe), stand neben ihr und wagte nicht, sie anzusprechen vor den beiden Mitarbeitern des Beerdigungsinstituts, die hinter dem Vorhang lauerten, so dicht, dass man ihre Schuhe am unteren Rand des Vorhangs sah. Nur um überhaupt etwas versucht zu haben, berührte er ihre Hand – und stellte fest, dass sie kalt war: kalt wie ein Stück Huhn, das man aus dem Kühlschrank nimmt.

Nein, sie hatten sich nicht geirrt. Es gab ein Röntgenbild. Es gab ein CT. Es gab Laborwerte. Es war klar: Non-Hodgkin-Lymphom, langsam wachsender Typ. Gegen das es – wie taktvoll ausgedrückt! – bis heute keine wirksame Therapie gebe.

– Und was heißt das, in Jahren ausgedrückt?

Und dann drehte sich dieser Mensch eine Ewigkeit auf seinem Stuhl hin und her, mit einem Gesicht, als sei es eine

Zumutung, eine solche Frage beantworten zu müssen, und sagte:

– Eine Prognose werden Sie von mir nicht hören.

Und seine Stimme schnarrte – wie der Sauerstoffapparat des alten Mannes in seinem Zimmer.

Zeitmaße. Zwölf Jahre: die Wende. Unerreichbare Zeit. Trotzdem versuchte er nachzuspüren: Was wogen zwölf Jahre?

Klar, dass die zwölf Jahre vor der Wende ihm unverhältnismäßig länger erschienen als die zwölf Jahre danach. 1977 – das war eine Ewigkeit! 1989 dagegen – ein Rutsch, eine Straßenbahnfahrt. Dabei war doch einiges passiert, oder?

Er war abgehauen und wieder zurückgekehrt (wenn auch das Land, in das er zurückkehrte, verschwunden war). Er hatte einen ordentlich bezahlten Job bei einem Kampfkunst-Magazin angenommen (und wieder gekündigt). Hatte Schulden gemacht (und wieder zurückgezahlt). Hatte ein Filmprojekt angezettelt (vergiss es).

Irina war gestorben: *sechs Jahre.*

Er hatte zehn oder zwölf oder fünfzehn Theaterstücke inszeniert (an immer unbedeutenderen Theatern). War in Spanien, Italien, Holland, Amerika, Schweden, Ägypten gewesen (aber nicht in Mexiko). Hatte eine unbestimmte Anzahl Frauen gevögelt (deren Namen er nicht mehr zusammenbrachte). Hatte sich – nach einer Zeit des Umherstreunens – wieder auf so etwas wie eine feste Beziehung eingelassen ...

Marion kennengelernt: *drei Jahre.*

Kam ihm aber jetzt gar nicht so kurz vor.

Ihm fiel ein, dass er ihr hatte Bescheid sagen wollen. Immerhin war sie die Einzige, die ihn besucht hatte – obwohl er sich auch ihren Besuch ausdrücklich verbeten hatte. Allerdings musste er zugeben, dass es dann gar nicht so schlimm gewesen war. Nein, sie war nicht, wie er befürchtet hatte, übertrieben fürsorglich gewesen. Hatte ihn nicht mit irgendwelchen Sprüchen aufzuheitern versucht. Hatte ihm keine Blumen mitgebracht. Sondern Tomatensalat. Woher wusste sie, worauf er gerade Appetit hatte? Woher wusste sie, dass er geradezu panische Angst davor gehabt hatte, im Krankenhaus Blumen geschenkt zu bekommen?

Anders gefragt: Warum war er eigentlich nicht imstande, Marion zu lieben? War sie zu alt? So alt wie er selbst. Lag es an den zwei oder drei blauen Äderchen, die an ihren Oberschenkeln durchschimmerten? Lag es an ihm?

«Liebste, allerliebste Irina! ... Meine Sonne, mein Leben!»

Nie hatte er einer Frau je so geschrieben. War das altmodisch? Oder hatte Kurt Irina geliebt? Hatte dieser alte, pedantische Hund, hatte diese Maschine Kurt Umnitzer es fertiggebracht zu *lieben*?

Bei diesem Verdacht wurde Alexander so übel, dass er aufstehen musste.

Es war kurz nach halb drei, als er die Treppe hinabstieg. Kurt schlief noch. Marion, wusste er, war in der Gärtnerei: zu früh, um sie anzurufen. Stattdessen rief er die Auskunft an. Eigentlich hatte er direkt zum Flughafen fahren wollen. Aber jetzt rief er an, ließ sich gleich von der Auskunft verbinden, wurde weiterverbunden, landete schließlich an der richtigen Stelle und zögerte doch, als sich herausstellte, dass die Buchung eines Fluges ohne weiteres für morgen möglich war. Vorausgesetzt, er besaß eine Kreditkarte.

Besaß er.

– Also, soll ich nun buchen oder nicht, fragte die Dame am anderen Ende, nicht unhöflich, aber doch in einem Ton,

27

der ausdrückte, dass sie sich nicht ewig mit dieser Lappalie aufhalten wollte.

– Ja, sagte er und gab seine Kreditkartennummer durch.

Als er den Hörer auflegte, war es 14:46 Uhr. Er blieb einen Augenblick im Halbdunkeln stehen, wartete darauf, dass ein Gefühl hinterherkam – kam aber nicht. Nur die Melodie fiel ihm ein – von Oma Charlottes uralter Schellackplatte, die ihm beim Umzug auf den Gehweg gefallen und in tausend Stücke zersprungen war:

Mexico lindo y querido
si muero lejos de ti ...

Die «Goldene Gräte». Wie ging es weiter? Wusste er nicht mehr. Ob man so was in Mexiko noch bekam? Nach einem halben Jahrhundert?

Er ging in den «blauen Sarg», sammelte seine Kaffeetasse ein, brachte sie in die Küche. Blieb kurz am Küchenfenster stehen, warf einen Blick in den Garten. Suchte, als sei er ihr wenigstens diese Sekunde des Andenkens schuldig, im hohen, goldenen Gras die Stelle, wo Baba Nadja einst stundenlang in gebückter Haltung gestanden und ihre Gurkenbeete besorgt hatte ... Sah aber nichts. Baba Nadja blieb spurlos verschwunden.

Er holte den Werkzeugkasten aus der Kammer und ging in Kurts Zimmer.

Zuerst nahm er das alte Schachbrett heraus, das links neben Lenin stand, klappte es auf. Öffnete den Ordner mit der Aufschrift PERSÖNLICH. Griff einen Packen Papiere, gerade so viel, wie in das aufklappbare Schachbrett passte. Legte ihn hinein. Holte eine große weiße Plastiktüte aus der Küche. Steckte das Schachbrett hinein. Ganz automatisch. Ruhig, sicher, als hätte er das lange geplant.

Das Geld, dachte er, würde er nachher auch in die Tüte stecken.

Dann wühlte er den breiten, oft schon missbrauchten Stechbeitel aus dem Werkzeugkasten, schlug ihn in den Türspalt des mit dem Sicherheitsschloss versperrten Unterschranks. Es krachte, Holz splitterte ab. Schwieriger als gedacht. Er musste sämtliche Schubfächer aus der anderen Hälfte des Unterschranks ziehen, bis die Zwischenwand so weit nachgab, dass die Tür aufsprang: Fotos. Ein erotisches Kartenspiel. Videos. Ein paar einschlägige Magazine ... Und da war sie, er hatte sich nicht geirrt: die lange rote Plastikschachtel mit Dias. Nur ein einziges Mal hatte er die Schachtel geöffnet, hatte das erstbeste Dia gegen das Licht gehalten, seine Mutter erkannt, halb nackt, in eindeutiger Pose – und das Dia eilends zurück in die Schachtel gesteckt.

Er holte den Wäschekorb aus dem Bad und packte alles hinein.

Der einzige Ofen, der in der Wohnung verblieben war, stand im großen Zimmer. Er war jahrelang nicht mehr geheizt worden. Alexander holte Zeitungspapier, zwei hölzerne Buchstützen aus Kurts schwedischer Wand, es waren die Eulen, und das Bratöl aus der Küche. Tränkte das Zeitungspapier darin. Zündete das Ganze an ...

Plötzlich stand Kurt in der Tür. Freundlich, ausgeschlafen. Die dünnen Beinchen ragten aus seinen Windelhosen heraus. Seine Haare standen kreuz und quer wie die Äste des Apfelbaums draußen. Neugierig tapste Kurt näher.

– Ich verbrenne deine Fotos, sagte Alexander.

– Ja, sagte Kurt.

– Hör zu, Vater, ich werde wegfahren. Verstehst du? Ich fahre weg, und ich weiß noch nicht, für wie lange. Verstehst du?

– Ja, sagte Kurt.

– Deswegen verbrenne ich das. Damit es niemand hier findet.

Kurt schien nichts ungewöhnlich zu finden. Er hockte sich zu Alexander neben den Korb, schaute hinein. Das Feuer kam jetzt in Gang, und Alexander begann, die Spielkarten einzeln hineinzuwerfen. Dann die Fotos, die Magazine ... Die Videos, dachte er, würde er nachher in die Mülltonne werfen, aber die Dias mussten verbrannt werden. Nur, wo war die Schachtel?

Er sah auf: Kurt hielt die Schachtel in den Händen. Reichte sie ihm.

– Und? Was soll ich damit, fragte Alexander.

– Ja, sagte Kurt.

– Weißt du, was das ist, fragte Alexander.

Kurt überlegte angestrengt, rieb sich die Schläfe, wie früher, wenn er nach Worten gesucht hatte. Als würde er durch die Reibung elektrische Energie in seinem Gehirn erzeugen wollen, einen letzten Impuls.

Dann sagte er plötzlich:

– Irina.

Alexander sah Kurt an, sah ihm in die Augen. Er hatte blaue Augen. Hellblau. Und jung. Viel zu jung für das zerfurchte Gesicht.

Er nahm ihm die Schachtel ab, klopfte die Dias heraus. Warf sie, jeweils eine Handvoll, ins Feuer. Sie verbrannten geräuschlos und rasch.

Er zog Kurt an, kämmte ihn, rasierte noch rasch die Stellen nach, wo die Pflegerin Stoppeln gelassen hatte. Dann machte er Kaffee (für Kurt, aus der Kaffeemaschine). Fragte nicht erst, ob Kurt Kaffee trinken wollte. Dann war der Spaziergang dran, Kurt rannte schon zur Tür wie ein Hund, der die Regeln kennt und sein Recht fordert.

Sie gingen Kurts Runde: *zur Post*, wie es früher hieß, obwohl der Weg zur Post nur ein Bruchteil von Kurts täglicher Strecke war; dennoch hatte Kurt sich stets mit den Worten *Ich geh mal zur Post* zu seinem Spaziergang abgemeldet – und auch als er längst nichts mehr zur Post zu bringen hatte, fuhr er fort, *zur Post* zu gehen, und dieser Kurt'schen Pedanterie, immerhin, verdankten sich die siebenundzwanzigtausend Mark im Wandsafe. Denn eine Zeitlang hatte Kurt noch seine Geheimzahl gekannt und war in der Lage gewesen, Geld aus dem Automaten zu ziehen, und da er sonst nichts auf der Post zu erledigen hatte, zog er eben Geld. Immer tausendmarkweise. Einmal hatte er achttausend Mark in der Brieftasche gehabt. Alexander hatte das Geld genommen und in den Safe gelegt. Und so war er der Einzige, der von dem Geld wusste.

Sie gingen den Fuchsbau entlang, vorbei an den Nachbarhäusern, deren Bewohner Alexander einmal alle persönlich gekannt hatte: Hier hatte Horst Mählich gewohnt, der Wilhelm zeitlebens für einen sowjetischen Meisterspion gehalten und bis zum Schluss zu den Verfechtern der Theorie von Wilhelms Ermordung gehört hatte; dort war das Haus von Stasi-Bunke, der nach der Wende noch ein paar Jahre im Garten Gemüse gezüchtet und immer freundlich über den Zaun gegrüßt hatte, bevor er geräuschlos verschwand; dort hatte Sportlehrer Schröter gewohnt; dort der aus dem Westen gekommene Arzt; und da, schließlich, am Ende der Straße, war das Haus seiner Großeltern. Es war bereits «rückübertragen». Jetzt wurde es von den Enkeln des ehemaligen Besitzers bewohnt, eines mittleren Nazis, der mit der Fabrikation von Scherenfernrohren für die Wehrmacht reich geworden war. Die Erben hatten das Haus renoviert und neu angestrichen. Die prächtige Natursteinterrasse, die Wilhelm durch übermäßiges Betonieren zum Einsturz gebracht hatte, war wieder instand gesetzt. Und der neu verglaste und mit allerlei Fensterschmuck ausgestattete Wintergarten sah so fremd aus, dass es Alexander schwerfiel zu glauben, dass er wirklich mit seiner Großmutter Charlotte dort gesessen und ihren mexikanischen Geschichten gelauscht hatte.

Dann bogen sie in den Steinweg ein, Kurt schniefend, nach vorn gebeugt, aber Schritt haltend. Hier, auf dem glatten Asphalt, waren sie früher Rollschuh gelaufen und hatten mit Kreide auf der Straße gemalt. Dort war der Fleischer gewesen, wo Irina blindlings die schon im Hinterzimmer gepackten Pakete gekauft hatte. Dort die «Volksbuchhandlung», jetzt Reisebüro. Und dort der Konsum, Betonung auf der ersten Silbe (und tatsächlich hatte es mit Konsum wenig zu tun), wo es vor sehr langer Zeit – Alexander konnte sich gerade noch daran erinnern – Milch auf Marken gegeben hatte.

Und da war die Post.

– Die Post, sagte Alexander.

– Ja, sagte Kurt.

Dann sagten sie nichts mehr.

Sie stiegen den Hügel zum alten Wasserturm hoch. Von hier aus hatte man einen schönen Blick auf die Havel. Sie setzten sich auf die Bank und schauten lange in den allmählich sich rötenden Himmel.

1952

Über Neujahr waren sie ein paar Tage an der Pazifikküste gewesen. Ein Kaffeelaster brachte sie von dem kleinen Flugplatz nach Puerto Angel. Ein Bekannter hatte den Ort empfohlen: romantisches Dorf, malerische Bucht mit Felsen und Fischerbooten.

Tatsächlich war die Bucht malerisch. Abgesehen von der betonierten Kaffeeverladerampe.

Der Ort selbst: zwanzig oder fünfundzwanzig Häuschen, eine verschlafene Poststelle und ein Kiosk, an dem es alkoholische Getränke gab.

Das einzige zu mietende Objekt war eine winzige, immerhin mit Ziegeln gedeckte Hütte (die die spanischstämmige Vermieterin «Bungalow» nannte). Darin stand, unter einem von der Decke herabhängenden Moskitonetz (das die Vermieterin «Pavillon» nannte), ein Eisenbett. Daneben zwei Nachttischchen. An ein paar hier und da in die Pfosten eingeschlagenen Nägeln hingen Kleiderbügel.

Vor dem «Bungalow» gab es eine überdachte Terrasse mit zwei wackligen Liegestühlen und einem Tisch.

– Ach, wie schön, sagte Charlotte.

Sie ignorierte die Fledermäuse, die kopfüber unter dem Dachvorsprung hingen, also im Grunde mitten im Zimmer, da, wie hier üblich, zwischen Wand und Dach ein handbreiter Spalt klaffte. Sie übersah das große, scheckige Schwein, das durch den Garten streunte und rings um den Verschlag, den die Vermieterin Bad nannte, die Erde aufwühlte.

– Ach, wie schön, sagte sie. Hier werden wir uns erholen.

Wilhelm nickte und ließ sich erschöpft im Liegestuhl nieder. Seine Hosenbeine rutschten hoch und gaben ein Stück seiner dürren, blassen Waden frei. Ohnehin mager, hatte er in den letzten Wochen noch einmal fünf Kilo abgenommen. Seine eckigen Gliedmaßen sahen aus wie der Liegestuhl, in dem er saß.

– Wir machen ein paar schöne Ausflüge in die Umgebung, versprach Charlotte.

Allerdings stellte sich heraus, dass es so gut wie keine «Umgebung» gab.

Einmal fuhren sie – mit einem Kaffeelaster – ins nahegelegene Pochutla und besuchten den chinesischen Kolonialwarenladen. Wilhelm stakste abwesend durch das über und über vollgestopfte Geschäft und blieb vor einer großen, polierten Schneckenmuschel stehen.

– Fünfundzwanzig Pesos, sagte der Chinese.

Das war allerhand.

– So eine wolltest du doch, sagte Charlotte.

Wilhelm zuckte mit den Schultern.

– Wir kaufen sie, sagte Charlotte.

Sie bezahlte, ohne über den Preis zu verhandeln.

Ein anderes Mal gingen sie zu Fuß bis Mazunte. Die Strände waren mehr oder weniger alle gleich, mit dem Unterschied, dass der Strand in Mazunte von dunklen Flecken übersät war. Den Grund dafür erkannten sie bald, nämlich als sie sahen, wie die Fischer eine gewaltige Wasserschildkröte bei lebendigem Leibe aus ihrem Panzer lösten.

Nach Mazunte gingen sie nicht wieder. Auch aßen sie keine Schildkrötensuppe mehr.

Dann war endlich Silvester. Die Männer des Dorfes hatten tagelang und unter großem Geschrei Kaffee verladen. Jetzt hatte man ihnen ihren Lohn ausgezahlt. Gegen drei Uhr waren alle betrunken und gegen sechs bewusstlos. Es wurde still im Dorf. Nichts rührte sich, niemand war zu sehen. Wie jeden Abend hatten Charlotte und Wilhelm sich ein kleines Feuer gemacht, von dem Holz, das der *mozo* ihnen für ein paar Pesos sammelte.

Es wurde früh dunkel, die Abende waren lang.

Wilhelm rauchte.

Das Feuer knisterte.

Charlotte tat so, als interessiere sie sich für die Fledermäuse, die lautlos wie Sternschnuppen im Schein des Feuers vorbeihuschten.

Um zwölf Uhr tranken sie Champagner aus Wassergläsern, und jeder aß seine Weinbeeren auf: ein hiesiger Brauch, zum Jahreswechsel zwölf Weinbeeren zu essen. Zwölf Wünsche – einer für jeden Monat.

Wilhelm aß alle Beeren auf einmal.

Charlotte wünschte sich zuallererst, dass Werner am Leben sei. Dafür verbrauchte sie gleich drei Beeren. Kurt lebte, von ihm hatte sie inzwischen Post. Er war, aus Gründen, die er im Brief nicht erwähnte, irgendwo im Ural gelandet, inzwischen verheiratet dort. Nur von Werner – nichts. Trotz der Bemühungen Dretzkys. Trotz der Suchanfrage beim Roten Kreuz. Trotz der Anträge, die sie beim sowjetischen Konsulat gestellt hatte – den ersten schon vor sechs Jahren:

– Bewahren Sie Ruhe, Bürgerin. Alles geht seinen Gang.

– Genosse, ich bin Mitglied der Kommunistischen Partei, und das Einzige, worum ich bitte, ist zu erfahren, ob mein Sohn lebt.

– Dass Sie Mitglied der Kommunistischen Partei sind, heißt nicht, dass Sie Sonderrechte genießen.

Das Schweinsgesicht. Erschießen sollen sie dich. Da hatte sie die Beere zerbissen.

Dann schon lieber Ewert und Radovan: je eine Beere.

Eine Beere, um die Strafe in Typhus umzuwandeln. In heilbaren Typhus. Eine, um die Typhusepidemie auf Ewerts Frau Inge auszudehnen, die neuerdings Chefredakteur war.

Auf einmal waren es nur noch drei Beeren. Jetzt hieß es haushalten.

Die zehnte: Gesundheit für all ihre Freunde – wer war das?

Die elfte: für alle Verschollenen. Wie jedes Jahr.

Und die zwölfte Beere ... zerbiss sie einfach. Ohne sich etwas zu wünschen. Plötzlich war es geschehen.

Im Übrigen war es zwecklos. Fünf Mal schon hatte sie sich gewünscht, dass sie im kommenden Jahr nach Deutschland zurückkehrten. Genützt hatte es nichts, sie saßen immer noch hier.

Sie saßen hier – während drüben, im neuen Staat, die Posten verteilt wurden.

Zwei Tage später flogen sie zurück nach Mexiko-Stadt. Am Mittwoch war Redaktionssitzung, wie immer. Wilhelm war zwar aus der Leitung der Gruppe abgewählt, hatte aber seine bisherigen Funktionen bei der *Demokratischen Post* behalten: Er machte die Abrechnung, verwaltete die Kasse, half beim Umbruch und bei der Verteilung der auf ein paar hundert Exemplare geschrumpften Auflage.

Aber auch Charlotte fühlte sich zur Teilnahme verpflichtet. Die Redaktionssitzung war einmal die Woche, und man wusste nicht recht, ob sie nicht gleichzeitig auch Parteiversammlung war. Je kleiner die Gruppe wurde, desto mehr vermischte sich alles: Parteizelle, Redaktionskomitee, Geschäftsführung.

Sieben waren noch übrig. Drei davon waren die «Leitung». Das heißt: zwei – seit Wilhelm abgewählt worden war.

Charlotte hatte Mühe, die Sitzung durchzuhalten, saß gekrümmt am Ende des Tisches und war kaum in der Lage, Radovan in die Augen zu schauen. Inge Ewert redete dummes Zeug, kannte nicht mal die Breite des Satzspiegels, verwechselte Kolumne und Signatur, aber Charlotte unterdrückte jeden Impuls, sich einzumischen oder einen Vorschlag zu machen, und in dem Artikel, den man ihr zum Korrekturlesen gab, übersah sie absichtlich Druckfehler, damit die Genossen in Berlin auch wahrnahmen, auf welches Niveau die Zeitschrift gesunken war, seit man sie als Chefredakteur abgelöst hatte.

Wegen «Verstoßes gegen die Parteidisziplin». Sodass Charlotte keinen anderen Weg gesehen hatte, als ihrerseits einen Bericht an Dretzky zu schicken. Ihr «Verstoß gegen die Parteidisziplin» hatte nämlich hauptsächlich darin bestanden, dass sie am 8. März, am Frauentag, eine Würdigung des neuen Gleichberechtigungsgesetzes der DDR gebracht hatte, obwohl der Vorschlag mehrheitlich als «uninteressant» abgelehnt worden war. *Das* war der eigentliche Skandal.

Sie fügte hinzu, dass Ewert in der Friedensfrage eine «defätistische Haltung» einnahm und dass Radovan in der für die politische Arbeit in Mexiko besonders sensiblen Judenfrage (die *Demokratische Post* hatte noch immer viele bürgerliche, jüdische Leser) gegen die Linie verstieß, die Dretzky, als er noch in Mexiko war, begründet hatte.

Das war unfair, sie wusste es. Aber war es fair, ihr einen «Verstoß gegen die Parteidisziplin» vorzuwerfen?

– Kannst du bis Anfang Februar etwas für die Kulturseite liefern?

Radovans Stimme.

– Eineinhalb Normseiten, regionaler Bezug.

Charlotte nickte und kritzelte etwas in ihren Kalender. Hieß das, sie war für den politischen Teil nicht mehr zuverlässig genug?

Abends badete sie – fast schon eine Gewohnheit am Tag der Redaktionssitzung.

Am Donnerstag und am Freitag gab sie Nachhilfeunterricht, Englisch und Französisch, jeweils drei Stunden (und verdiente an zwei Tagen mehr als Wilhelm in einer Woche bei der *Demokratischen Post*).

In der übrigen Zeit, bevor Wilhelm nach Hause kam, baumelte sie auf dem Dachgarten in der Hängematte, ließ sich vom Hausmädchen Nüsse und Mangosaft bringen und schmökerte in Büchern über präkolumbianische Geschichte: wegen des Artikels für die Kulturseite, so hieß die Ausrede, die ihr niemand abverlangte.

Am Wochenende las Wilhelm, wie stets, das *Neue Deutschland*, das immer im Packen und mit vierzehntägiger Verspätung aus Deutschland kam. Da er weder Spanisch noch Englisch konnte, war das *ND* sein einziger Lesestoff. Er las jede Zeile und war, mit Ausnahme von zweimal einer halben Stunde, die er mit dem Hund spazieren ging, bis zum späten Abend beschäftigt.

Charlotte kümmerte sich um den Haushalt: Sie besprach mit Gloria, dem Hausmädchen, den Speiseplan für die kommende Woche, sah Rechnungen durch und goss ihre Blumen. Seit langem züchtete sie auf der Dachterrasse eine Königin der Nacht. Sie hatte sie vor Jahren gekauft, in der zwiespältigen Hoffnung, dass sie nie sehen würde, wie sie blühte.

Am Montag rannte Wilhelm gleich früh in die Druckerei, und Charlotte rief Adrian an und verabredete sich mit ihm gegen Mittag.

Schon lange hatte Adrian ihr die Kolossalstatue der Coatlicue zeigen wollen. Er hatte ihr oft von der aztekischen Erdgöttin erzählt, und sie kannte bereits ein Foto: eine grausige Figur. Ihr Gesicht war auf merkwürdige Weise aus zwei im Profil zu sehenden Schlangenköpfen zusammengesetzt, sodass je ein Auge und zwei Zähne einer der Schlangen gehörten. Aus ihrem Schoß schaute der totenschädelartige Kopf ihres Sohnes Huitzilopochtli hervor. Um den Hals trug sie eine Kette aus abgehauenen Händen und herausgerissenen Herzen: Symbol der Opferriten der alten Azteken.

Man habe sie vor mehr als hundertfünfzig Jahren unter dem Pflaster des Zócalo gefunden, sagte Adrian, während er an seinem Kaffee nippte und Charlotte ansah wie vor einer Prüfung.

Sie war zum ersten Mal in der Universität. Alles, selbst die Kaffeetassen in Adrians Büro, erschienen ihr heilig. Und Adrian selbst schien ihr noch imposanter, seine Stirn vergeistigt, seine Hände noch feiner als sonst.

– 1790 hat man sie ausgegraben und in die Universität gebracht, sagte Adrian. Aber der damalige Rektor entschied, sie wieder am Zócalo vergraben zu lassen. Drei Mal hat man sie wieder vergraben – so unerträglich fand man ihr Antlitz. Und auch danach stand sie noch jahrzehntelang hinter einer Leinwand und wurde Besuchern nur als eine Art Abstrusum gezeigt.

Sie folgte Adrian durch ein Labyrinth von Gängen und Treppen, dann standen sie im Innenhof, Adrian drehte Charlotte sanft um – und sie sah auf die Füße von Coatlicue. Sie hatte eine mannshohe Statue erwartet. Vorsichtig wanderte ihr Blick hinauf bis in vier Meter Höhe. Sie schloss die Augen, wandte sich ab.

– Ihre Schönheit, sagte Adrian, besteht darin, dass das Grauen in der ästhetischen Form gebannt ist.

Im Januar schrieb sie zwei Normseiten über die Dialektik des Schönheitsbegriffs in der Kunst des aztekischen Volkes.

Im Februar wurde ihr Artikel vom gesamten Redaktions-komitee einschließlich Wilhelms als *zu theoretisch* abge-lehnt.

Im März begann es völlig unplanmäßig zu regnen, und Adrian machte ihr einen Heiratsantrag.

Sie hatte nichts mit Adrian. Allerdings hatte sie auch nichts mit Wilhelm, der seit seiner Abwahl aus der Parteilei-tung sexuell inaktiv war.

Sie saßen auf den Treppenstufen der Sonnenpyramide von Teotihuacán, wohin sie, nicht zum ersten Mal, mit Adrian gefahren war. Charlotte blickte über die tote Stadt hinweg auf die weite, hüglige Landschaft, die sich Tal von Mexiko nannte, obwohl sie in Wirklichkeit zweitausend Meter hoch lag, und glaubte plötzlich, dass sie in der Lage sei, *den gan-zen Dreck hinzuschmeißen*.

Stattdessen: einmal im Leben die Königin der Nacht blü-hen sehen.

Aber als sie an diesem Abend nach Hause kam und Wil-helm neben dem Hund auf dem Fußboden sitzen sah, wusste sie, dass es unmöglich war.

Und davon abgesehen: Würde sie je ihre Söhne wieder-sehen, wenn sie in Mexiko blieb?

Und davon abgesehen: Hatte sie wirklich vor, den Rest

ihres Lebens Kinder reicher Leute zu unterrichten? Oder die Hausangestellten eines verwitweten Universitätsprofessors zu kommandieren?

Und davon abgesehen: mit neunundvierzig!

Im April kam ein Brief von Dretzky, komischerweise datiert auf den ersten April. Wie sie dem Briefkopf entnahm, war Dretzky inzwischen Staatssekretär im Bildungsministerium. Er ging mit keiner Silbe auf Charlottes Bericht ein. Vielmehr teilte er mit, dass zwei Einreisevisa im sowjetischen Konsulat für sie bereitlägen, und bat sie, umgehend die Rückreise anzutreten, um für ihre neuen Aufgaben zur Verfügung zu stehen: Charlotte sollte als *Direktorin* das Institut für Literatur und Sprachen an der demnächst zu gründenden Akademie für Staats- und Rechtswissenschaft übernehmen, und Wilhelm, welcher, wie Dretzky schrieb, als sogenannter Westemigrant nicht, wie es sein Wunsch gewesen wäre, in den neuen Geheimdienst übernommen werden durfte – Wilhelm sollte *Verwaltungsdirektor* der Akademie werden.

An diesem Abend gingen sie durch den Almeda-Park, ließen sich im Strom der Menschen treiben. Von fern tönte eine Mariachi-Kapelle herüber, und sie aßen Tortillas mit Kürbisblüten wie früher.

Aber es war nicht wie früher.

Drei berittene Polizisten bewegten sich langsam, wie in Zeitlupe, durch die Menge. Alle hatten große, schwere Sombreros auf, so groß und schwer, dass sie sie eher balancierten als trugen, was den drei Reitern ein würdiges und zugleich lächerliches Aussehen gab. Die Repräsentanten der Staatsmacht, die ihnen vor zwölf Jahren das Leben gerettet hatte ... Abwegige Idee: dass alles bloß ein Aprilscherz war. Aber war es nicht auch abwegig, dachte Charlotte, dass Dretzky

Wilhelm zum Verwaltungsdirektor einer Akademie machen wollte? Wilhelm hatte nicht die geringste Ahnung von Verwaltung. Wilhelm hatte, im Grunde genommen, von nichts eine Ahnung. Wilhelm war Schlosser, sonst gar nichts.

Zwar war er tatsächlich einmal – auf dem Papier – Co-Direktor der *Lüddecke & Co. Import Export* gewesen. Aber erstens hatte er dies – aufgrund einer lebenslänglichen Geheimhaltungsverpflichtung – nicht einmal in seinem von der Partei verlangten Lebenslauf angegeben. Und zweitens war Lüddecke Import Export nicht mehr als eine von den Russen finanzierte Scheinfirma gewesen, die dem Geheimdienst der KOMINTERN zum Schmuggel von Menschen und Material diente.

In Mexiko hatte Wilhelm ewig gebraucht, um eine Arbeit zu finden, und was er schließlich fand, war eine – wenngleich gutbezahlte – Anstellung als Leibwächter eines Diamantenhändlers, die, abgesehen davon, dass es gegen Wilhelms proletarische Ehre verstieß, Leben und Eigentum eines Millionärs zu bewachen, vor allem deswegen deprimierend war, weil Wilhelm stets das Gefühl hatte, dass er für seine Dummheit bezahlt wurde. Mendel Eder hatte ihn angestellt, nicht obwohl, sondern weil er kein Spanisch sprach und es dem Händler durchaus gelegen kam, wenn ein Taubstummer neben ihm saß, während er seine Verhandlungen führte.

Erst spät, als die meisten Exilanten schon wieder in Deutschland waren, hatte Wilhelm begonnen, für die *Demokratische Post* zu arbeiten, aber auch wenn er in seinem Lebenslauf «Geschäftsführer der Demokratischen Post» als letzte Arbeitsstelle angegeben (und die Anstellung bei Eder zu «Frachtdienst Firma Eder» herunterstilisiert) hatte, musste Dretzky doch wissen, dass die Erstellung der Spendenabrechnung für die *Demokratische Post* nicht im Entferntesten mit der Verwaltung einer ganzen Akademie zu vergleichen war.

– Dann bin ich jetzt ja gewissermaßen dein Vorgesetzter, sagte Wilhelm und klopfte eine Zigarette aus seiner Schachtel.

– Wohl kaum, sagte Charlotte.

Was ging in diesem Kopf vor?

Schon mehrmals war ihnen die Rückkehr in Aussicht gestellt worden, aber immer war am Ende etwas dazwischengekommen. Zuerst war es am Durchreisevisum für die USA gescheitert. Dann war kein Geld mehr in der Reisekasse, weil andere Genossen wichtiger gewesen waren. Dann behauptete das sowjetische Konsulat, dass keine Papiere für sie vorlägen. Und schließlich hieß es, sie hätten die Erlaubnis zur Einreise wiederholt nicht genutzt, sodass sie sich nun gedulden müssten.

Aber dieses Mal schien es anders zu laufen. Tatsächlich wurden ihnen auf dem Konsulat Einreisevisa ausgehändigt. Sie bekamen eine direkte Schiffspassage, sogar mit Rabatt. Obendrein wurde Wilhelms Billett (warum ausgerechnet Wilhelms?) aus der Parteikasse erstattet – obgleich sie inzwischen genug Geld gehabt hätten, um die Überfahrt selbst zu bezahlen.

Charlotte begann sich um die Auflösung des Haushalts zu kümmern, kündigte Verträge und verkaufte die Königin der Nacht mit Verlust zurück an den Blumenladen. Es war erstaunlich viel zu erledigen, und erst jetzt merkte sie, wie sehr sie in das hiesige Leben verstrickt war; jedes Buch, dessen Mitnahme sie erwog, jede Muschel, jedes Figürchen, das sie vorsichtig in Zeitungspapier wickelte oder wegzuwerfen sich entschloss – alles war mit Erinnerungen an ein Stück Leben verbunden, das nun zu Ende ging. Aber gleichzeitig, während sie alles und jedes auf seine Brauchbarkeit im neuen Leben prüfte, begann auch ein Bild dieses neuen Lebens in ihr zu entstehen.

Sie erwarben fünf große Schrankkoffer, setzten einen Teil ihres kleinen Vermögens in Silberschmuck um und kauften von dem Rest verschiedene Dinge, von denen sie annahmen, dass sie im Nachkriegsdeutschland schwer zu bekommen waren, so beispielsweise eine Schweizer Reiseschreibmaschine (allerdings ohne «ß»), zwei Garnituren ausgesprochen praktischen Hartplastikgeschirrs, einen Toaster, zahlreiche Baumwolldecken mit indianischen Mustern, fünfzig Dosen des ebenfalls sehr praktischen Nescafés, fünfhundert Zigaretten, außerdem in reichlichem Umfang Kleidung, von der sie glaubten, dass sie sowohl dem Klima als auch ihrem neuen gesellschaftlichen Status entsprach. Statt heller, luftiger Sommersachen probierte Charlotte nun hochgeschlossene Blusen und dezente Kostüme in verschiedenen Grautönen an; sie ließ sich eine Dauerwelle machen und besorgte sich eine schlichte, aber elegante Brille, deren schmales schwarzes Gestell ihrem Gesicht eine glaubwürdige Strenge verlieh, wenn sie vor dem Spiegel den Blick einer Institutsdirektorin probierte.

So, zwar in alter Kleidung, aber mit neuer Brille und neuer Frisur, traf sie sich noch einmal, ein letztes Mal, mit Adrian. Sie gingen, wie schon oft, in ein kleines Restaurant in Tacubaya, dessen einziger Nachteil darin bestand, dass das sowjetische Konsulat in der Nähe war. Adrian bestellte zwei Gläser Weißwein und *chiles en nogada,* und noch bevor das Essen kam, fragte er Charlotte, ob sie wisse, dass man Slánský zum Tode verurteilt habe.

– Warum sagst du das, wollte sie wissen.

Anstatt zu antworten, ergänzte Adrian:

– Und zehn andere auch – wegen zionistischer Verschwörung.

Adrian legte eine *Herald Tribune* auf den Tisch.

– Lies, sagte er.

Aber Charlotte wollte nicht lesen.

– Hier wird doch gerade bewiesen, sagte Adrian, während er mit dem Zeigefinger auf die Zeitung pochte, dass sich nicht das Geringste geändert hat.

– Kannst du bitte mal leiser sprechen, sagte Charlotte.

– Na bitte, sagte Adrian, du hast jetzt schon Angst. Wie soll das dort drüben werden?

Das Essen kam, aber Charlotte wollte nichts essen. Eine Weile saßen beide vor ihren gefüllten Chilis. Dann sagte Adrian:

– Der Kommunismus, Charlotte, ist wie der Glaube der alten Azteken: Er frisst Blut.

Charlotte nahm ihre Handtasche und rannte hinaus auf die Straße.

Fünf Tage später bestiegen sie das Schiff, das sie nach Europa bringen sollte. In dem Moment, da die Leinen gelöst wurden und der Boden unter ihren Füßen ein wenig, vielleicht nur um Millimeter nachgab, wurden ihre Knie weich, und sie musste sich mit äußerster Anstrengung an der Reling festhalten. Der Anfall verging, von Wilhelm unbemerkt, nach einer Minute.

Die Küste verschwand im Dunst, das Schiff wandte sich dem Ozean zu und begann, eine schnurgerade Spur Kielwassers hinterlassend, seine Fahrt. Der Wind frischte auf, an Deck surrten die Wanten, und bald waren sie umgeben vom endlosen Grau, das in jeder Richtung bis zum Horizont reichte.

Die Tage wurden lang, die Nächte noch länger. Charlotte schlief schlecht, träumte immer denselben Traum, in dem Adrian sie durch eine Art unterirdisches Museum führte, und wenn sie erwachte, fand sie nicht wieder zurück in den Schlaf. Stundenlang lag sie im Dunkeln, spürte das Stampfen und Schlingern des Schiffs, spürte, wie sein Rumpf im Ansturm der Böen erzitterte. Und zehn andere auch, hatte Adrian gesagt. Warum hatte sie nicht wenigstens die Namen gelesen? Fragen. Was machte Kurt im Ural? Warum gelang es dem Roten Kreuz auch nach Jahren nicht, Werner zu finden? Sie war eine schlechte Genossin. Ihr Kopf, wenn sie ehrlich war, verstieß ständig gegen die Parteidisziplin. Und fast hätte auch ihr Körper dagegen verstoßen.

Am Tag verkroch sie sich vor Wilhelm und versuchte Ordnung in ihren Kopf zu bekommen. Was wäre sie heute, fragte sie sich, ohne die Partei? Kunststopfen und Bügeln hatte sie gelernt an der Haushaltsschule. Noch heute würde sie kunststopfen und bügeln für Herrn Oberstudienrat Umnitzer, der sie mit seinen Schülerinnen betrog, noch heute würde sie sich die Herablassung ihrer Schwiegermutter gefallen lassen und sich darüber ärgern, dass Frau Paschke ihre Wäscheleine belegte – wenn nicht, mit Wilhelm, die Kommunistische Partei in ihr Leben getreten wäre.

In der Kommunistischen Partei hatte sie zum ersten Mal Respekt und Anerkennung erfahren. Erst die Kommunisten, die sie ursprünglich für eine Art von Banditen gehalten hatte (als Kind hatte sie sich immer vorgestellt, dass sie in die Häuser eindrangen und die gemachten Betten einrissen, weil ihre Mutter erzählt hatte, die Kommunisten seien «gegen die Ordnung») – erst die Kommunisten hatten ihre Talente erkannt, hatten ihre Fremdsprachenausbildung gefördert, hatten sie mit politischen Aufgaben betraut, und während ihr Bruder Carl-Gustav, für dessen Kunststudium ihre Mutter in barbarischer Weise gespart hatte – Charlotte erinnerte sich noch jetzt mit Bitterkeit daran, wie sie, um Gas zu sparen, zum Bewachen des Pfeifkessels abgestellt wurde und wie die Mutter ihr mit dem Stullenbrett auf den Hinterkopf schlug, wenn sie es versäumte den Pfeifkessel rechtzeitig, nämlich *bevor* er pfiff, abzudrehen –, während also Carl-Gustav als Künstler gescheitert und im Schwulenmilieu Berlins versackt war, kehrte sie, die nur vier Klassen der Haushaltsschule besucht hatte, heute nach Deutschland zurück, um ein Institut für Sprachen und Literatur zu übernehmen, und das Einzige, was ihr wehtat, war, dass ihre Mutter diesen Triumph nicht mehr erlebte; dass sie ihrer Mutter nicht noch ein lapidares Schreiben schicken konnte mit dem Briefkopf *Charlotte Powileit. Institutsdirektorin.*

Aber dann kam wieder die Nacht. Der Schiffsleib schlingerte durch die Dunkelheit, und kaum war Charlotte eingeschlafen, war Adrian da und führte sie durch verschlungene unterirdische Gänge, an deren Ende etwas Schlimmes auf sie wartete ... Sie erwachte von ihrem eigenen Schrei.

Indessen schien es Wilhelm von Tag zu Tag besserzugehen. Eben noch, auf der anderen Seite des Ozeans, hatte er unter chronischer Schlaflosigkeit gelitten und sich über mangelnden Appetit beklagt. Aber je weniger Charlotte aß, desto größer schien Wilhelms Hunger zu werden. Er schlief gut, machte täglich, auch bei dem größten Dreckswetter, ausgedehnte Spaziergänge an Deck und beschwerte sich, wenn er mit seinem durchweichten, aber offenbar unverwüstlichen Tardan-Hut zurückkam, dass Charlotte die ganze Zeit in der Kabine hockte.

– Ich bin seekrank, sagte Charlotte.

– Auf der Hinfahrt warst du nicht seekrank, entgegnete Wilhelm.

Er, der zwölf Jahre lang auf jeder Abendgesellschaft herumgestanden hatte wie ein vergessener Spazierstock, der bis zum Schluss kein spanisches Schild lesen konnte und Charlotte zu Hilfe rufen musste, wenn ihn ein Polizist ansprach, erwies sich auf einmal als Kenner und Liebhaber Mexikos und unterhielt die Gesellschaft am Kapitänstisch mit wirklich erstaunlichen Erlebnisberichten, und obwohl er seit seiner Hamburger Zeit – *Lüddecke Import Export* – immer in Rätseln und Andeutungen sprach, waren bald alle überzeugt, er habe den Weg zwischen den beiden Ozeanen zu Pferde zurückgelegt, habe in Puerto Angel vom Kanu aus Haifische geangelt und persönlich den vom Urwald überwucherten Maya-Tempel Palenque entdeckt – während Charlotte ihren Zwieback in Kamillentee tunkte.

Der eisige Wind, mit dem sie das neue Deutschland empfing, schien Wilhelm nicht das Geringste auszumachen. Aufrecht stolzierte er durch das Hafengelände, die Hand am Hut, so zielgerichtet, als kenne er sich hier aus. Charlotte trippelte hinterher, mit hochgezogenen Schultern.

Dann waren sie in einer Baracke, ein bleicher Mann stöberte in ihren Papieren, und während Charlotte noch überlegte, ob man einen Zöllner im neuen Deutschland mit «Bürger» oder «Genosse» anredete, hatte Wilhelm die Angelegenheit geregelt und sogar schon ein Taxi bestellt.

Was sie von der Stadt zu sehen bekamen, unterschied sich im Grunde kaum vom Hafen, und obwohl Charlotte auf den ersten Blick keine unmittelbare Zerstörung erkennen konnte, sah eigentlich *alles* zerstört aus: die Häuser, der Himmel, die Menschen, die ihre Gesichter hinter hochgeschlagenen Kragen verbargen.

An einer Ecke wurde aus einer Tonne Suppe verkauft.

Zwei Gestalten versuchten, einen über und über mit Gerümpel beladenen Leiterwagen den Bordstein hinaufzuziehen.

Allmählich dämmerte Charlotte, dass der Hut mit dem schwarzen Halbschleier, den sie extra für die Rückkehr gekauft hatte, eine Fehlentscheidung gewesen war.

Wilhelm kommandierte den Gepäckträger herum. Charlotte gab dem verdutzten Mann zwei Dollar Trinkgeld.

– Du übertreibst, sagte Wilhelm.

– Du auch, sagte Charlotte.

Der Zug fuhr ein, gefährlich zischelnd. Es roch nach Eisenbahn: die typische Mischung aus Ruß und Exkrementen. Charlotte war lange nicht mehr Eisenbahn gefahren.

Sie sah aus dem Fenster. Die Landschaft zog vorbei, zum gleichmäßigen Tam-Tam des Fahrwerks. Der Wald triefte vor Nässe. Auf den Brachen lagen die schmutzigen Reste des ersten Schnees. Aus einem Schrankenwärterhäuschen stieg Rauch auf, und gerade noch im Vorbeifahren erhaschte Charlotte, wie der Schrankenwärter begann, die Schranken hochzukurbeln.

– Schrankenwärter, sagte Wilhelm. Triumphierend, als sei damit irgendetwas bewiesen.

Charlotte reagierte nicht, schaute weiter aus dem Fenster. Versuchte, irgendetwas Tröstliches zu entdecken; versuchte, sich an dem backsteinroten Kirchturm zu erfreuen; versuchte, beim Anblick der Landschaft so etwas wie Heimatgefühle zu empfinden. Die von Bäumen gesäumten Chausseen, immerhin, erinnerten sie daran, dass es auch in Deutschland so etwas wie Sommer gab. Lauer Fahrtwind, Wilhelms *BMW R 32* mit Beiwagen, in dem die Jungs saßen. Ahnungslos. Lachend.

Der Zug hielt, die Abteiltür ging auf. Ein Hauch von Braunkohleruß und kaltem Regen wehte herein. Der Mann grüßte nicht, zog seinen Mantel nicht aus, als er sich setzte; es war ein abgewetzter dunkler Ledermantel. Seine Schuhe waren lehmverschmiert.

Der Mann musterte sie kurz aus dem Augenwinkel, holte dann eine Brotbüchse aus seiner Aktentasche und entnahm ihr eine schon angebissene Klappstulle. Er kaute lange und gründlich, legte das zu drei Vierteln aufgezehrte Brot wieder in die Büchse hinein. Dann holte er das *Neue Deutschland* aus seiner Aktentasche und schlug es auf, und Charlotte fiel sofort eine Überschrift auf der ihr zugewandten Rückseite des Blattes ins Auge:

DIE PARTEI RUFT DICH!

Charlotte schämte sich. Für ihren Hutschleier. Für ihre Angst. Für die fünfzig Dosen Nescafé in ihrem Koffer ... Ja, die Partei brauchte sie. Dieses Land brauchte sie. Sie würde arbeiten. Sie würde mithelfen, dieses Land aufzubauen – gab es eine schönere Aufgabe?

Der Mann hielt das *ND* jetzt so, dass sie auch den unteren Teil der Seite einsehen konnte: Nebensächlichkeiten, die sie aber plötzlich interessierten. Wie schön zu denken, dass sie, wenn sie wollte, tatsächlich heute abend ins Stern-Kino Berlin-Mitte gehen könnte – *Weg zur Hoffnung* wurde gespielt, Charlotte war bereit, auch das als gutes Omen zu nehmen, und es rührte sie – warum? – fast zu Tränen, als sie unter der Rubrik STREIFLICHTER las:

Bestellungen auf große Weihnachtsbäume sind bis spätes-
tens 18. Dezember schriftlich oder telefonisch an die Kon-
sumgenossenschaft Groß-Berlin aufzugeben.

Der Mann klappte die Zeitung ganz auf, sodass für Charlotte
die Titelseite sichtbar wurde, und wie von selbst fiel ihr Blick
auf eine Bildunterschrift mit den Worten:

Der Staatssekretär im Bildungsministerium, Genosse ...

Und jetzt hätte eigentlich kommen müssen: Karl-Heinz
Dretzky.

Kam aber nicht.

Der Zug ruckelte über ein Weichenfeld. Charlotte taumelte
im Gang hin und her, spürte kaum, wie sie anstieß. Mit Mühe
erreichte sie die Toilette, riss – mit bloßen Händen – den
Klodeckel auf und erbrach das wenige, was sie zum Frühstück gegessen hatte.

Sie klappte den Deckel hinunter, setzte sich drauf. Das
Tam-Tam der Zugräder ging ihr jetzt direkt in die Zähne, direkt in den Kopf. Sie spürte noch immer den kalten,
prüfenden Blick, der sie über den Rand der Zeitung hinweg
getroffen hatte. Schwarzer Ledermantel – ausgerechnet. Es
war alles klar, alles passte zusammen.

Eingeschleust hieß das entsprechende Wort. Eingeschleust durch den zionistischen Agenten Dretzky.

Es quietschte und krächzte, als könnte der Zug auseinan-
derbrechen. Sie hielt ihren Kopf mit beiden Händen fest ...
Oder drehte sie durch? Nein, sie war ganz bei Verstand. War
so klar im Kopf wie schon lange nicht mehr ... Hätte wenigstens da gestanden: der *neue* Staatssekretär ... Sie kicherte

fast vor Vergnügen darüber, wie fein sie die Nuancen zu unterscheiden gelernt hatte. Der neue Staatssekretär: Das hieße, es gab einen alten ... Aber es gab keinen alten. Er existierte nicht. Sie waren die Protegés eines Nichtexistenten. Sie waren selber so gut wie nichtexistent. Auf dem Ostbahnhof würden Männer in schwarzen Ledermänteln stehen, und Charlotte würde ihnen folgen, ohne Widerstand, ohne Lärm. Würde Geständnisse unterschreiben. Würde verschwinden. Wohin? Sie wusste es nicht. Wo waren die, deren Namen nicht mehr genannt wurden? Die nicht nur nicht existierten, sondern nie existiert hatten?

Sie stand auf, nahm den Hut ab. Spülte den Mund aus. Betrachtete sich im Spiegel. Idiotin.

Holte die Nagelschere aus ihrer Handtasche und trennte den Halbschleier von ihrem Hut ab. Wenigstens das wollte sie sich ersparen.

Der Mann stand im Gang und rauchte, sie quetschte sich an ihm vorbei, ohne ihn zu berühren.

– Wo warst du denn so lange, wollte Wilhelm wissen.

Charlotte antwortete nicht. Setzte sich, schaute aus dem Fenster. Sah die Felder, die Hügel, sah sie und sah sie nicht. Staunte, dass sie jetzt vor allem Ärger empfand. Staunte darüber, was sie jetzt dachte. Sie dachte, dass sie an etwas Wichtiges denken müsste. Aber sie dachte an ihre Schweizer Schreibmaschine ohne «ß». Sie dachte daran, wer wohl in den Genuss der fünfzig Dosen Nescafé kommen würde. Sie dachte an die Königin der Nacht, die sie (zu einem miserablen Preis!) an den Blumenhändler zurückgegeben hatte. Und sie dachte, während draußen ein Film ohne Inhalt ablief, während ein Traktor über ein Feld kroch ...

– Ein Traktor, sagte Wilhelm.

... während der Zug an einem kleinen, dreckigen Bahnhof hielt ...

– Neustrelitz, sagte Wilhelm.

... während die Landschaft flacher und trostloser wurde, während monotone Spaliere aus Kiefern vorbeiflogen, unterbrochen von Brücken und Straßen und Bahnübergängen, an denen nie jemand stand, während Telegrafendrähte in sinnloser Eile von Mast zu Mast hüpften und Regentropfen schräg über die Scheibe zu kriechen begannen – sie dachte daran, wie Wilhelm vor fast einem Jahr in Puerto Angel im Liegestuhl gesessen hatte, dachte an die dürren, blassen Waden, die aus den Hosenbeinen herausstaken ...

– Nanu, der Schleier ist ab, sagte Wilhelm.

– Ja, sagte Charlotte, der Schleier ist ab.

Wilhelm lachte. Das Weiß der Augen blitzte auf in seinem braungebrannten Gesicht, und sein kantiger Schädel glänzte wie poliertes Schuhleder.

Oranienburg: ein Wegweiser an der Straße. Erinnerungen an Ausflugskneipen, wo man für ein paar Pfennige Kaffee bekam und im Schatten einer Kastanie mitgebrachte Brote verzehrte; an Badestrände, an sonntäglich gekleidete Menschen, an die Stimmen von Händlern mit Bauchläden und an den Geruch heißer Bockwurst. Jetzt, bei der Durchfahrt, glaubte sie für eine Sekunde, es handle sich um ein anderes, ihr unbekanntes Oranienburg: eine Ansammlung sinnlos verstreuter Gebäude, die, wenn sie überhaupt je bewohnbar gewesen waren, allesamt verlassen aussahen.

Ein zerborstener Mast. Militärfahrzeuge. Die Russen.

Eine Frau mit Fahrrad stand am Bahnübergang, im Fahrradkorb ein Hund. Plötzlich wusste Charlotte, dass sie Hunde nicht leiden konnte.

53

Dann Berlin. Eine abgebrochene Brücke. Zerschossene Fassaden. Dort ein zerbombtes Haus, das Innenleben entblößt: Schlafzimmer, Küche, Bad. Ein zerbrochener Spiegel. Fast glaubte sie, noch die Zahnputzbecher zu erkennen. Der Zug rollte an dem Gebäude vorbei – langsam, wie auf einer Stadtrundfahrt. Fast bedauerte Charlotte die Bewohner dieses Landes: Was für ein Aufwand!

Nichts kam ihr bekannt vor. Nichts hatte mit der Metropole zu tun, die sie Ende der dreißiger Jahre verlassen hatte. Geschäfte mit armseligen, handgemalten Schildern. Leere Straßen. Kaum ein Auto, wenige Passanten.

Dann wieder eine Menschenschlange vor einem Gebäude. Standen dort, stumpfsinnig, grau.

Ein paar Arbeiter, die inmitten dieser Hoffnungslosigkeit ein winziges Stück Straße flickten.

Dann begannen die Gleise sich zu verzweigen.

– Ostbahnhof, sagte Wilhelm.

Mit weichen Knien stolperte Charlotte durch den Gang. Die Zugbremsen quietschten. Wilhelm stieg aus, nahm die Koffer entgegen. Charlotte stieg aus. Der Bahnhofshimmel – das Erste, was sie wiedererkannte. Die Tauben auf den Stahlträgern. Drüben vom S-Bahnsteig her die schwungvolle Ansage:

– Zuuurückbleimbitte!

Vorsichtig sah Charlotte sich auf dem Bahnsteig um.

– Du bist ja ganz gelb im Gesicht, sagte Wilhelm.

1. OKTOBER 1989

Der Irrsinn begann kurz vor acht Uhr morgens.

Es war Sonntag.

Es war still.

Einzig das gedämpfte Tschilpen der Spatzen drang, wenn man hinhörte, durch das halbgeöffnete Schlafzimmerfenster und brachte einem zu Bewusstsein, wie still es war. Es war die Stille eines abgeschnittenen Ortes, der seit über einem Vierteljahrhundert im Windschatten der Grenzanlagen vor sich hin dämmerte, ohne Durchgangsverkehr, ohne Baulärm, ohne moderne Gartengeräte.

In diese Stille hinein schrillte das Telefon in heimtückischen Abständen.

Manchmal glaubte Irina, schon an der Art des Klingelns zu erkennen, dass es Charlotte war. Sie lag rücklings im Bett, mit angezogenen Beinen, hörte durch die Schlafzimmertür, wie Kurt aus der Küche kam, wie das Parkett unter seinen Füßen knarrte, während er die sechs Meter Raumlänge durchmaß. Wie er endlich den Hörer abnahm und sagte:

– Ja, Mutti.

Irina schloss die Augen, schürzte die Lippen. Versuchte, ihren Ärger zu unterdrücken.

– Nein, Mutti, sagte Kurt. Alexander ist nicht bei uns.

Wenn er mit Charlotte sprach, sagte er «Alexander» statt Sascha, was in Irinas Ohren merkwürdig klang: dass ein Vater den eigenen Sohn «Alexander» nannte – so sagte man im Russischen nur, wenn man sich siezte.

– Wenn ihr um elf verabredet seid, sagte Kurt, dann wird Alexander wohl um elf kommen ... Hallo? ... Hallo!

Offenbar hatte Charlotte aufgelegt – ihre neueste Masche: einfach aufzulegen, wenn sie das Interesse an dem Gespräch verlor oder wenn sie die Informationen, die sie brauchte, bekommen hatte.

Kurt ging zurück in die Küche.

Irina hörte ihn scharren und klappern: Frühstück machen. Seit neuestem hatte Kurt sich in den Kopf gesetzt, dass *er* am Wochenende das Frühstück machte – wohl um zu beweisen, dass auch er für die Gleichberechtigung war.

Irina verzog das Gesicht und trauerte für ein paar Sekunden der verlorenen Morgenstunde nach: der einzigen Stunde, die ihr gehörte, wenn niemand anrief, niemand ihr auf die Nerven ging, sie in aller Stille ihren Kaffee trank und ihre erste Zigarette rauchte, bevor sie sich an die Arbeit machte, was für ein Genuss. Wie auch das winzige Schnäpschen, das sie sich manchmal, in letzter Zeit, genehmigte. Nur eins, da war sie eisern. Um sich zu wappnen für den Tag. Um den Irrsinn auszuhalten.

Ihrsinn, wie Irina sagte.

Seit Wochen ging das jetzt so: Täglich rief Charlotte an, bestellte irgendwas, erteilte Aufträge, nahm sie wieder zurück, änderte sie, erteilte sie erneut: Ob Irina selbstklebende Etiketten besorgen könne für die Beschriftung der Blumenvasen. Wie jedes Jahr hatte Charlotte Blumenvasen in ganz Neuendorf zusammengeborgt, und obwohl es immer problemlos geklappt hatte, hatte Charlotte sich plötzlich in den Kopf gesetzt, dass die Blumenvasen beschriftet werden müssten, damit jeder die richtige Vase zurückbekam.

Warum eigentlich? Warum, fragte sich Irina, war sie tatsächlich losgefahren und hatte diese verdammten Etiketten besorgt? Einen halben Tag lang hatte sie sämtliche Schreibwarengeschäfte der Stadt abgeklappert – das sagte sich leicht: Parkplätze suchen, Baustellen umfahren (immer die gleichen, sich seit Jahren nicht von der Stelle bewegenden Baustellen), an der Tankstelle anstehen (eine halbe Stunde lang sich mit Dränglern herumstreiten), sich über vergebliche Wege ärgern, weil man, wenn man endlich einen Parkplatz gefunden hatte, am Geschäft ein Schild «Wegen Inventur geschlossen» vorfand – und war am Ende, weil es natürlich in keinem einzigen Schreibwarenladen Etiketten gab, mit einer Flasche Kognak zur DEFA gefahren, um den Chef des Großbildlabors zu bitten, ihr ein paar von diesen verdammten Etiketten zu besorgen … Dabei waren Wilhelm die Blumen sowieso vollkommen gleichgültig. Irina erinnerte sich gut daran, wie er letztes Jahr in seinem Ohrensessel gesessen und – einem Kind gleich, das immer denselben Witz wiederholt – jeden Gratulanten mit demselben Satz abgewatscht hatte:

– Stell das Gemüse in den Blumentopf!

Und seine Schranzen hatten jedes Mal schallend gelacht, als wäre das sonst was für eine Geistesleistung.

Wilhelm hörte schon lange nicht mehr gut. Halb blind war er auch. Er saß nur noch in seinem Ohrensessel, ein Skelett mit Schnurrbart, aber wenn er die Hand hob und sich anschickte, etwas zu sagen, verstummte alles und wartete geduldig, bis er ein paar krächzende Laute hervorbrachte, die anschließend eifrig von allen Anwesenden interpretiert wurden. Jedes Jahr bekam er irgendeinen Orden verliehen. Jedes Jahr wurden irgendwelche Reden gehalten. Jedes Jahr wurde derselbe miserable Kognak in denselben bunten Aluminiumbechern serviert. Und jedes Jahr, so schien es Irina, war Wilhelm von noch mehr Schranzen umgeben, sie vermehrten sich, eine Art Zwergengeschlecht, lauter kleine Leute in speckig grauen Anzügen, die Irina nicht unterscheiden konnte, die immerzu lachten und eine Sprache sprachen, die Irina tatsächlich, auch beim besten Willen, nicht verstand. Wenn sie die Augen schloss, wusste sie schon jetzt, wie sie sich am Ende dieses Tages fühlen würde, spürte ihre vom falschen Lächeln erstarrenden Wangen, roch die Majonäse, die ihr aufstieß, nachdem sie aus lauter Langeweile das kalte Buffet durchprobiert hatte, schmeckte das Aluminium-Aroma des in bunten Bechern servierten Kognaks.

Ohnehin betrat sie das Haus ihrer Schwiegereltern nicht gern, schon der Gedanke daran war ihr unangenehm. Sie hasste die dunklen, schweren Möbel, die Türen, die Teppiche. Alles in diesem Haus war dunkel und schwer. Alles erinnerte sie an ihre Leidenszeit, sogar die toten Tiere, die Wilhelm an die Wände genagelt hatte. Nein, auch nach dreiunddreißig Jahren hatte sie nicht vergessen, wie es war, die Ritzen in der holzvertäfelten Flurgarderobe zu putzen. Wie sie Haferflocken hatte kochen müssen für Wilhelm: Unten an der Treppe stehen und lauschen, wann Wilhelm oben aus dem Badezimmer kam, und dann – husch! – in die Küche, die Flocken einrühren, damit sie, wenn sie serviert wurden, nicht klebten ... Nie im Leben war sie so hilflos gewesen: der Sprache nicht mächtig, wie eine Taubstumme, die verzweifelt in den Gesten und Blicken der anderen Orientierung sucht.

Und Kurt?

Kurt hatte, während sie, das Kind am Rockzipfel, in der Wäschekammer stand und Wilhelms Hemden bügelte, bei

Charlotte auf dem Sofa gesessen und Weintrauben gefuttert. So war das gewesen. Zusammen mit dieser Frau Stiller.

Frau *Doktor* Stiller, pardon.

Sie hörte, wie Kurt ins Zimmer kam, irgendwas auf den Tisch stellte, wieder in die Küche ging. Jetzt war es gleich halb neun. Bis zehn Uhr musste sie die Blumen abgeholt haben. Dann noch ins Russenmagazin, die *Belomorkanal* holen. Außerdem wollte sie noch Pelmeni kochen – wenn Sascha schon mal zum Mittagessen kam.

Aber Kurt bestand darauf, dass sie liegen blieb, bis er den Kopf durch den Türspalt steckte und sie mit kindlicher Stimme zum Frühstück rief. Und Irina tat ihm den Gefallen. Warum eigentlich?

Sie betrachtete sich in dem großen, ovalen Spiegel, der schräg über ihr an der Stirnseite des Bettes hing ... Lag es am Licht? Oder daran, dass man sich in diesem verdammten Spiegel immer auf dem Kopf stehend sah? Der Spiegel kommt auch mal weg, dachte Irina und erinnerte sich im selben Moment daran, dass sie diesen Gedanken schon des Öfteren gedacht hatte: immer sonntags, wenn Kurt Frühstück machte und sie hier lag und sich im Spiegel betrachtete.

Das Schlimmste war, dass sie anfing, in ihrem Gesicht Züge ihrer Mutter zu entdecken. Diese Tatsache entmutigte Irina. Gewiss, sie konnte noch immer ziemlich gut aussehen. Horst Mählich, mit seinen Hundeaugen, würde ihr heute wieder inbrünstige Komplimente machen, und selbst dieser ewig grinsende neue Bezirkssekretär, ein geschlechtsloses Wesen, das eher aus Kunststoff als aus Fleisch zu bestehen schien – im Gegensatz zu dem alten, der zwar klein und dick, aber dennoch ein Mann gewesen war, sogar imstande, einer Dame die Hand zu küssen –, selbst dieser neue Bezirkssekretär würde sich, wenn er sie begrüßte, einmal mehr verbeugen als nötig, und dabei würde, wenn nicht Bewunderung, so doch etwas wie Verlegenheit in dem Blick aufscheinen, der knapp an ihr vorbeiging.

Aber das alles änderte nichts daran, dass das Alter spürbar und unwiderruflich vorrückte, und seit ihre Mutter mit im Hause wohnte (Irina hatte sie vor dreizehn Jahren unter unvorstellbarem bürokratischem Aufwand aus Russland herübergeholt), hatte sie täglich vor Augen, wohin dieses Vorrücken führte. Natürlich hatte sie schon immer gewusst, dass man alt wurde. Aber die Anwesenheit ihrer Mutter brachte ihr täglich die Vergeblichkeit ihres Kampfes zu Bewusstsein, nagte an ihr, setzte in ihrem Kopf ketzerische Ideen in Umlauf, flüsterte ihr die Versuchung ein, aufzugeben – als Frau. Wozu Stützstrumpfhosen und Zahnfleischbehandlungen, wozu Haarteile und Schönheitsmilch, wozu alles Zupfen und Übermalen? Um irgendwelchen uninteressanten alten Männern mit Funktionärshaarschnitten zu imponieren? Um des kleinlichen Vergnügens willen, jedes Jahr wieder über Frau Stiller, Pardon, Dr. Stiller zu triumphieren, deren Figur mehr und mehr einem Kartoffelsack glich und deren Gesicht sich infolge einer Bluthochdruckkrankheit mehr und mehr rötete?

Das Telefon klingelte.

Wieder knarrten Kurts Schritte über sechs Meter Parkett. Vorbei an dem Lümmelsofa. Dicht an der Schlafzimmertür entlang, und dann, endlich, seine Stimme:

– Ja, Mutti.

Unglaublich, dachte Irina, wie freundlich, wie geduldig Kurt mit Charlotte war.

– Nein, Mutti, sagte Kurt, jetzt ist es halb neun. Wenn ihr um elf verabredet seid, dann kommt Alexander in zweieinhalb Stunden.

Im Grunde, im tiefsten Herzen, kränkte es Irina. Ja, sie empfand es als eine andauernde, schwere Ungerechtigkeit: als weigere Kurt sich bis heute einzusehen, was Charlotte ihr damals angetan hatte.

– Mutti, ich weiß doch nicht, wann ihr verabredet seid, sagte Kurt.

Wie den letzten Dreck hatte Charlotte sie behandelt. Wie ein Dienstmädchen. Und am liebsten, dachte Irina, hätte Charlotte sie wieder zurückgeschickt, in ihr russisches Dorf – und Kurt mit Frau Dr. Stiller verkuppelt.

Sie hörte Kurt in die Küche zurücktapsen. Herrgott, wie lange brauchte denn dieser Mensch, um ein Stück Käse auszuwickeln und zwei Teller hinzustellen? Und am Ende bildete er sich noch ein, er würde etwas zur Hausarbeit beitragen. Dabei schadete er mehr, als er nutzte. Einmal hatte er vergessen, die Kanne unter die Kaffeemaschine zu stellen. Ein anderes Mal gab es ungekochte Eier zum Frühstück – aber das Wasser hatte er exakt dreieinhalb Minuten gekocht!

Der einzige Lichtblick heute: dass Sascha zum Mittag kam. Das, dachte Irina, während sie die Decke abwarf, um ein paar Yoga-Übungen zu machen (oder was sie dafür hielt) – das war die einzige angenehme Begleiterscheinung dieses Geburtstags.

Wie jeder andere hatte nämlich auch Sascha seine «spezielle Aufgabe» – Charlotte liebte es, alle Leute mit «speziellen Aufgaben» zu betrauen, es gab sogar einen Blumenpapier-Verantwortlichen und einen Verantwortlichen für das Abwischen der infolge der schlecht funktionierenden Abfüllautomaten ständig verklebten Vita-Cola-Flaschen. Sascha war für das Ausziehen des Ausziehtischs verantwortlich. Aus irgendeinem Grund hatte sich Charlotte in den Kopf gesetzt, dass Sascha der Einzige sei, der den Ausziehtisch ausziehen konnte. Das war idiotisch, aber Irina hütete sich, an diesen Irrtum zu rühren. Wenn nämlich Sascha, für elf Uhr bestellt, mit dem Ausziehen des Ausziehtischs fertig war, lohnte sich für ihn die Rückfahrt nach Berlin nicht, sodass er die Zeit bis zum Beginn der Geburtstagsfeier gewöhnlich im Fuchsbau blieb, und dann würden sie, wie jedes Jahr, zusammen Pelmeni essen, mit saurer Sahne und Senf, wie Sascha es mochte.

Falls Catrin nicht mitkam.

Sie hatte nichts gegen Catrin mit C ohne h (und Betonung auf i: Catrín!), abgesehen davon, dass sie nicht verstand, wieso Sascha sofort bei dieser Frau hatte einziehen müssen. Immer zog er sofort mit den Frauen zusammen, anstatt erst mal abzuwarten, sich ein bisschen kennenzulernen. Mal zu schauen, ob das überhaupt ging. Er hätte so schön hier wohnen können: Irina hatte extra den Dachboden ausgebaut, eine komplette Wohnung, praktisch, mit eigenem Bad.

Nein, sie hatte nichts gegen Catrin, dachte Irina, während sie eine passable Kerze zustande brachte, wobei es ihr, wenn sie ganz ehrlich war, rätselhaft blieb, was Sascha an dieser Frau fand ... Natürlich, es ging sie nichts an. Und sie hütete sich, auch nur ein Sterbenswörtchen zu sagen. Dennoch wunderte sie sich, dass ein so gutaussehender, intelligenter junger Mann keine bessere Frau fand. Schauspielerin, angeblich. Sah er denn wirklich nicht, dass diese Frau *hässlich* war? Unschöne Knie, keine Taille, kein Po. Und ein Kinn, um ehrlich zu sein, wie ein Bauarbeiter ... Schöne Augen hatte sie, das musste man ihr lassen. Obwohl, andererseits: dieser flatternde Blick, diese Unruhe in den Augen, wenn man sich mit ihr unterhielt ... Nie hatte Irina das Gefühl, ihr wirklich nahezukommen. Immer schien diese Frau woanders zu sein, immer schien sie, und zwar fieberhaft, zu überlegen, immer ging, während sie einen anlächelte, etwas in ihrem Kopf vor.

Egal, dachte Irina und betrachtete ihre ausgestreckten Beine, die sie, wenn sie aufrichtig war, doch noch ziemlich ansehnlich fand, zumal im Vergleich mit Catrins Staketenbeinen, sodass sie beschloss, nicht das lange Rückenfreie anzuziehen, wie im letzten Jahr, sondern, obschon weniger festlich, den ozeangrünen Rock, der eigentlich ein bisschen kurz war für ihr Alter – egal, dachte Irina, sollen sie glücklich werden, oder auch nicht, aber einmal im Jahr, dachte sie, sollte es möglich sein, dass Sascha allein nach Hause kam. Einmal im Jahr wollte sie mit Sascha Pelmeni essen wie früher. Was war daran verwerflich? Zumal Catrin ohnehin nicht gern Pelmeni aß. Und nach dem Essen, so stellte Irina es sich vor, als sie die Kerze mit leisem Stöhnen beendete, nach dem Essen würde Sascha sich oben ein bisschen hinlegen, und dann würden die Männer sich in Kurts Zimmer setzen und eine Partie Schach spielen. Irina liebte es, wenn die Männer in Kurts Zimmer eine Partie Schach spielten und dazu ein Gläschen Kognak tranken, und auch sie, Irina, würde sich, sobald sie mit dem Geschirr fertig war, ein Gläschen Kognak eingießen und sich schweigend – versprochen! – dazusetzen (und Sascha höchstens mal unter dem Tisch anstoßen, falls er einen gefährlichen Zug übersah). Anschließend würden sie zusammen zur Geburtstagsfeier gehen – eine erträgliche, ja beinahe angenehme Vorstellung, jedenfalls soweit sie den kleinen Spaziergang durch das herbstliche Neuendorf betraf, eine Vorstellung, die geeignet war, noch fernere, noch unwahrscheinlichere Erinnerungen heraufzubeschwören, Erinnerungen an eine Zeit, als das Laub in Neuendorf noch verbrannt wurde, als Sascha noch an der Hand neben ihr hertrippelte ...

Aber da klingelte zum dritten Mal an diesem Morgen das Telefon. Ehe sie sichs versah, war Irina aufgesprungen und hatte den Hörer in der Hand.

– Kannst du uns einmal in Ruhe frühstücken lassen, fauchte sie, ohne Charlotte überhaupt zu Wort kommen zu lassen.

Knallte den Hörer auf, starrte einige Augenblicke das Telefon an, als wäre es ein Tier, das sie gerade erlegt hatte, und wäre wohl imstande gewesen, es im nächsten Augenblick mit einem Schlag zu zertrümmern – aber es klingelte nicht noch einmal.

– Du musst dich nicht so aufregen, sagte Kurt.

Er stand hinter ihr, einen Eierbecher (mit Ei!) in jeder Hand.

– Du verteidige sie noch, fauchte Irina.

Kurt erwiderte nichts, stellte die Eierbecher ab und umarmte Irina. Es war eine väterliche, ganz absichtslose Umarmung, bei der Kurt beide Arme ganz um Irinas Körper schlang und sie sanft hin und her wiegte: «Trösten» hieß das in ihrer internen Sprache, und obwohl es Irina zuerst widerstrebte, ließ sie sich im Grunde genommen gern trösten, und sobald Kurt sie auf diese Weise in die Arme nahm, stellte sich ganz automatisch das Gefühl ein, dass sie Grund hatte, sich trösten zu lassen: für alles Verlorene, für alles, was das Leben, und auch für alles, was Kurt ihr angetan hatte. Irina lehnte ihren Kopf an Kurts Schulter, ließ sich von ihm hin und her wiegen. Im gleichen Moment öffnete sich krächzend die Zimmertür ihrer Mutter – was dazu führte, dass Irina erstarrte und auf das Schlurfgeräusch lauerte, das wenige Sekunden später einsetzen musste ... Unwillkürlich sah sie im Geist die gebeugte Gestalt mit ihrer selbstgestrickten Nachtmütze, in der sie zu allen Jahreszeiten schlief, der Schlüsselkette, die sie zu jeder Tageszeit um den Hals trug, als müsste sie fürchten, dass Irina sie hinterrücks aussperrte, sah die jämmerlichen, mehr an Lappen als an Schuhe erinnernden Pantoffeln, die ihre Mutter am liebsten trug, weil ihre von Überbeinen verunstalteten Füße schmerzten ... Nadjeshda Iwanowna, das Gespenst, das ihre Zukunft verkörperte.

Das Gespenst schlurfte näher, blieb unsichtbar hinter der halbgeöffneten Wohnzimmertür stehen, murmelte irgendwas.

Irina riss die Tür auf:

– Was willst du?

Irina sprach Russisch mit ihrer Mutter; in den dreizehn Jahren, die Nadjeshda Iwanowna hier lebte, hatte sie kein Wort Deutsch gelernt, abgesehen von Guten Tag und Auf Wiedersehen – was sie bedauerlicherweise aber zumeist verwechselte.

– Wann Sascha wohl heute kommt, fragte Nadjeshda Iwanowna.

– Woher soll ich wissen, wann Sascha kommt, fauchte Irina. Setz dir lieber deine Zähne ein und frühstücke was!

– Brauche kein Frühstück, sagte Nadjeshda Iwanowna und schlurfte zum Bad.

Irina setzte sich und fingerte eine «Club» aus der Schachtel.

– Iss doch erst mal was, sagte Kurt.

– Ich muss erst eine rauchen, beharrte Irina.

– Iruschka, du musst dich nicht über alles so aufregen, sagte Kurt. Guck, wie schön die Sonne scheint.

Er machte eine Fratze, um Irina aufzumuntern.

– Brauche kein Frühstück, äffte Irina ihre Mutter nach.

– Sie verhungert schon nicht, sagte Kurt.

Irina winkte ab. Kurt hatte gut reden, er kümmerte sich nicht um Nadjeshda Iwanowna. Er wusste nicht, wie es in ihrem Zimmer aussah: die verschimmelten Lebensmittel, die Irina dort ständig fand, weil Nadjeshda Iwanowna immerzu irgendwelches halbverdorbenes Zeug in ihr Zimmer schleppte, um es dort zu essen – heimlich, weil sie partout beweisen wollte, dass sie niemandem zur Last fiel. Kurt musste nicht das Geschirr nachspülen, das Nadjeshda Iwanowna aus notorischer Sparsamkeit in lauwarmem Wasser und ohne Spülmittel abwusch. Er musste nicht die Gurkenepidemie ertragen, die jedes Jahr um diese Zeit ausbrach, weil Nadjeshda Iwanowna sich unbedingt «nützlich» machen wollte, indem sie tage- und wochenlang die Küche okkupierte, um ihre selbstgeernteten Gurken einzulegen – eine Tätigkeit, die in Russland, im Ural, ihren Sinn gehabt hatte, die aber hier, wo man ein Glas saure Gurken für ein paar Pfennige in jedem Laden kaufen konnte, vollkommen sinnlos war.

– Furchtbar, sagte Irina, wenn man von lauter alten Leuten umgeben ist.

– Soll ich ausziehen, fragte Kurt.

Besonders komisch fand Irina das nicht, aber als sie zu Kurt hinübersah, als sie ihn da sitzen sah mit seinem vom Leben zerfurchten Gesicht, seinen immer mehr ausufernden Augenbrauen (vor der Geburtstagsfeier unbedingt nachschneiden!) und seinen blauen Augen, von denen eines seit der Kindheit blind war und sich allmählich abgewöhnt hatte, die Bewegungen des anderen nachzuvollziehen (ein Makel, den Irina nach vierzig Ehejahren kaum noch bemerkte, wenngleich sie ihn gern zur Erklärung von Kurts Charakterfehlern heranzog, zum Beispiel seines übermäßigen Ehrgeizes und seiner notorischen Fremdgeherei) – als sie ihn so dasitzen sah, spitzbübisch über den eigenen Scherz schmunzelnd, verspürte sie plötzlich Zuneigung zu diesem Menschen. Mehr noch, sie verspürte die überraschende Versuchung, ihm alles zu verzeihen – jedenfalls in diesem Moment, da sie gewahr wurde, dass auch Kurt alterte; wenigstens in dieser Hinsicht ließ er sie nicht im Stich.

– Weißt du, Iruschka, sagte Kurt, heute ist Sonntag, wer weiß, wie lange das schöne Wetter noch anhält. Lass uns ein bisschen rausfahren in den Wald, Pilze suchen oder irgendwas.

– Du suchst doch nicht gern Pilze, sagte Irina.

Und nicht nur dass Kurt nicht gern Pilze suchte – er fand auch nie welche. Was Irina aber, weil sie es mit dem blinden Auge in Verbindung brachte, nicht aussprach.

– Aber ich gucke gern zu, wie du Pilze suchst, erwiderte Kurt.

– Kurtik, ich muss Essen machen, ich muss das Geschenk holen für Wilhelm ...

– Was denn für ein Geschenk?

Irina verdrehte die Augen.

– Wilhelm bekommt seit dreißig Jahre dasselbe Geschenk!

Es handelte sich um zehn Schachteln *Belomorkanal*: klassische russische Papirossy, die Irina im Buffet des sogenannten Hauses der Offiziere für ihn besorgte – abscheuliches Zeug eigentlich, das Wilhelm aus reiner Angeberei rauchte, um seinen Genossen vorzuführen, wie er das Pappmundstück zu knicken verstand, während er seine drei Brocken Russisch zum Besten gab und vage Andeutungen über seine «Moskauer Zeit» machte.

– Iruschka, wandte Kurt ein, Wilhelm raucht seit zwei Jahren nicht mehr.

Das Dumme war: Kurt hatte recht. Nach seiner schweren Lungenentzündung (allerdings hatte er schon mehrere schwere Lungenentzündungen gehabt) hatte Wilhelm das

Rauchen aufgegeben; beim letzten Geburtstag hatte er die *Belomorkanal* sogar an Horst Mählich weiterverschenkt, der sich nicht entblödet hatte, sofort eine Papirosse zu knicken und vor versammelter Mannschaft zu rauchen.

– Und wer kocht Mittag?

– Machst du was Einfaches, sagte Kurt.

– Was Einfaches! Irina schüttelte den Kopf. Sascha kommt – und ich mache was Einfaches!

– Warum denn nicht?

– Weil wir immer, wenn Sascha am ersten Oktober kommt, Pelmeni essen.

– Ach was, sagte Kurt, ist doch völlig egal.

Er schlug die Kuppe seines Frühstückseis an und begann die Schalen in den Eierbecher zu pellen, eine Methode, die Irina rücksichtslos fand, weil es unangenehm war, die Eierschalen dann wieder aus den Bechern zu klauben.

Aber sie sagte nichts. Nahm einen tiefen Zug, sodass ihr ein bisschen schwindelig wurde. Hörte, wie Nadjeshda Iwanowna aus dem Badezimmer kam.

– Ich gehe erst mal ins Bad, sagte Irina.

Als Irina aus dem Bad zurückkam, blätterte Kurt in der Zeitung. Sein Teller war noch immer unbenutzt, ohne Krümel.

– Warum isst du nichts, sagte Irina. Du kriegst bloß wieder Magenschmerzen.

– Wirklich kein einziges Wort, sagte Kurt. Keine Silbe über Ungarn, kein Wort über Flüchtlinge, nichts über die Botschaft in Prag ...

Er faltete die Zeitung zusammen, knallte sie auf den Tisch. Auf der Titelseite war groß zu lesen:

IN DEN KÄMPFEN UNSERER ZEIT
STEHEN DDR UND VR CHINA SEITE AN SEITE

Irina hatte die Überschrift schon gestern gesehen – es war die Wochenendausgabe des *ND*, die Kurt noch nicht gelesen hatte, weil gestern die *Literaturnaja Gazeta* aus Moskau gekommen war. Irina fragte sich, warum er diesen Mist überhaupt noch las: *Neues Deutschland!*

Kurt tippte mit dem Finger auf die Zeitung:

– Verstehst du, was die damit sagen wollen?

Irina zuckte mit den Schultern. Auch das Foto hatte sie schon gesehen: irgendwelche Bonzen, die in drei langen Reihen hintereinanderstanden, so grobkörnig, dass man die zahlreichen Chinesen nur mit Mühe von den Deutschen unterscheiden konnte. Ein ganz normales, typisches, dämliches *ND*-Foto, aber doch besonders dämlich angesichts der Tatsache, dass ihnen gerade die Leute wegliefen (eine Tatsache, die Irina jedoch, im Gegensatz zu Kurt, weniger mit Besorgnis als mit Schadenfreude erfüllte).

– Das ist eine Warnung, dozierte Kurt. Das bedeutet: Leute, wenn es hier zu irgendwelchen Demonstrationen kommt, dann machen wir das wie die Chinesen auf dem Platz des Himmlischen Friedens. Herrgott, nee wirklich, Beton, sagte Kurt. Beton!

Er nahm ein Weißbrot aus dem Korb und begann es mit Butter zu beschmieren.

Das Bild, das bei den Worten «Platz des Himmlischen Friedens» in Irinas Kopf auftauchte: ein dünner Mensch im weißen Hemd, der eine Kolonne von vier oder fünf Panzern zum Stehen brachte. Sie erinnerte sich, wie sie vor dem Fernseher den Atem angehalten hatte, als der erste Panzer, Rauchwolken ausstoßend und beängstigend schwingend, versucht hatte, sich an dem Menschlein vorbeizumanövrieren. Sie wusste, wie man sich fühlte so nah an einem Panzer. Zwei Jahre lang war sie, wenn auch nur als Sanitäterin, im Krieg gewesen. Sie erkannte einen T-34 am Anfahrgeräusch.

– Du sprichst aber mal mit Sascha, sagte Irina. Nicht dass er irgendwelchen Unsinn macht.

Kurt winkte ab.

– Als ob Sascha auf mich hören würde!

– Trotzdem, du musst mit ihm sprechen.

– Was soll ich ihm denn sagen? Guck dir doch diesen Schwachsinn an – Kurt tippte mit dem Finger so heftig auf das *ND*, dass es Irina schmerzte – Lüge und Schwachsinn!

– Das erzähle mal deiner Mutter heute Nachmittag.

Irina angelte sich eine Zigarette aus der Schachtel. Kurt griff nach ihrer Hand.

– Komm, Irina, jetzt iss erst mal was.

Die Wohnzimmeruhr schnurrte ihr Neun-Uhr-Schnurren. Für ein paar Augenblicke verharrten beide, wie auf Verabredung – man musste schon genau hinhören, wenn man die Zeit aus dem tonlosen Schnurren heraushören wollte. Dann sagte Kurt:

– In Ordnung, ich spreche mit Sascha.

Er begann sein Ei zu löffeln, hielt aber noch einmal inne und fügte hinzu:

– Aber nach dem Frühstück gehen wir ein bisschen spazieren.

Irina nahm sich nun ebenfalls ein Brot aus dem Korb, beschmierte es mit Butter und Käse, rechnete durch, wie viel Zeit ihr zum Spazierengehen blieb, wenn sie das Russenmagazin einsparte. Andererseits: Sie hatte keine Lust spazieren zu gehen, schon gar nicht mit Kurt, der immer vorneweg rannte. Auch hatte sie gar keine passenden Schuhe.

– Soll ich Vera anrufen, fragte Kurt. Vielleicht kommt sie mit.

– Ach sooo, sagte Irina, darum geht es!

– Was? Worum geht es?

– Hast du Sehnsucht nach Vera, ja?

– Vera ist *deine* Freundin, sagte Kurt. Ich dachte, du langweilst dich mit mir allein.

– Vera war nie meine Freundin, sagte Irina.

– Wunderbar, sagte Kurt, dann gehen wir allein.

Irina schob das Brot weg, zündete die Zigarette an.

– Ira, was soll denn das jetzt.

– Nichts, sagte Irina. Du kannst mit Vera spazieren gehen.

– Ich will nicht mit Vera spazieren gehen, sagte Kurt.

– Entschuldige, sagte Irina, eben hast du gesagt, du willst mit Vera spazieren gehen.

Einige Augenblicke war es still. Dann krächzte eine Tür, und im Flur war das Schlurfen Nadjeshda Iwanownas zu hören, kam näher, stockte ... Irina riss die Tür auf und reichte ihrer Mutter den Teller mit dem fertiggeschmierten Brot.

– Hier, iss das, befahl sie.

– Was ist das, fragte Nadjeshda Iwanowna, ohne den Teller anzunehmen.

– Herrgott, das ist ein Brot! Mit Käse! Denkst du, ich will dich vergiften?

– Ich vertrag keinen Käse, sagte Nadjeshda Iwanowna.

Irina stand auf, ging in das Zimmer ihrer Mutter, knallte den Teller auf den Tisch.

Erst als sie schon wieder im Wohnzimmer war, drang ihr der Geruch im Zimmer von Nadjeshda Iwanowna ins Bewusstsein – neben verschimmelnden Lebensmitteln und penetranten, wenngleich nutzlosen Fußsalben war es vor allem der alles übertönende, süßliche Muff des aus Russland mitgebrachten Mottenpulvers, das Nadjeshda Iwanowna in lebensfeindlicher Konzentration verwendete.

Irina öffnete noch einmal die Zimmertür und schrie:

– Und kannst du mal bitte lüften!

Sie setzte sich, schlug die Hände vors Gesicht.

– Willst du noch Kaffee, fragte Kurt.

Irina nickte.

– Entschuldige, sagte sie.

Kurt goss ihr Kaffee ein, schmierte dann, sorgfältig die noch etwas zu harte Butter verteilend, ein Käsebrot, gerade so wie das, das sie eben in das Zimmer von Nadjeshda Iwanowna gebracht hatte, und reichte es ihr.

– Iruschka, ich dachte, wir hätten das hinter uns.

Ja, dachte Irina, ich dachte auch, das hätten wir hinter uns.

Aber stattdessen sagte sie:

– Höre, Kurtik, geh allein spazieren, ich hab wirklich noch viel zu tun.

– Allein, sagte Kurt, allein geh ich jeden Tag.

– Dann geh in den Garten, sagte Irina, und schneide die Rosen ab.

– Die Rosen beschneiden? Kurt seufzte, und Irina fügte hinzu:

– Ich bring dir nachher Kaffee raus und ein Brot mit Himbeermarmelade.

Kurt nickte.

– Imbärmarmeladde, wiederholte er.

Denn in Wirklichkeit sagte Irina *Imbärmarmeladde*. Sie sagte *Ihrsinn* und *Imbärmarmeladde* und *DäDäÄrre* anstatt DDR. Seit dreißig Jahren sprach sie so, beharrlich ihren eigenen Dialekt entwickelnd, und seit dreißig Jahren neckte Kurt sie damit.

– Was ist jetzt falsch, wollte Irina wissen.

– Nichts, sagte Kurt, ohne die Miene zu verziehen. Und fügte nach einer kleinen Pause hinzu: Die Marmeladde ist erst im Bär, dann kommt sie raus aus dem Bär, und dann bringst du sie mir in den Garten.

– Ach du, sagte Irina.

Schlug nach ihm, lachte aber.

Kurt tat, als fliehe er vor ihrem Angriff, und ging in sein Zimmer, um sich die Pfeife zu holen. In diesem Augenblick klingelte wieder das Telefon.

– Warte, ich geh ran, rief Kurt aus seinem Zimmer.

Er kam eilig zurück und legte die Pfeife auf den Tisch. Ging zum Telefon, nahm den Hörer ab.

– Ja, sagte Kurt.

– Hallo, sagte Kurt, und an der Art, wie er «Hallo» sagte, erkannte Irina, dass es nicht seine Mutter war.

– Nanu, sagte Kurt. Warum denn?

Dann wurde Kurts Gesicht plötzlich grau.

– Was ist denn, wollte Irina wissen.

Aber Kurt hob nur die Hand, zum Zeichen, dass sie nicht stören solle. In den Hörer sagte er:

– Das ist doch nicht dein Ernst.

Dann hörte er eine Weile zu, sagte mehrmals leise:

– Ja ... Ja ... Ja ...

Dann schien das Gespräch abzureißen:

– Hallo, sagte Kurt. Hallo?

War es doch Charlotte? War irgendetwas passiert?

Kurt kam langsam zurück zum Tisch, setzte sich.

– Wer war das, fragte Irina.

– Sascha, sagte Kurt.

– Sascha?

Kurt nickte.

– Was ist denn, wo ist er?

– In Gießen, sagte Kurt leise.

Ihr Körper reagierte sofort – als wäre ihm ein Schlag versetzt worden, während ihr Kopf lange brauchte, um zu verstehen, was das bedeutete: Gießen.

Lange sagte keiner von beiden etwas.

Nach einer Weile begann Kurt, sich eine Pfeife zu stopfen. Hin und wieder stieß er Luft durch die Nase, ein Geräusch, das er machte, wenn er ratlos war.

Sein Tabaksbeutel knisterte.

Dann krächzte die Tür von Nadjeshda Iwanowna. Langsam, sehr langsam näherte sich das Schlurfen dem Wohnzimmer ... Hielt inne. Dann, durch den Türspalt, die Stimme von Nadjeshda Iwanowna, dünn, aber eindringlich, in typischer Weise aufsteigend:

– Dass Sascha nachher nicht vergisst, ein Glas Gurken mitzunehmen.

Kurt stand langsam auf, ging um den Tisch, öffnete die Zimmertür ganz und sagte:

– Nadjeshda Iwanowna, Sascha kommt heute nicht.

Nadjeshda Iwanowna war einen Augenblick ratlos, dann sagte sie:

– Macht nichts, die Gurken halten sich ja.

– Nadjeshda Iwanowna, sagte Kurt ... Er hob beide Hände, ließ sie wieder fallen und sagte:

– Nadjeshda Iwanowna, setzen Sie sich bitte einen Augenblick.

– Habe schon gefrühstückt, sagte Nadjeshda Iwanowna.

– Setzen Sie sich bitte einen Augenblick, wiederholte Kurt.

Nadjeshda Iwanowna schlurfte langsam um den Tisch herum, setzte sich auf den Rand eines Stuhls, stellte das mitgebrachte Glas Gurken auf den Tisch und legte ihre sehnigen, abgearbeiteten Hände übereinander.

– Nadjeshda Iwanowna, sagte Kurt, die Sache ist die: Sascha kommt dann wohl eine Weile nicht.

– Ist er krank, fragte Nadjeshda Iwanowna.

– Nein, sagte Kurt. Sascha ist im Westen.

Nadjeshda Iwanowna überlegte.

– In Amerika?

– Nein, sagte Kurt, nicht in Amerika, im Westen. In Westdeutschland.

– Ich weiß, sagte Nadjeshda Iwanowna. Westdeutschland, das ist in Amerika.

Irina hielt es nicht mehr aus.

– Sascha ist weg, schrie sie. Tot, verstehst du, tot!

– Irina, sagte Kurt auf Deutsch, du kannst doch nicht so etwas sagen!

Zu Nadjeshda Iwanowna sagte er auf Russisch:

– Sascha ist nicht tot, Irina meint, dass er sehr weit weg ist. Dass er nicht mehr kommen wird.

– Aber zu Besuch, sagte Nadjeshda Iwanowna.

– Nein, sagte Kurt, auch nicht zu Besuch. Mehr kann ich Ihnen im Augenblick nicht sagen.

Nadjeshda Iwanowna erhob sich langsam, schlurfte zurück in ihr Zimmer. Die Tür krächzte, als sie sich schloss.

1959

Unendlich.

Achim Schliepner hat gesagt, man kann nicht bis unendlich zählen.

Alexander lag auf seiner Pritsche und träumte davon, bis unendlich zu zählen. Er träumte davon, dass er der Erste sein würde, der bis unendlich zählt. Er wusste schon, wie man zählt. Er zählte und zählte. Zählte sich in schwindelerregende Höhen. Millionen, Trillionen, Trillibillionen, Tausend Millionen Trillibillionen ... Und auf einmal war er da: unendlich! Beifall rauschte. Jetzt war er berühmt. Er stand in einem offenen schwarzen Tschaika, der sagenhaften sowjetischen Staatskarosse mit massenhaft Chrom und raketenartigen Heckflügeln. Langsam rollte das Gefährt durch die Straße. Links und rechts standen die Menschen Spalier, so wie am Ersten Mai, und winkten ihm zu, mit kleinen, schwarz-rotgoldenen Fähnchen ...

Dann bekam er ein Buch auf den Kopf. Das war Frau Remschel, sie passte auf, dass man schlief. Wer nicht schlief, bekam ein Buch auf den Kopf.

Die Mama holte ihn ab. Es dämmerte schon. Bald kam der Mann, der die Gaslaternen anzündete.

– Mama, wann fahren wir denn zu Baba Nadja?

– Ach, Saschenka, das dauert noch.

– Warum dauert immer alles so lange?

– Sei froh, Saschenka, dass es lange dauert. Wenn du groß bist, geht plötzlich alles ganz schnell.

– Warum?

– So ist das eben: Wenn man älter wird, vergeht die Zeit schneller.

Verblüffende Erkenntnis.

Dann waren sie schon beim Konsum. Der Konsum lag etwa auf halbem Weg. Es war ein weiter Weg, besonders morgens. Der Rückweg kam ihm immer kürzer vor. Er überlegte, ob es daran lag, dass er am Nachmittag schon wieder ein kleines bisschen älter war.

– Willst du mit reinkommen, fragte die Mama, oder willst du hier draußen warten?

– Mit reinkommen, sagte er.

Im Konsum gab es Milch gegen Marke. Mit einer großen Kelle füllte die Verkäuferin die Kanne. Früher hatte das immer Frau Blumert getan. Aber Frau Blumert hatte man verhaftet. Er wusste auch, warum: weil sie Milch ohne Marke verkauft hatte. Hatte Achim Schliepner gesagt. Milch ohne Marke war streng verboten. Deswegen war Alexander entsetzt, als er die neue Verkäuferin sagen hörte:

– Macht nichts, Frau Umnitzer, dann bringen Sie Ihre Marke morgen.

Seine Mutter suchte immer noch in ihrem Portemonnaie.

– Ich will aber keine Milch, sagte Alexander.

– Wie bitte?

Entsetzen hatte sich auf seine Stimme gelegt. Er konnte kaum sprechen.

– Ich will keine Milch, wiederholte er leise.

Seine Mutter nahm die Milchkanne entgegen.

– Du willst keine Milch?

77

Sie verließen den Laden, seine Beine bewegten sich kaum. Seine Mutter kniete neben ihm nieder.

– Was ist denn, Saschenka?

Silbenweise teilte er seine Befürchtungen mit. Seine Mutter lachte.

– Aber Saschenka, ich werde doch nicht verhaftet!

Er begann zu weinen. Seine Mutter hob ihn hoch und küsste ihn.

Lapotschka nannte sie ihn: Pfötchen.

Beim Bäcker bekam er ein Stück Bienenstich. Die Süße des Honigs vermischte sich mit dem Salz der Tränen auf seinen Lippen. Die Welt kam allmählich wieder in Ordnung.

– Aber Frau Blumert ist verhaftet worden, sagte er.

– Ach, Unsinn! Die Mama verdrehte die Augen. Wir sind doch nicht in der Sowjetunion!

– Warum?

– Ach, das rede ich bloß so daher, sagte die Mama. Nicht dass du Omi erzählst, in der Sowjetunion wird man verhaftet.

Sie wohnten im Steinweg. Unten wohnten Omi und Wilhelm. Oben wohnten sie: Mama und Papa und er.

Papa war Doktor. Kein richtiger Doktor, sondern Doktor im Schreibmaschineschreiben. Papa war sehr groß und sehr stark und wusste alles. Mama wusste nicht alles. Mama konnte noch nicht mal richtig Deutsch.

– Na, was heißt denn auf Deutsch «Kryssa»?

Schon war Mama außer Gefecht gesetzt.

Andererseits hatte Mama im Krieg gekämpft: gegen die Deutschen.

– Hast du welche totgeschossen?

– Nein, Saschenka, ich hab nicht geschossen. Ich war Sanitäterin.

Trotzdem erfüllte es ihn mit Stolz. Seine Mama hatte den Krieg gewonnen. Die Deutschen hatten verloren. Seltsamerweise war Papa auch Deutscher.

– Hast du gegen Mama gekämpft?

– Nein, ich war, als der Krieg anfing, schon in der Sowjetunion.

– Warum denn?

– Weil ich aus Deutschland geflohen bin.

– Und dann?

– Habe ich Holz gefällt.

– Und dann?

– Habe ich Mama kennengelernt.

– Und dann?

– Haben wir dich geboren.

Geboren, das stellte er sich so vor wie ein Loch in die Erde bohren. So ähnlich wie Omis Rasensprenger. Das war eine lange Stange mit Spitze, die wurde in den Rasen gebohrt. Der Rest war noch unklar. Es hatte mit Erde zu tun.

Sonntags kroch er zu seinen Eltern ins Bett. Er steckte sich den Finger in den Hintern und sagte:

– Riech mal.

– Pfuh, rief sein Vater und sprang aus dem Bett.

Verblüffende Erkenntnis: dass auch die eigene Scheiße stinkt.

Dann machten sie Frühsport mit Hula-Hoop-Reifen.

– Das ist jetzt modern, sagte Mama.

Mama war nämlich modern. Papa war nicht so modern. Er wollte immer die alten Sachen behalten.

– Die Schuhe sind doch noch gut, sagte er.
Aber Mama sagte:
– Die sind nicht mehr modern.

Eindringlich: der Geruch, wenn Mama das Huhn über der Gasflamme absengte.
Günstig: dass Papa lieber das Weißfleisch aß.
Unbegreiflich: dass die Eltern freiwillig Mittagsschlaf machten.

Später Schachspielen. Papa gab ihm zwei Türme vor, trotzdem gewann er immer.
– Morphy hat schon mit sechs Jahren gegen seinen Vater gewonnen, sagte sein Vater.
Das war aber nicht so schlimm. Er war ja erst vier. Erst mal musste er fünf werden. Und dann hatte er immer noch Zeit. Sehr viel Zeit, um seinen Vater im Schach zu besiegen.

Die Wochentage: Montag bis Freitag. Und auch das wusste er schon: Es gab Erstenfreitag und Zweitenfreitag. Zweitenfreitag ging er nämlich zur Omi.
Vorher baden. Die Haare kämmen. Und dann, er ahnte es schon, holte Mama rasch noch die Schere heraus.
– Immer wenn ich zur Omi gehe, musst du mir an den Haaren schnippeln.
– Jetzt halt doch mal still.
– Das piekt aber!
Genau das war es – das typische Zur-Omi-Geh-Gefühl: frisch gewaschen, Bademantel, und im Nacken piekten die abgeschnittenen Härchen.
– Nun geh schon, Lapotschka, sagte die Mama.

Mama stand oben an der Treppe. Omi stand unten an der Treppe.

– Na, komm schon, mein Spätzchen, sagte Omi.

Er drehte sich um, winkte der Mama zu. Das sollte heißen: Kannst ruhig gehen. Er wollte nicht, dass sie hörte, wie Omi «mein Spätzchen» sagte. Er wollte auch nicht, dass Omi hörte, wie Mama «Lapotschka» sagte.

Aber die Mama verstand ihn nicht. Blieb stehen, nickte ihm zu.

Langsam, sehr langsam, hangelte er sich am Geländer hinab, bis die Stufen sich krümmten und die Treppe in breitem Schwung in die Diele auslief, wo immer am Abend die rosa Muschel leuchtete, in die Wilhelm, keiner wusste wie, eine elektrische Glühbirne eingebaut hatte.

Omi-Welt. Hier war alles ein bisschen anders. Und er sprach auch gleich anders, so ein bisschen *kompliziert*:

– Omi, machen wir heute wieder unser Geheimnis?

– Selbstverständlich, mein Spätzchen.

Zuerst wurde der Tisch gedeckt. Diensteifrig flitzte Alexander zwischen Küche und Salon hin und her, wie die Omi das große Zimmer nannte.

Die Regeln des Tischdeckens (gültig nur für die untere Etage des Hauses): Die Servietten, in silberne Ringe gesteckt, lagen ganz außen. Dann das Messer, dann die Gabel. Und dann das Stullenbrett. Bei Omi wurde nämlich vom Stullenbrett gegessen. Das war sehr *praktisch*, weil man dann besser die Brotrinde abschneiden konnte. Wilhelm vertrug nämlich keine Brotrinde. Der Löffel wurde oben quer über das Stullenbrett gelegt. Den Löffel brauchte man für Omis berühmte Zitronencreme.

Zitronencreme war Alexanders Lieblingsspeise. Er wusste auch nicht, wie das gekommen war. Eigentlich schmeckte ihm Zitronencreme überhaupt nicht. Trotzdem war es nun mal seine Lieblingsspeise – bei Omi.

Außerdem trank er bei Omi Kamillentee und aß Schmelzkäse und Leberwurst. Auch das gehörte zum Omi-Gefühl. Wie die Härchen im Nacken.

Die Butter war so zu stellen, dass Wilhelm bequem rankam.

Das war's.

Zwischendurch machten sie ihr Geheimnis.

Ihr Geheimnis bestand darin, dass sie in der Küche Toastbrot aßen. Schnurpsbrot hieß das. Die Sache war die: Wilhelm vertrug kein Schnurpsbrot. Und er vertrug es auch nicht, wenn andere Schnurpsbrot aßen. Er bekam davon Gänsehaut, sagte die Omi. Also mussten sie das Schnurpsbrot heimlich in der Küche essen. Mit Marmelade.

Bis Wilhelm erschien.

– Na, Hombre?

Dabei griff Wilhelm ihm derb ins Gesicht.

Wilhelm hatte zwar einen kleinen Kopf, aber große Hände. Das kam daher, dass Wilhelm früher einmal Arbeiter gewesen war. Heute war Wilhelm was Hohes. Aber die Arbeiterhände hatte er immer noch. Eine davon reichte aus, um Alexanders Gesicht zu bedecken. Alexander würgte, er hatte noch Toastbrot im Mund.

– Na, dann woll'n wir mal sehen, was ihr da angerichtet habt für ein' Affenfraß, sagte Wilhelm und stolzierte in den Salon.

– Wilhelm scherzt, raunte die Omi Alexander zu.

Dass Wilhelm so komisch war, lag, wie Alexander vermutete, daran, dass er nicht sein richtiger Opa war. Deswegen hieß er auch einfach nur Wilhelm. Wenn man versehentlich

«Opa» Wilhelm sagte, dann klappte Wilhelm die Zähne aus. Davor grauste Alexander.

Zum Abendbrot gab es Musik: aus dem Schallplattenspieler. Das war ein dunkler Schrank mit einer halbrunden Klappe, die man nach oben öffnete.

Wilhelm war gegen Musik.

– Du immer mit deinem Zeug, sagte er.

Aber er war der Einzige, der den Schallplattenspieler bedienen konnte. Deswegen bettelte die Omi:

– Wilhelmchen, leg uns doch eine Schallplatte auf, Alexander hört so gern Jorge Negrete.

Schließlich nahm Wilhelm eine Platte aus dem Schrank, ließ sie aus der Hülle gleiten, nahm einen Pinsel und fuhr dann, während er die Platte so in der Hand hielt, dass er nur den Rand und die Mitte berührte, in leicht übertriebenen Kreisbewegungen über die Rillen, wobei er die Platte wieder und wieder gegen das Licht hielt. Dann suchte er eine Weile den Schniepel, der durch das Loch in der Mitte der Platte musste und den man ja, während man über dem Plattenteller hantierte, nicht sah – schwieriger Vorgang. Wenn das gelungen war, stellte Wilhelm die Geschwindigkeit ein, bückte sich, den Hals verdrehend, hinab, sodass Alexander ihm auf seinen glatzigen Kopf gucken konnte, und senkte vorsichtig die Nadel, bis das geheimnisvolle Knistern vernehmbar wurde ... Dann kam die Musik.

Goldene Gräte. Alexander stellte sich eine vergoldete Fischgräte vor. Unklar blieb, was das mit der Musik zu tun hatte. Da es bei seinen Eltern keinen Plattenspieler gab, war Goldene Gräte im Grunde die einzige Musik, die er kannte. Die aber dafür gut:

México lindo y querido
si muero lejos de ti
que digan que estoy dormido
y que me traigan aquí

Obwohl er kein Wort verstand: Den Refrain hätte er mitsingen können.

– Weißt du denn, warum die Indianer Indianer heißen,
fragte Wilhelm und klatschte sich eine Scheibe Brot aufs
Brett.

Alexander wusste, warum die Indianer Indianer hießen,
das hatte Wilhelm bereits zweimal erklärt. Gerade deswegen
zögerte er.

– Aha, sagte Wilhelm, weiß er nicht. Keine Ahnung, die
jungen Menschen!

Er klatschte sich eine Portion Butter aufs Brot und ver-
schmierte sie mit einer einzigen Bewegung.

– Kolumbus, sagte Wilhelm, hat die Indianer Indianer
genannt, weil er dachte, er ist in Indien. Comprende?
Und wir nennen sie immer noch so. Ist das nicht ein Blödsinn?

Er schmierte sich eine dicke Schicht Leberwurst auf das
Brot.

– Die Indianer, sagte Wilhelm, sind die Ureinwohner des
amerikanischen Kontinents. Ihnen gehört Amerika. Aber
stattdessen ...

Er legte sich noch eine saure Gurke aufs Brot, genauer, er
warf sie aufs Brot, aber die Gurke fiel wieder herunter und
rollte auf die Tischdecke.

– Stattdessen, sagte er, sind sie heute die Ärmsten der
Armen. Enteignet, ausgebeutet, unterdrückt.

Dann zerteilte er die Gurke, drückte die Gurkenhälften tief in die Leberwurst ein und begann geräuschvoll zu kauen.

– Das, sagte Wilhelm, ist Kapitalismus.

Nach dem Abendbrot gingen Omi und Alexander in den Wintergarten. Im Wintergarten war es warm und feucht. Es roch süßlich-salzig, fast wie im Zoo. Der Zimmerspringbrunnen brummte leise. Zwischen Kakteen und Gummibäumen standen und lagen Dinge herum, die Omi aus Mexiko mitgebracht hatte: Korallen, Muscheln, Dinge aus echtem Silber, die Haut einer Klapperschlange, die Wilhelm eigenhändig mit der Machete erschlagen hatte; an der Wand hing die Säge eines leibhaftigen Sägefischs, fast zwei Meter lang und unwirklich wie das Horn eines Einhorns; das Beste aber war das ausgestopfte Haifischbaby, dessen raue Haut Alexander zum Schaudern brachte.

Sie setzten sich aufs Bett (Omis Bett stand im Wintergarten, weil sie nur hier ruhig schlafen konnte), und Omi begann zu erzählen. Sie erzählte von ihren Reisen; von tagelangen Reittouren; von Fahrten im Kanu; von Piranhas, die ganze Kühe auffraßen; von Skorpionen im Schuh; von Regentropfen, die so groß waren wie Kokosnüsse; und vom Urwald, der so dicht war, dass man sich mit einer Machete einen Weg hineinschlagen musste, der, wenn man wieder zurückkam, schon wieder zugewachsen war.

Heute erzählte Omi von den Azteken. Das letzte Mal hatte sie erzählt, wie die Azteken durch die Wüste gewandert waren. Heute fanden sie die verlassene Stadt, und weil niemand dort wohnte, glaubten die Azteken, hier seien die Götter zu Hause, und nannten die Stadt: Teotihuacán – *der Ort, wo man Gott wird.*

– Omi, aber in Wirklichkeit gibt's keinen Gott.

– In Wirklichkeit gibt's keinen Gott, sagte Omi und erzählte, wie die Götter die fünfte Welt gründeten.

– Denn die Welt, sagte Omi, war schon vier Mal untergegangen, und es war dunkel und kalt, und keine Sonne war mehr am Himmel, und einzig auf der großen Pyramide von Teotihuacán brannte noch eine Flamme, und die Götter versammelten sich, um zu beraten, und sie kamen zu dem Schluss: Nur wenn einer von ihnen sich opferte, würde es eine neue Sonne geben.

– Omi, was heißt denn *opfern*?

– Das heißt, einer musste sich in das Feuer werfen, um als neue Sonne am Himmel aufzuerstehen.

– Warum?

– Einer musste sich opfern, damit das Leben der anderen weitergeht.

Verblüffende Erkenntnis.

Mama brachte ihn ins Bett.

– Legst du dich noch zu mir?

– Heute nicht, sagte Mama, ich hab mir gerade die Haare gemacht.

Ihre Kleider raschelten, als sie ging.

Heute fühlte er sich besonders unwohl. In der Dunkelheit spukten Bilder umher. Er dachte an den Gott, der sich ins Feuer werfen musste. Kipitalismus, das Wort tauchte auf. Es klang nach Hitze: «kipit» – russisch «es kocht». In einer brodelnden Suppe schwammen Piranhas herum. Nicht den Finger reinstecken, sagte sein Vater. Im Wüstensand tanzten barfuß Azteken, ihre Gesichter waren von Schmerz verzerrt. Wilhelm, Wilhelm, schrie Omi. Wilhelm kam und löschte alles mit Gurkenwasser. Mama, im schicken Kleid, verteilte Schuhe an die Azteken. Es waren aus der Mode gekommene Damenschuhe. Die Azteken betrachteten sie sehr verwundert, zogen sie trotzdem an. Dann wanderten sie weiter durch die von Gurkenwasser durchtränkte Wüste. Ihre Absätze versanken im gelben Schlamm.

Alexander erwachte und kotzte: mit Zitronencremegeschmack. Danach hatte er drei Tage Fieber.

Im April hatte er Geburtstag. Er bekam einen Roller (mit Luftbereifung), einen Schwimmring und einen Raupenschlepper, elektrisch.

Es kamen: Peter Hofmann, Matze Schöneberg, Katrin Mählich und die stille Renate. Peter Hofmann aß drei Stücken Torte. Es wurde Topfschlagen gespielt.

Nun, da er fünf war, stellte sich die Frage erneut:

– Mama, wann fahren wir denn zu Baba Nadja?

– Anfang September.

– Wann ist denn September?

– Jetzt wird es erst mal Mai, dann Juni, Juli, August, dann September.

Alexander war wütend.

– Du hast gesagt, wenn man größer wird, vergeht die Zeit schneller.

– Wenn du groß bist, Saschenka. Richtig groß.

– Wann bin ich denn richtig groß?

– Richtig groß bist du mit achtzehn.

– Wie groß bin ich dann? So groß wie Papa?

– Bestimmt größer.

– Warum?

– Nun, Kinder werden meist größer als ihre Eltern. Und die Eltern werden im Alter auch wieder ein bisschen kleiner.

Auf Deutsch sagte sie: Ein Pfund Schabefleisch, bitte.

Der Sommer begann.

Zuerst musste man noch um Kurze-Hosen-Erlaubnis feilschen. Aber schon bald, nach wenigen Tagen, legte der Sommer zu, verbreitete sich unmerklich, besetzte die letzten Winkel von Neuendorf, trieb die Kühle aus der feuchten Erde; das Gras war jetzt warm, die Luft schwirrte vor lauter Insekten, und niemand erinnerte sich mehr an die Gänsehaut am ersten Tag, als man kurze Hosen anhatte; niemand konnte sich vorstellen, dass der Sommer jemals zu Ende ging.

Rollschuh laufen. Stahlrollen waren modern. Es ratterte mächtig. Wilhelm kam raus:

– Das ist ja nicht auszuhalten, Affentheater!

Flitzebogen bauen. Pfeile aus einem namentlich nicht bekannten Gesträuch, Spitzen mit Kupferdraht umwickelt. Uwe Ewald schießt Frank Petzold ins Auge. Krankenhaus, Riesenanschiss.

Mit Kreide auf der Straße malen. Peter Hofmann malt ein Hakenkreuz. Macht daraus aber sofort ein Fenster – durch Ergänzung von Strichen.

Ebenfalls streng verboten: Betreten des Bunkers. Die Großen tun es trotzdem. Die Kleinen auch. Als Alexander den Bunker betritt, erscheint ein Phantom aus der Tiefe: nur ein Kopf, die Wangen rot leuchtend. Vor Grauen richten sich Alexanders Haare auf. Stumm flieht er zum Ausgang.

Nicht verboten, aber irgendwie auch nicht erlaubt: mit Renate Klumb Reiter und Pferd spielen. Sie muss sich ins Gras legen, bäuchlings, den Rock hoch. Er setzt sich drauf. Bewegen braucht Renate sich bei diesem Spiel nicht. Es reicht, dass sich Haut und Haut an einigen Stellen berühren.

Grüne Äpfel fressen mit Matze. Und Durchfall.

Katrin Mählich klemmt sich die Finger im Liegestuhl.

Im Sandkasten bei Hofmanns werden Städte für Feuerkäfer gebaut. Die gibt's jetzt in Massen. Die Steine sind von der Sonne warm, darauf sitzen sie, reglos, in Scharen.

Und gerade als der Sommer vollständig zum Stillstand kommt, als die Tage sich nicht mehr von der Stelle bewegen, als die Zeit, allen Versprechungen zum Trotz, zu vergehen aufhört und Alexander es schon fast vergessen hat, sagt seine Mutter:

– Nächste Woche fahren wir zu Baba Nadja.

– Nächste Woche, verkündet Alexander, fahr ich in die Sowjetunion.

Achim Schliepner zeigt sich wenig beeindruckt.

– Die Sowjetunion ist das größte Land der Welt, sagt Alexander.

Aber Achim Schliepner sagt:

– Amerika ist größer.

Die Reise: Grüner Waggon. Schlafwagen, gemütlich wie ein Häuschen auf Rädern. Man konnte auch Tee bestellen. Auf den Teegläsern war der Kreml drauf. Um den Kreml herum kreiste ein kleiner Sputnik.

Räderwechsel in Brest. Breitere Spur für die Sowjetunion.

– Stimmt's, Mama, die Sowjetunion ist das größte Land der Welt.

– Ja, natürlich.

Er erinnerte sich an nichts. Aber er kannte *alles*. Sogar den Geruch der Moskauer Taxis: halb nach angebranntem Gummi, halb nach Benzin. Ganz Moskau schien ein bisschen nach Taxi zu riechen.

Der Rote Platz: eine Schlange vorm Mausoleum.

– Nein, Saschenka, so viel Zeit haben wir nicht.

Dafür Eskimo-Eis. Und Prostokwascha mit Zucker.

Die Metro: gigantisch. Vor der Rolltreppe hatte er ein bisschen Angst. Noch mehr vor den Türen.

Dann nochmal drei Tage Zugfahrt. Swerdlowsk umsteigen.
Dann noch einen halben Tag. Und dann, endlich, Slawa.

Der Bahnhof lag außerhalb. Ein Jeep holte sie ab, umfuhr
in weiten Schleifen die Löcher im Weg. Keine Löcher: Kra-
ter.

Die Siedlung. Bretterzäune. Häuser aus Bohlen. Und jedes
sah aus, als würde Baba Nadja dort wohnen.

Der Fahrer hupte, Baba Nadja trat vor die Tür.

– Warum weint Baba Nadja?

– Weil sie sich freut, sagte Mama.

Das Haus war klein. Eine Küche, ein Zimmer. In der Mitte des Hauses ein Ofen. Auf dem Ofen schlief Baba Nadja.
Mama und Alexander schliefen im Bett.

Der Hof: eine Sauna, ein Stall. Der schwarz-weiße Hund an
der Kette hieß Drushba. Drushba hieß Freundschaft. Freundschaft bellte. Die Kette rasselte. Baba Nadja schimpfte:

– Freundschaft, halt's Maul.

Im Stall wohnten die Kuh und das Schwein. Die Kuh
war braun und hieß Marfa. Das Schwein hieß einfach nur
Schwein. So wie Wilhelm einfach nur Wilhelm hieß.

Vor dem Schwein hatte er Angst. Wenn man es rausließ,
raste es über den Hof und quietschte. Auch Freundschaft
hatte Angst vor dem Schwein. Vor Freundschaft brauchte
man sich indes nicht zu fürchten.

Stattdessen durfte er mit Freundschaft spazieren gehen.
Er durfte überhaupt alles. Er durfte aufs Dach. Er durfte
durch riesige Pfützen waten. Nur nicht in den Wald.

– Keinen Schritt in den Wald, sagte Baba Nadja.

Denn im Wald verirrte man sich. Und dann fraßen einen die Wölfe.

– Und dann finden wir nur noch deine Knochen, sagte Baba Nadja

– Nun hör doch auf, sagte Mama.

In den Wald durfte er trotzdem nicht.

– Auch die Mücken können dich auffressen, sagte Mama. Aber das glaubte er nicht. Dann schon eher die Wölfe.

Sehr interessant: Wasser aus dem Brunnen holen. Baba Nadja hatte eine Art Bügel, den legte sie sich über die Schultern, links und rechts einen Eimer dran, dann gingen sie los. Der nächste Brunnen war nicht weit. Den Eimer hängte man an einen Haken. Runter ging er von ganz allein. Alexander durfte mit hochkurbeln.

Einmal die Woche kam Brot. Dann stand eine lange Schlange vor dem Laden. Jeder bekam drei Laib Brot. Auch Alexander. Zu dritt bekamen sie neun. Jedes kostete elf Kopeken. Drei Brote aßen sie selber, sechs kriegte die Kuh. In Wasser eingeweicht. Die Kuh schmatzte. Es schmeckte ihr.

Elektrischen Strom gab es bei Baba Nadja. Gas gab es nicht. Baba Nadja kochte alles in einer Nische im Ofen. Für Tee wurde der Samowar angeheizt. Es gab schwarzen Tee: früh, mittags, abends. Der Samowar summte. Baba Nadja spielte mit ihm Dummkopf, das Kartenspiel.

Abends kam Besuch: Pawel Awgustowitsch, mit Krawatte und Anzug. Ein seltsamer Mensch, dünn und altmodisch. Küsste Mama die Hand.

– Eine Schande ist das, sagte Mama zu Baba Nadja: Pawel Awgustowitsch hat am Konservatorium studiert.

– Was will man machen, antwortete Baba Nadja. Gott hat es nun mal so bestimmt.

Anderntags kamen alte Frauen mit Kopftüchern. Sie sangen bis in die Nacht. Zuerst lustige Lieder. Dabei klatschten sie in die Hände, manche tanzten sogar. Dann sangen sie traurige Lieder. Dann weinten sie. Zum Schluss umarmten sich alle und wischten sich die Tränen aus dem Gesicht.

– Schade, sagte Alexander, dass wir zu Hause nicht auch alle in einem Zimmer wohnen.

Wieder zu Hause. Zweitenfreitag zu Omi, jetzt hatte er was zu erzählen.

– Wir sind fünf Tage Zug gefahren!

– Das ist sehr interessant, sagte Omi. Aber willst du das nicht lieber nachher beim Abendbrot erzählen, dann hört Wilhelm es auch. Für Wilhelm ist das auch alles sehr interessant.

Die Sache war ihm nicht ganz geheuer. Omi ermutigte ihn:

– Wir machen es so: Ich geb dir ein Stichwort, und dann legst du los.

Stichwort?

– Zum Beispiel «Sowjetunion», erklärte Omi. Ich sage, zum Beispiel: Ich würde gern mal Urlaub in der So-wjet-union machen! Das ist für dich das Stichwort.

Wilhelm klatschte sich Butter aufs Brot.

– Die Indianer, erklärte er, sind heute die Ärmsten der Armen. Unterdrückt, ausgebeutet, ihres Landes beraubt.

Omi sagte:

– In der Sowjetunion gibt es keine Ausbeutung und keine Unterdrückung.

– Das ist klar, sagte Wilhelm.

Omi schaute Alexander an und sagte noch einmal:

– In der So-wjet-u-nion gibt es keine Ausbeutung und keine Unterdrückung!

– Ach ja, sagte Wilhelm, du warst doch gerade in der Sowjetunion. Erzähl doch mal!

Plötzlich war Alexanders Kopf leer.

– Na was, sagte Wilhelm, redest du nicht mit einfachen Leuten?

– Bei Baba Nadja, sagte Alexander, kommt das Wasser aus einem Brunnen.

Wilhelm räusperte sich.

– Na schön, sagte er, kann schon sein. Als wir in der Sowjetunion waren, Lotti, weißt du noch, da gab es sogar noch in Moskau Brunnen. In Moskau, stell dir das vor! Und heute? Du warst doch in Moskau, oder?

Alexander nickte.

– Na bitte, sagte Wilhelm. Und wenn du groß bist, dann muss man nirgends in der Sowjetunion mehr Wasser aus einem Brunnen holen. Wenn du so groß bist wie dein Vater, dann ist in der Sowjetunion längst der Kommunismus angebrochen – und vielleicht schon überall auf der Welt.

Dass sämtliche Brunnen abgeschafft werden sollten, fand Alexander wenig erfreulich, aber er wollte Wilhelm nicht wieder enttäuschen. Deswegen sagte er:

– Die Sowjetunion ist das größte Land der Welt.

Wilhelm nickte zufrieden. Sah ihn erwartungsvoll an. Auch Omi sah ihn erwartungsvoll an. Und Alexander fügte hinzu:

– Aber Achim Schliepner ist dumm. Der sagt, dass Amerika das größte Land der Welt ist.

– Aha, sagte Wilhelm, interessant.

Und zu Omi sagte er:

– Und gewählt haben die auch wieder nicht, die Schliepners. Aber die kriegen wir auch noch dran.

Kindergarten. Nun war er schon in der großen Gruppe. Achim Schliepner war fort. Nun war Alexander der Klügste. Beweis:
– Ich war schon in Moskau.
Nicht mal Frau Remschel war dort.
– Und wenn ich groß bin, dann fahr ich nach Mexiko.
Denn wenn er groß ist, herrscht überall Komponismus. Dann werden die Indianer nicht mehr ausgebeutet und unterdrückt. Niemand muss sich mehr opfern. Nur Klapperschlangen, die gibt es natürlich noch. Und Skorpione im Schuh. Aber da kennt er sich aus: Morgens die Schuhe ausschütteln – einfacher Trick. Den hat ihm Omi verraten.

Es ist Sonntag. Alexander geht mit seinen Eltern die Straße entlang. Es ist die Thälmannstraße. Die Bäume sind bunt. Es riecht nach Rauch. Die Leute harken das Laub zusammen und verbrennen es in kleinen Haufen. Man kann Kastanien in die Glut werfen, die knallen nach einer Weile.
Sie gehen mitten auf der Straße, Hand in Hand: links Mama, rechts Papa, und Alexander erklärt, wie er sich die Sache so vorstellt.
– Ich werde groß, dann werdet ihr wieder klein. Und dann werdet ihr wieder groß und ich wieder klein. Und so geht das weiter.
– Nein, sagt sein Vater, ganz so ist das nicht. Wir werden zwar mit der Zeit etwas kleiner, aber nicht jünger. Wir werden älter, und irgendwann sterben wir.
– Stirbt jeder?

– Ja, Sascha.

– Sterbe ich auch?

– Ja, auch du stirbst irgendwann, aber bis dahin ist es noch ganz, ganz, ganz weit – so *unendlich* weit, daran brauchst du noch nicht zu denken.

Verblüffende Erkenntnis.

Unendlich: Dort hinten, wo alles sich im Rauch verlor, wo die Bäume allmählich kleiner wurden, dort hinten musste es sein. Dorthin gingen sie, seine Eltern und er. Die kühle Luft streifte seine Wangen. Sie gingen und gingen, so beängstigend leicht, und doch fast ohne sich von der Stelle zu bewegen.

Wenn er lächelte, dann aus Verlegenheit: weil seine Vorstellungen vom Groß- und Kleinwerden so dummes Zeug waren.

2001

Der Flughafen sah aus wie ein Nachtasyl. Schlafsäcke, Schlangen an den Schaltern. Auf den Anzeigetafeln wimmelte es von gestrichenen Flügen. Die Leute schienen alle dieselbe Zeitung zu lesen. Titelbild: ein Flugzeug, das in einen Wolkenkratzer fliegt. Oder war es ein Marschflugkörper? Eine Rakete?

Auch der Flug nach Mexiko hatte Verspätung.

Alexander kaufte einen Reiseführer (den berühmten *Backpacker*, sanfter Tourismus), ein deutsch-spanisches Wörterbuch, ein aufblasbares Nackenkissen und – zur Einstimmung – eine spanische Zeitung. Ein Wort, das er auch ohne Wörterbuch verstand: *terrorista*.

Dann, endlich, doch der Check-in. Auf dem Weg zur Startposition das Sicherheitsballett der Stewardessen. Sie lächelten unbeirrt, wenn man es lächeln nennen wollte. Er versuchte, sich ihre Gesichter vorzustellen beim Absturz.

Gedanke im Moment des Abhebens: dass es immer noch ziemlich viele Möglichkeiten gab, ums Leben zu kommen. Beruhigend, komischerweise.

Er richtete sich auf seinem Sitz ein, so gut es ging – zwischen einem übergewichtigen Goldkettchenmann und einer bleichen Mutter, die vergeblich versuchte, ihr Cola saufendes Kind zu bändigen. Er las nichts, versuchte erst gar nicht zu schlafen. Verfolgte auf dem kleinen Bildschirm vor seiner

Nase lange den Kurs des Flugzeugs, die zunehmende Höhe, die abnehmende Temperatur.

Er nahm alles an, was man anbot: Kaffee, Kopfhörer, Schlafmaske. Aß alles auf, was zum Mittag serviert wurde, selbst das rätselhafte Dessert aus der Plastikschachtel.

Nach zwei oder drei Stunden begann der Film. Irgendein ganz gewöhnliches Action-Movie. Menschen schlugen einander, traten aufeinander ein, begleitet von Geräuschen, die er noch aus den Kopfhörern der Nachbarn hörte. Nichts Besonderes eigentlich, außer dass er es plötzlich nicht ertragen konnte. Warum zeigte man so was? Wie Menschen einander wehtaten?

Er setzte die Schlafmaske auf, stöpselte seine Kopfhörer ein, schaltete die Programme durch.

Händel. Irgendeine dieser berühmten Arien: verhalten und von gefährlicher Melancholie. Vorsichtig hörte er hinein, jeden Augenblick bereit, die Musik abzuschalten, falls sie ihm zu nahe ging.

Was aber nicht der Fall war. Er lehnte sich zurück, lauschte verwundert dem überirdischen Sound der Arie – nein, eigentlich nicht überirdisch, im Gegenteil. Ganz anders als Bach: irdisch, diesseitig. So diesseitig, dass es beinahe wehtat. Abschiedsschmerz, wusste er plötzlich. Der Blick auf die Welt im Bewusstsein ihrer Vergänglichkeit. Wie alt mochte Händel gewesen sein, als er dieses Wunder komponierte? Besser, man wusste es nicht.

Und wie viel Zeit sich dieser Kerl ließ. Und wie einfach das alles war, wie klar.

Er musste an seine letzte Inszenierung in K. denken. Gewiss, wenn man wollte, konnte man sich damit beruhigen, dass die Kritiken dann doch nicht so verheerend gewesen waren, wie er es befürchtet hatte. Er erinnerte sich, wie er zur Premiere auf den Stufen gesessen hatte. Wie er, innerlich ersterbend, mit angesehen hatte, wie die Schauspieler auf der Bühne zappelten und schrien, ihre Kunststückchen aufführten ... Das umständliche, bunte Bühnenbild. Das aufwendige Lichtkonzept (für das extra noch ein teurer Tageslichtscheinwerfer zugekauft worden war) ... Alles zu viel. Zu angestrengt. Zu kompliziert.

War es das? Dieses Angestrengte und Komplizierte. War *das* sein Krebs?

Non-Hodgkin-Lymphom ... Und dann hatte dieser Kerl ihm die Krankheit erklärt: widerwillig sich auf dem Drehsessel hin und her wiegend, ein Plastiklineal in der Hand – hatte er wirklich ein Lineal in der Hand gehabt? Hatte er wirklich lustige kleine Kullern in die Luft gemalt, als er ihm etwas von den T-Zellen erzählte, die ihn langsam umbringen würden?

Das Absurde war, dass es sich um Abwehrzellen handelte. Um Zellen seines Immunsystems, eigentlich zur Abwehr fremdartigen Gewebes bestimmt, die sich aber, soweit Alexander verstanden hatte, nun selbst in feindliche Riesenzellen verwandelten.

Noch in der Nacht zuvor, in der Nacht vor der Diagnose, nachdem er stundenlang wach gelegen hatte, entnervt vom Rasseln des Sauerstoffapparates des alten Mannes, das unerbittlich durch die Ohrstöpsel drang, irgendwann gegen drei Uhr, nachdem er sich alle Fragen gestellt, alle Möglichkeiten durchgespielt hatte, nachdem er schließlich aufgestanden und in den Flur geschlichen war und vergeblich versucht hatte, das Problem auf der anatomischen Karte zu lokalisieren – nach alldem hatte er schließlich gedacht: Egal, was es war, egal, wo es war, man würde es herausschneiden, und er würde kämpfen, so hatte er gedacht, um dieses Leben, und bei dem Wort kämpfen hatte er sich unwillkürlich im

Humboldthain seine Runden drehen sehen, um sein Leben laufen, hatte er gedacht, die Krankheit aus sich herauslaufen, laufen, bis nichts mehr von ihm übrig blieb als der Kern, als die Essenz, bis zwischen Haut und Sehnen einfach kein Platz mehr war für irgendwelches feindliches Gewebe ...

Es gab nichts herauszuschneiden, nichts zu lokalisieren. Es kam aus ihm selbst, aus seinem Immunsystem. Nein, es *war* sein Immunsystem. Es war er selbst. Er selbst war die Krankheit.

Die Stimme in seinem Ohr malte ein paar kleine Schleifchen. Hüpfte, gackerte. Lachte ...

Er nahm die Schlafmaske ab. Prüfte, ob jemand sein Erröten bemerkt hatte ... Aber niemand kümmerte sich um ihn. Der dicke Goldkettchenmensch (der es immerhin auch geschafft hatte, *keinen* Krebs zu bekommen) starrte auf seinen Schirm. Die bleiche Mutter versuchte ein wenig zu schlafen. Nur das Kind sah ihn an, mit glänzenden, colafarbenen Augen.

Mexiko, Flughafen. Warmluftgebläse. Beiläufig beim Betreten der Stadt (des Landes, des Kontinents) die Feststellung, dass es nicht so riecht wie der Nitratdünger im Wintergarten seiner Großmutter.

Taxifahrt. Der Fahrer fährt wie eine gesengte Sau, schief auf seinem Sitz hängend, halb aus dem offenen Fenster gelehnt. Achterbahn. Alexander lehnt sich zurück. Der Wagen rast über mehrspurige Avenidas, der Fahrer reißt das Steuer herum, fährt mit singenden Reifen im Kreis, irgendwie falsch herum, rast durch Nadelöhre, der Verkehr draußen brüllt, scharfe Rechtskurve, dann wird die Straße schmal, links und rechts Menschen auf den Gehwegen, der Fahrer fährt bei Rot, jetzt, zum ersten Mal, bewegt er den Kopf, um zu schauen, ob die Straße frei ist.

Hotel Borges: Empfehlung des *Backpacker*. Im *Centro historico*, 35 Dollar die Nacht. An der Rezeption ein Milchgesicht im blauen Anzug, erklärt ihm etwas, das er nicht versteht. *El quinto piso*, so viel versteht er: fünfter Stock. Das Zimmer ist groß, die Möbel sämtlich mit einer Spritzpistole auf Bordeaux umgespritzt, nicht mal geschmacklos. Alexander lässt sich aufs Bett fallen. Und jetzt?

Alexander geht auf die Straße. Mischt sich unter das Volk. Es ist acht Uhr abends. Die Straßen sind voll, er schwimmt mit der Menge, atmet den Atem der anderen. Kleine Polizisten, die trotz der Hitze schusssichere Westen tragen, pusten in ihre Trillerpfeifen. Als er über ein gullydeckelgroßes Loch im Gehweg stolpert, fällt er den Entgegenkommenden in die Arme. Sie lachen, richten ihn wieder auf, den großen, tollpatschigen Europäer. Dann ist er in einem Park. Überall werden Dinge feilgeboten. In riesigen Pfannen schmoren Fleisch und Gemüse friedlich nebeneinander. Es gibt Decken und Schmuck, es gibt alte Telefone, Kreissägen, Wecker, es gibt gepökelte Schweinehaut, es gibt Dinge, die er nicht kennt, es gibt eigentlich alles: Federschmuck, Skelett-Hampelmänner, Lampen, Kruzifixe, Stereoanlagen, Hüte.

Alexander kauft einen Hut. Er hat, weiß er, schon immer einen Hut kaufen wollen. Jetzt gibt es Argumente dafür. Jetzt könnte er sagen: In Mexiko braucht man einen Hut – wegen der Sonne. Aber er sagt es nicht. Er kauft den Hut, weil er sich mit Hut gefällt. Er kauft den Hut, um gegen die ihm anerzogenen Prinzipien zu verstoßen. Er kauft ihn, um gegen seinen Vater zu verstoßen. Er kauft ihn, um gegen sein ganzes Leben zu verstoßen, in dem er *keinen* Hut trug. Warum eigentlich? Dabei ist es so einfach! Ihm ist zum Lachen zumute. Er lacht sogar. Nein, natürlich lacht er nicht, aber er lächelt. Er lässt sich treiben. Jetzt erst gehört er wirklich dazu. Jetzt, mit dem Hut, ist er einer von ihnen. Jetzt kann er plötzlich Spanisch: Wie viel kostet ... Ich möchte ... Taco, Tortilla? ... Gracias, Señor ... Señor! Er verbeugt sich förmlich, wie es sich bei der Verleihung eines Ehrentitels gehört. Die alte Frau kichert. Sie hat nur noch einen Zahn. Alexander treibt weiter. Futtert Tortilla. Gehen, stehen, Verkehr. Wieder Schwärme winziger Polizisten, sinnlos pfeifend, könnte man meinen, aber jetzt, plötzlich, versteht er: Sie pfeifen – nichts weiter. Wie Vögel. Sie pfeifen, weil sie sind. Verblüffende Erkenntnis. Sie schlagen mit den Flügeln, flattern mit den Händen, undeutbar, irrelevant, während der Verkehr, irgendwelchen Naturgesetzen gehorchend, sich selbst reguliert.

Dann ist Musik zu hören. Keine Trillerpfeifen, richtige Musik. Undeutlich noch, hin und wieder springt eine Geige oder eine Trompete hervor: Geige und Trompete! Die typisch mexikanische Instrumentierung, wie auf der Schellackplatte von Oma Charlotte. Seine Erregung nimmt zu, er beschleunigt den Schritt. Jetzt klingt es, als stimmte ein riesenhaftes Orchester die Instrumente. Sänger scheinen sich einzusingen. Was geht da vor? Alexander steht auf einem hell erleuchteten Platz. Der Platz ist voller Menschen, darunter, er glaubt seinen Augen nicht zu trauen, in kleinen, an ihren jeweils einheitlichen Uniformen leicht erkennbaren Grüppchen, Hunderte Musikanten: Kapellen, große und kleine, zehnköpfige und zweiköpfige, mit wuchtigen Sombreros oder leichten Strohhüten, mit Leisten goldener Knöpfe oder silberner Borte geschmückt, mit Epauletten und Fransen, rosa, weiß oder marineblau, und sie alle machen Musik! Gleichzeitig! Unerklärlicher Vorgang. Wie das plötzliche Auftauchen rätselhafter Insekten. Eine Prozession? Ein Streik? Singen sie gegen den Weltuntergang an? Ist hier der einzige Platz, von dem aus irgendein Gott sie erhören kann?

Alexander geht umher, lauscht wie in Trance, wandert von Kapelle zu Kapelle, sucht mit den Ohren seine Musik: Dort hinten ... Oder nein. Aber da ... So ähnlich! Steht plötzlich vor einem der Sänger. Sein Anzug lichtblau, das Hemd strahlend weiß, die Haare pechschwarz, und um den Hals trägt er eine bombastische Fliege.

– México lindo, sagt Alexander.

Der Sänger sagt: Sí!

– Jorge Negrete, sagt Alexander.

Der Sänger sagt: Sí!

Die Musiker ziehen nochmal an ihren Zigaretten, stellen die Flaschen ab, ziehen sich die Hose hoch, rücken ihre Sombreros zurecht, und plötzlich läuft Omis uralte Schellackplatte: Rum-tata-rum-tata ... *Voz de la guitarra mia ... al despertar la mañana* ...

Ungläubig starrt Alexander den Sänger an. Die aberwitzige Fliege, das glänzende, pechschwarze Haar, die weißen Zähne, die unter dem Schnurrbart aufblitzen und Laute formen, die genau denen auf der Schellackplatte entsprechen, die vor tausend Jahren in tausend Stücke zersprungen ist ...

Natürlich kann das alles nicht stimmen. Wahrscheinlich eine Sinnestäuschung. Ein Trickbetrug.

México lindo y querido
si muero lejos de ti
que digan que estoy dormido
y que me traigan aquí

Das Lied ist zu Ende. Er merkt, dass ihm Tränen über die Wangen laufen. Die Musiker lachen. Der Sänger fragt ihn:

– Americano?

– Alemán, sagt Alexander leise.

– Alemán, wiederholt der Sänger, laut, für die anderen.

– Ah, Alemán, sagen sie.

Hören auf zu lachen. Nicken anerkennend, als sei er den Weg von Deutschland zu Fuß gelaufen. Der Sänger klopft ihm auf die Schulter.

– Hombre, sagt er.

Alexander geht. Die Musiker winken.

Er geht langsam. Er singt. Es sind jetzt weniger Menschen auf der Straße. Er kauft ein Bier. Die Tränen trocknen auf seinen Wangen. Er atmet die Nachtluft, sie ist jetzt kühler. Vielleicht nur, dass die Körperwärme der Menge fehlt? Die Trillerpfeifen schweigen. Sterne sind nicht zu sehen. Er ist in Mexiko. Wie viele Jahre galt es als sicher, dass er dieses Land *niemals, nie im Leben* betreten würde? Jetzt ist er hier. Jetzt geht er durch diese Stadt. Trickbetrug alles. Die Mauer. Der Krebs. Wer sagt, dass ich Krebs habe? Plötzlich, wenn er zurückdenkt, kommt ihm das alles irrsinnig vor. Die Diagnose: eine Behauptung. Das Krankenhaus: eine durchgeknallte Maschinerie, die Krankheitsbezeichnungen produziert. Was denn für eine Krankheit? Irgendwelche pH-Werte, irgendein Scheiß. Einfach weggehen. Sich losreißen aus dieser kranken, krankmachenden Welt ...

Hier bin ich. Ich grüße dich, große Stadt. Ich grüße den Himmel, die Bäume, die Löcher im Asphalt. Ich grüße die Tortillaverkäuferinnen und die Musikanten. Ich grüße euch alle, die ihr auf mich gewartet habt. Ich bin da. Ich habe mir einen Hut gekauft. Das ist der Anfang.

Hätte er den Musikanten Geld geben müssen?

Dieser Verdacht ist das Einzige, was ihn, als er einschläft, ein wenig beunruhigt.

Am Morgen wecken ihn die Hunde. Welche Hunde? Er schaut aus dem Fenster. Tatsächlich, auf dem Dach des Nachbarhauses zwei große Mischlinge, einer zottig, einer kahl. Was bewachen sie dort? Den Schornstein? Das Dach?

Halb sechs, zum Aufstehen zu früh (obwohl es in Deutschland – er rechnet – halb dreizehn sein müsste). Er zieht die Decke über den Kopf, es hilft nicht. Die Fenster sind einfach verglast, die Frequenzen durchdringend. Ein Heulen zuerst, dann ein Bellen. Einer der Heuler, der andere der Beller. Der Heuler fängt an, der Beller stimmt ein: Huhu – waffwaff.

Er steht auf, um zu sehen, welcher heult und welcher bellt. Es ist der Zottige, der heult. Der Kahle, der bellt.

Pause. Jetzt wartet er schon darauf: Huhu – wo bleibt das Waff-waff?

Die Ohropax fallen ihm ein. Er hat noch Ohropax in seinem Waschbeutel: von Marion, sie hat sie ihm damals ins Krankenhaus mitgebracht. Ohropax aus Kunststoff, so neumodisches Zeug. Aber besser als gar nichts.

Als er wieder im Bett liegt, fällt es ihm ein: Marion! Er hat vergessen, sie anzurufen. Nicht vergessen, hat es nicht mehr geschafft … Die Ohropax knirschen vorwurfsvoll in seinen Ohren. Das halbplastische Material dehnt sich aus, hat die Neigung, wieder aus den Ohren herauszukriechen … Er wird ihr schreiben, denkt er. Liebe Marion, wird er schreiben, du wirst dich wahrscheinlich wundern … Ich bin in Mexiko, weil ich … Ja, was? Auf den Spuren der Oma … Na, wunderbar … Liebe Marion … Und wie erklärt er ihr, dass er nicht angerufen hat?

Liebe Marion, ich kann gerade gar nichts erklären. Ich bin plötzlich in Mexiko. Gut, dass ich die Ohropax habe, es gibt hier auf dem Dach Hunde … Aber ehrlich gesagt: Knirschen. Das nächste Mal, bitte, wenn es geht … Oder ein Schlafmittel. Und zwar für die Hunde … Huhu … Welcher war nochmal welcher? Einer heult, und der andere ist jetzt ganz klein. Hörst du? Im Hintergrund. Hinter dem Knirschen … Huhu … Wo bleibt das … Waff … waff …

Er wacht auf, grelle Sonne im Zimmer. Um acht. Er steht auf, duscht sich. Betrachtet sich eine Weile im Spiegel. Überlegt, ob er sich rasiert. Setzt seinen neuen Hut auf. Was sieht er?

Na, was wohl: Einen Mann mit Hut. Siebenundvierzig. Blass. Unrasiert.

Er sieht älter aus, als er ist.

Er sieht gefährlicher aus, als er ist.

Das genügt ihm fürs Erste.

Der Frühstücksraum des Hotels ist ihm zu steril. Zu europäisch. Er frühstückt im Café gegenüber. Ein altes Etablissement, fast Wiener Kaffeehausatmosphäre, seltsam nur die nackten, knallweißen Neonröhren, die das Ganze beleuchten. Die indianische Kellnerin sieht gelb aus in diesem Licht. Er verlangt ein typisch mexikanisches Frühstück. Er bekommt etwas Unklares, Pampiges. Rot und grün. Der Kaffee immerhin, der aus einer Metallkanne nachgeschenkt wird, ist gut. Beinahe dickflüssig. Man muss ihn mit Milch trinken.

Dann also Mexico City bei Tag. Immer hat er sich die Stadt bunt vorgestellt. Aber das sogenannte historische Zentrum ist grau. Es sieht kaum anders aus als irgendeine südspanische Großstadt, abgesehen davon, dass die Häuser alle schief stehen. Der feuchte Untergrund, liest er im *Backpacker*, habe schon den alten Azteken zu schaffen gemacht.

Außerdem liest er: Die Mexikaner nennen es nicht Mexico City, sondern DF – *Distrito Federal*.

Außerdem liest er über die *Mariachi*-Kapellen, die auf der *Plaza Garibaldi* jedem, der will, ein Ständchen spielen. Der

Platz, heißt es, sei sehr «touristisch». Die Preise seien entsprechend hoch.

Auf dem *Zócalo* wird gerade eine provisorische Halle gebaut, so groß, dass man befürchten muss, bald würde hier Holiday on Ice gastieren. Er besichtigt die *Catedral Metropolitana*, die der *Backpacker* als Meisterwerk des mexikanischen Barock preist, schlendert durch die bombastische Kirchenhalle, steht ratlos vor der obszönen Pracht eines zwanzig Meter hohen, über und über vergoldeten Altars.

Neben der Kathedrale: der *Templo Mayor*, der große Tempel der einstigen Aztekenstadt, besser gesagt: seine erbärmlichen Überreste. Zerstört, geplündert, dem Erdboden gleichgemacht, Zeugnis des Kampfes zweier Kulturen: der friedvollen christlichen und der blutrünstigen aztekischen, welche ein Hernán Cortés mit *etwas über zweihundert Soldaten* (und einer geschickten Bündnispolitik, ja, gewiss!) in wenigen Monaten plattmachte. Von den Ruinen des Tempels aus sieht man die Rückseite der Kathedrale – und man sieht, dass sie aus den Steinen des Tempels gebaut worden ist.

Am Rande des Platzes: ein Indio in pompösem Federschmuck. Vor ihm, in einem Kreidekreis, zwei Einheimische, die er, Sprüche murmelnd, mit Weihrauch benebelt. Zehn oder zwanzig Leute stehen an: Alte, Junge, Paare. Abgesehen von einem Lendenschurz ist der Mann nackt. Er ist nackt, klein und dick und hat blaue Lippen.

In einer Nebenstraße vier Kinder. Sie machen Musik. Das heißt, drei machen Musik: Einer bläst auf der Klarinette, zwei trommeln unbeholfen, und ein kleines Mädchen in etwas zu kurzen Hosen geht um und hält den Passanten den Hut hin. Das Mädchen ist nicht älter als fünf. Ihr Blick argwöhnisch, voller Scham. Alexander gibt ihr ein paar Pesos. Überlegt, ob er ihr das geben soll, was er glaubt, den Musikern von der *Plaza Garibaldi* schuldig zu sein. Tut es aber nicht. Befürchtet, er könnte sich blamieren – vor wem?

Er nimmt die Metro bis zur *Insurgentes*. Fliegende Händler steigen ein und aus. Schreien, verkaufen CDs mit schrecklicher Musik, die aus batteriebetriebenen Playern herausscheppert. Alexander ärgert sich, dass er den Kindern das Geld nicht gegeben hat.

Wieder über der Erde: die *Avenida des los Insurgentes* – Allee der Aufständischen. Eine Alltagsstraße, normaler, dreckiger als das Zentrum, aber auch nicht das, was er sich unter Mexico City vorgestellt hat. Menschen, donnernder Verkehr. Zwischen den Fahrspuren, auf einem kaum meterbreiten Mittelstreifen, fristen dürre Bäumchen eine unerklärliche Existenz. Die Häuser am Rande der Straße: unbeholfene Stilkopien, irgendwann einmal, man glaubt es noch zu erkennen, von stolzen Besitzern errichtet, inzwischen verwahrlost, verwittert, mit schon wieder sich lösender Farbe übertüncht, mit Plakaten beklebt. Über den Dächern Gerüste, gigantische Leinwände aufspannend, auf denen für 99-Pesos-Artikel geworben wird.

Er geht die *Insurgentes* südwärts. Die Adresse liegt außerhalb dessen, was der Kartenausschnitt im *Backpacker* abdeckt. Auf dem großen Stadtplan im Hotel hat er sich den Weg angesehen. Er geht nicht langsam, nicht schnell. Er geht vorbei an Kneipen und Läden, die nach der Mittagspause gerade wieder öffnen. Vorbei an Drogerien und Fotoläden. Vorbei an Abwasserpfützen und an Baustellen, an kaputten Motorrädern, kaputten Fahrrädern, kaputten Leitungen: Eigentlich ist alles kaputt.

An einem Stand kauft er ein Taco oder eine Tortilla oder was das auch ist, obwohl er inzwischen im *Backpacker* gelesen hat, dass man an Straßenständen nichts essen soll. Er isst trotzdem, aber das Taco oder die Tortilla oder was das auch ist schmeckt auf einmal verdächtig. Er wirft es weg, nachdem er noch nicht mal die Hälfte gegessen hat. Er bekommt Durst, betritt ein kleines Restaurant im McDonald's-Stil und bestellt einen Burger und eine Cola. Die Tische sind aus Plastik, alle kaputt, angeschlagen, mit Rissen. Ein Spielautomat jodelt. Zwei Jugendliche kommen herein, mit Kapuzen und hängenden Jeans. Seltsam, denkt er, während er seinen Burger kaut, dass die Jugendlichen überall auf der Welt gleich aussehen – jedenfalls eine bestimmte Sorte Jugendlicher. Die beiden kaufen etwas, gehen wieder. Alexander schaut ihnen nach, wie sie über die Straße schlenzen, raumgreifend, großkotzig.

Drei Kilometer weiter biegt Alexander links ab, dann nochmal links und rechts, dann ist er am Ziel: die *Tapachula*. Eine schmale, baumlose Straße. Anstelle von Bäumen: Straßenlaternen und Masten, zwischen denen sich ein spinnenartiges Netz von Kabeln ausbreitet. Nummer 56 A: ein kaum vier Meter breites, zweistöckiges Haus, er erkennt die Zinnen der Dachgartenbrüstung, von dort oben hat seine Großmutter heruntergeschaut, aber auf dem Foto, obwohl es schwarzweiß war, hat das alles irgendwie grün ausgesehen. Irgendwie tropisch und großzügig.

Vorsichtig schaut er durch das vergitterte Fenster im Erdgeschoss. Kisten stehen dort, anscheinend ein Lager. Er klingelt, niemand macht auf. Er wechselt die Straßenseite, betrachtet das Haus. Versucht, etwas zu empfinden. Wie empfindet man die einstmalige Anwesenheit einer Großmutter?

Das Einzige, was er empfindet: dass seine Fußsohlen

schmerzen. Sein Rücken. Seine während des Krankenhaus-aufenthalts merklich erschlaffte Beinmuskulatur.

An der Ecke winkt er ein grün-weißes Käfer-Taxi heran, obwohl er im *Backpacker* gelesen hat, dass man keine Taxis auf der Straße heranwinken soll. Der Fahrer ist freundlich und trägt ein sauberes weißes Hemd. Ein Taxameter ist auch da.

Der Fahrer biegt rechts in die *Insurgentes* ein, Richtung Norden, vollkommen korrekt. Der Verkehr ist zähflüssig, das Taxameter rasselt. Dann biegt der Fahrer auf einmal links ab, obwohl das Zentrum eher rechts liegt. Vermutlich, so beruhigt sich Alexander, will er den Verkehr auf der *Insurgentes* umfahren. Aber anstatt die nächste größere Parallelstraße zu nehmen, fährt der Fahrer weiter einen un-übersichtlichen Zickzackkurs, der vom Ziel wegzuführen scheint.

– Adónde vamos, fragt Alexander.

Der Fahrer antwortet irgendetwas, gestikuliert. Lächelt in den Rückspiegel.

– Stopp, sagt Alexander.

– No problem, sagt der Fahrer in einer Art Englisch. No problem!

Hält aber nicht.

Hält drei Minuten später in einer verlassenen Gasse: Mau-ern, Wellblechdächer, Verfall. Der Fahrer hupt kurz, bedeutet Alexander wort- und gestenreich, im Auto sitzen zu bleiben, und verschwindet.

Alexander wartet ein paar Sekunden ab, steigt aus. Aber kaum dass er sich, aus der niedrigen Autotür windend, auf-richtet, steht er zwei Gestalten gegenüber. Auf den ersten Blick, mit ihren Kapuzen, ihren weiten Jeans, sehen sie aus wie die beiden Typen aus dem Burgerrestaurant, aber dann sieht er, dass sie jünger sind. Kaum älter als sechzehn, schlaksig, dünn. Einer, der Größere von beiden, trägt einen flaumigen Oberlippenbart und hält in der Hand ein schönes, verziertes Messer. Der andere, kleiner, mit intelligenten, flink umherhuschenden Augen, zeigt auf das Taxi und fragt Alexander etwas.

Alexander versteht nicht, versteht aber doch: Ob er nicht das Taxi bezahlen wolle, so etwa. Blöder Trick. Laut sagt er, auf Deutsch:

– Ich verstehe nichts.

– Dinero, Peso, Dollar, sagt der Kleine.

Alexander holt die Brieftasche heraus, entschlossen, dem Jungen nicht mehr zu geben, als das Taxameter anzeigt. Aber ehe er sichs versieht, hat der Kleine ihm die Brieftasche entrissen und prüft in sicherem Abstand den Inhalt. Unwillkürlich macht Alexander einen Schritt auf den Kleinen zu. Der Oberlippenbart hebt das Messer, fuchtelt hektisch damit herum. Der Kleine nimmt das Geld heraus, es sind dreihundert Dollar und ein paar hundert Pesos, und wirft Alexander die Brieftasche zu. Sekunden später sind die beiden verschwunden.

Er überlegt nicht lange, geht los. Er will weg hier. Er hört jemanden rufen. Hört, wie der alte VW anspringt, sich nähert. Eine Weile fährt der Taxifahrer neben ihm her, redet auf ihn ein. Alexander nimmt keine Notiz von ihm. Schaut geradeaus, geht einfach. Wie durch einen Tunnel.

Es dauerte eine Weile, bis ihm das Wort einfällt: Raubüberfall. Er ist ausgeraubt worden. Von zwei Sechzehnjährigen. Von zwei kleinen Jungs. Er fühlt sich gedemütigt. Und mehr noch als durch das Messer fühlt er sich gedemütigt durch die flinken, intelligenten Augen des Kleinen, die ihm gesagt haben, was er ist: ein blöder, schwerfälliger Weißer, den man ausnehmen muss. Und? Ist er das etwa nicht? Ja, das ist er. Er spürt es. Er spürt den Betrug.

Er stiefelt weiter in die Richtung, in der er, wie er glaubt, irgendwann auf die *Insurgentes* stoßen müsste. Es dämmert. Die Gegend wird allmählich wieder belebter. In den Häusern gehen die Lichter an. Menschen stehen auf der Straße, starren ihn an, den blöden, schwerfälligen Weißen: Betrug. Er sieht die Geschäfte, die Kneipen: Betrug. Er sieht die Werbung über den Dächern, er sieht die Taxis, die in Scharen über die *Insurgentes* brausen, die fliegenden Händler, die ihm Schmuck oder Sonnenbrillen andrehen wollen: Betrug. Sogar beim Anblick der erbärmlichen Bäumchen auf dem Mittelstreifen, beim Anblick der hilflosen Stilkopien, beim Anblick des ramponierten Gehwegs oder beim Anblick der überall herunterhängenden Drähte, beim Anblick der abgefetzten Plakate, der gelbgetünchten Bordsteine, der Mobilfunkantennen, der Stromleitungen, beim Anblick der auf McDonald's getrimmten Imbissbude oder beim Anblick des Mannes, der dort im strahlend weißen Hemd und mit dicken Ringen an seinen dicken Fingern vor die Tür des Etablissements mit blinkender Leuchtschrift tritt, weiß er: Es ist Betrug, und er wundert sich, dass er es nicht früher bemerkt hat. Er ist betrogen worden, sein Leben lang. Man hat ihn an der Nase herumgeführt (er kichert vor Freude über diese Erkenntnis). In Wirklichkeit ist *alles* Betrug, und die Wahrheit ist: Er ist ein blöder, schwerfälliger Weißer, den man ausnehmen muss – was denn sonst?

Was hat er sich vorgestellt, um Himmels willen? Hat er wirklich geglaubt, jemand habe auf ihn gewartet? Hat er wirklich geglaubt, Mexiko würde ihn mit offenen Armen aufnehmen wie einen alten Bekannten? Hat er wirklich gehofft, dieses Land würde ihn – ja, was eigentlich: heilen? ... Jaja, so etwas Ähnliches ... Ein hässliches Geräusch entfährt ihm. Er lacht, er röchelt. Er weiß es selbst nicht. Mechanisch setzt er einen Fuß vor den anderen. Die Wut treibt ihn vorwärts. Er hat Durst, aber er geht, setzt einen Schritt vor den anderen. Spürt die Trockenheit im Hals. Fühlt sich heiser vom Reden – sogar vom Nach-innen-Reden. Jetzt tun die Fußsohlen weh. Aber der Durst ist schlimmer. Das weiß er vom Marathon: Der Schmerz wird vergehen, aber der Durst wird schlimmer werden. Er sucht seine Hosentaschen nach ein paar übriggebliebenen Pesos ab: Für eine Flasche Wasser reicht es nicht. Es fehlen drei Pesos. Aber drei Pesos sind drei Pesos. Es lohnt sich nicht, zu fragen. Niemand wird ihm drei Pesos schenken: einem blöden, schwerfälligen Weißen. Nicht einmal, wenn er Krebs hat. Er setzt sich auf eine Bank. Ihm ist schwummrig im Kopf. Er erinnert sich an einen Marathonlauf in R., wo sie ihn akut dehydriert aus dem Rennen gefischt haben. Damals hat er nicht mehr gewusst, was er tat. Er rechnet nach: der Kaffee, die Cola – die einzigen Getränke an diesem Tag. Es ist heiß. Er ist bestimmt zwanzig Kilometer marschiert. Er verspürt die Versuchung, in irgendein Café zu gehen und aus der Wasserleitung zu trinken. Aber das darf er nicht, sagt der *Backpacker*. Er muss weiter, darf nicht sitzen bleiben, sich nicht hinlegen. Wenn er sich hinlegt, ist er tot. Ein blöder, schwerfälliger, toter Weißer. Er sieht sich selbst am Morgen tot auf der Bank liegen: Den Hut haben sie ihm geklaut, die Hose haben sie ihm geklaut ... Gerade klaut ihm jemand seine tschechischen Wanderschuhe, die er schon seit Jahren, und zwar noch immer mit denselben Schnürsenkeln, trägt.

– Was machst du denn da?

Allmählich kapiert er, dass der Mann, der da vor ihm kniet und sich an seinem rechten Schuh zu schaffen macht, ein Schuhputzer ist.

– No, sagt Alexander. No!

Er zieht seinen Fuß zurück, stellt ihn von dem kleinen Schemel zurück auf die Erde. Der Mann putzt weiter, I make verry gutt price, sagt der Mann, während er putzt, lächelt Alexander zu, verry gutt price. Alexander steht auf, aber der Mann hängt immer noch an seinem Schuh, Alexander geht los, der Mann wirft sich ihm in den Weg, eine Schmeißfliege, verry gutt quallitie, sagt die Schmeißfliege, unklar, ob er seine eigene Arbeit meint oder die Schuhe, Alexander will weitergehen, will die Schmeißfliege abschütteln. Jetzt jedoch stellt sich ihm die Schmeißfliege in den Weg, zwei Köpfe kleiner als er, aber stämmig:

– You have to pay my work, sagt die Schmeißfliege.

Schon hat sich ein kleiner Kreis Schaulustiger versammelt. Alexander dreht sich um, versucht in entgegengesetzter Richtung zu entkommen.

– You have to pay my work, wiederholt die Schmeißfliege.

Die Schmeißfliege hat die Flügel ausgebreitet, versperrt ihm den Weg, den Fußschemel in der einen Hand, das Putzköfferchen in der anderen. Alexander geht auf ihn zu, bereit zuzuschlagen. Doch er schlägt nicht, er schreit. Schreit aus vollem Hals, schreit ihm mitten ins Gesicht:

– I have no money, schreit er.

Die Schmeißfliege weicht verblüfft zurück.

– I have no money, schreit Alexander noch einmal. I have no money!

Und dann fällt es ihm sogar auf Spanisch ein:

– No tengo dinero, schreit er.

Hebt die Hände und schreit.

– No tengo dinero!

Schreit den Leuten ins Gesicht:

– No tengo dinero!

Dreht sich nach allen Seiten, schreit:

– No tengo dinero!

Die Leute wenden sich ab, er schreit ihnen hinterher. Wie die Hühner stieben sie auseinander. Sekunden später ist es leer um ihn herum, nur der Schuhputzer steht noch da: den Fußschemel in der einen Hand, das Köfferchen in der anderen – so steht er da, stumm, und starrt auf den verrückt gewordenen, blöden Weißen.

1961

Wie immer am Freitag war sie die Letzte.

Sie war seit fünf Uhr morgens auf den Beinen. Vor der ersten Briefkastenleerung hatte sie noch einmal, ein letztes Mal, den Artikel durchgesehen, den der Genosse Hager bei ihr bestellt hatte. Am Vormittag zweimal zwei Stunden Spanisch. Nach dem Mittag das Realismus-Seminar: Fortschrittliche Literatur Nordamerikas. Plötzlich, während sie sprach, hatte sie bemerkt, dass sie gerade James Baldwin mit John Dos Passos verwechselte.

Autodidakt. Das Wort kam ihr in den Sinn, jetzt, um Viertel nach vier, während sie ihren Schreibtisch aufräumte:

Sie als Autodidakt solle sich nicht noch in fremde Fachgebiete einmischen – Harry Zenk auf der großen Leitungssitzung vor einem halben Jahr, als sie, Charlotte, sich bereit erklärt hatte, ein Seminar zum fünfzigsten Jahrestag der mexikanischen Revolution anzubieten.

Sie packte die Kontrollarbeiten ein, die sie am Vormittag hatte schreiben lassen, suchte eine Weile unkonzentriert nach ihrem Stift (sie hatte Hunderte Stifte, aber dieser, ausgerechnet, war ihr Lieblingsstift), gab schließlich entnervt auf. Sie brachte die dreckigen Teegläser ins Sekretariat und wusch sich – zum fünften Mal heute – die Hände, ohne jedoch das Gefühl gänzlich loszuwerden, Tafelkreide zwischen den Fingern zu haben. Schließlich zog sie noch den

Aktenschrank zu, den Lissi, ihre Sekretärin, vergessen hatte abzuschließen – auch Lissi war natürlich längst über alle Berge. Bedauerlicherweise klemmte das Holzrollo. Charlotte stemmte sich mit aller Kraft auf den Griff; der Griff brach ab. Sie ging ins Vorzimmer und knallte Lissi den Griff auf den Schreibtisch, Zettel dazu: HAUSMEISTER. Ausrufezeichen.

Allerdings fiel ihr im selben Moment ein, dass der Hausmeister gerade, vor wenigen Tagen, in den Westen abgehauen war. Langsam zerknüllte sie den Zettel, warf ihn in den Papierkorb. Sie ließ sich in Lissis Schreibtischstuhl gleiten, stützte den Kopf in die Hände. Starrte lange das Walter-Ulbricht-Porträt an, das noch immer von einem feinen, hellen Schatten umgeben war, den ein anderes, größeres Porträt an der Wand hinterlassen hatte.

Harry Zenk soll Prorektor werden.

Der Fischgeschmack stieß ihr auf. Sie hasste Fisch, sie aß ihn nur wegen der Fischöle.

– Als Frau, hatte Gertrud Stiller heute beim Mittagessen gesagt, musst du doppelt so viel leisten, um dich durchzusetzen.

Doppelt und dreimal so viel.

Charlotte stand auf, nahm die Dokumente, auf denen «Nur für den Dienstgebrauch» stand, aus dem nicht mehr abzuschließenden Schrank sowie – man konnte nie wissen – ein paar westliche Zeitungen, die sich im Laufe der Zeit dort angesammelt hatten, stopfte alles in ihre Aktentasche und ging.

Im Flur klickerte eine defekte Neonröhre.

An den Türen waren noch immer die Flecken zu sehen, die die Russen nach dem Krieg mit ihren Machorkas eingebrannt hatten.

Die Wandzeitung kündete vom neuesten Triumph der sowjetischen Technik und Wissenschaft: Vorgestern war ein Sowjetbürger namens Juri Gagarin als erster Mensch in den Weltraum geflogen.

Draußen war es warm. Plötzlich war der Frühling gekommen, Charlotte hatte es nicht bemerkt. Sie beschloss, die zwei Kilometer zu Fuß zu gehen, den Weg durch das Bahndammwäldchen, ein wenig entspannen, das schöne Wetter genießen. Schon nach wenigen hundert Metern begann sie zu schwitzen. Die Aktentasche wog schwer. Sie trug noch immer die dicke Strickjacke unter dem Mantel. Bilder aus ihrer Kindheit gingen ihr plötzlich durch den Kopf: ein warmer Tag, das weiße Wollkleid, das sie – jetzt erinnerte sie sich – immer hatte tragen müssen, wenn ihre Mutter sonntags mit ihr in den Tiergarten ging, um dem Kaiser, wie es hieß, ihre «Aufwartung» zu machen. Und dann hatte Charlotte den Kaiser angeniest. Mit einem Mal war das ganze Szenario wieder da: Der Kaiser selbst, der sich forschen Schrittes näherte, in breiter Reihe mit seinen Brüdern und Ordonnanzen; das viel zu warme, entsetzlich kratzende Wollkleid auf ihrer nackten Haut; die derbe Hand ihrer Mutter, die sie mit ganzer Wucht traf, während sie noch die Augen geschlossen hatte.

Den Rest des Tages hatte sie zur Strafe in der Kammer verbracht, wo sie vor Asthma fast umkam, ohne dass ihre Mutter sich davon rühren ließ – sei es, dass sie Charlotte für eine Simulantin hielt, sei es, dass sie tatsächlich insgeheim ihren Tod wünschte. Ich würde die Lotte drum geben, so hatte die Mutter einmal zur Nachbarin gesagt, und Charlotte erinnerte sich an ihre Märtyrermiene und das Kreuz auf dem hochgeschlossenen Kragen – ich würde die Lotte drum geben, wenn Carl-Gustav «normal» würde.

Die Schule des Lebens. Wäre sie nicht durch diese Schule gegangen – wäre sie heute, was sie war? Madame Zackzack: ihr Spitzname bei den Studenten. Die glaubten, das ärgere sie. Weit gefehlt! Charlotte umfasste die Aktentasche mit beiden Händen ... Nein, dachte sie, Madame Zackzack gab nicht auf. Madame Zackzack würde kämpfen. Harry Zenk Prorektor! Na, das wollen wir doch mal sehen.

Wilhelm war natürlich wieder im Keller, in der «Zentrale», wie er den ehemaligen Weinkeller nannte, den er zu einer Art Versammlungsraum umgestaltet hatte. Im Haus war es dunkel, besonders wenn man aus der blendenden Spätnachmittagssonne kam. Nur die Muschel, in die Wilhelm einen Schalter einzubauen versäumt hatte, leuchtete Tag und Nacht – eine Verschwendung, die Charlotte wettzumachen versuchte, indem sie es vermied, das Licht einzuschalten, während sie sich ihrer Schuhe und ihres Mantels entledigte. Blindlings fand sie ihre Hauspantinen und stieg eilends die Treppen hinauf: Um sechs würde Alexander zum Spanischunterricht kommen.

Sie holte sich frische Wäsche aus dem Schlafzimmer, dann ging sie ins Bad und duschte ausgiebig. Seit Doktor Süß diagnostiziert hatte, dass ihr Asthma die Folge einer Hausstauballergie war, betrachtete Charlotte das Duschen als medizinische Behandlung und hatte keine Hemmungen mehr, sich diesen Luxus mehrmals am Tag zu gönnen – morgens natürlich kalt, aber nachmittags und abends duschte sie warm, wusch sich die Haare, ließ das Wasser lange über Gesicht und Augen strömen, reinigte mit Wohlgefühl Nasen- und Mundhöhle. Wenigstens diesen Vorteil hatte der Auszug von Kurt und Irina ja doch: dass nicht ständig jemand irgendwo im Haus Wasser aufdrehte, sodass man sich, infolge des ohnehin geringen Wasserdrucks in Neuendorf, entweder verbrühte oder abgeschreckt wurde wie ein Frühstücksei.

Nach dem Duschen schlüpfte sie in die bereitgelegte Baumwollunterwäsche, zog, schon im Vorgefühl des Fröstelns, das sie gleich, beim Verlassen des Badezimmers, überkommen würde, ihren nicht mehr ganz salonfähigen, aber kuschelig-warmen Kaschmirpullover über und hatte plötzlich die Idee, dem ganzen Luxus noch eins draufzugeben, indem sie nämlich Alexander für heute abbestellte und sich stattdessen ein bisschen hinlegte, bis Wilhelm zum Abendbrot aus dem Keller kam. Hatte sie es sich nicht verdient nach dieser irrsinnigen Woche?

Sie ging hinunter in den Salon und rief Kurt an.

– Gut, sagte Kurt, dann bis morgen.

Bis morgen?

– Autotour, sagte Kurt.

– Herrgott ja, ich freue mich, sagte Charlotte.

Im Wintergarten war es gut. Der Zimmerspringbrunnen brummte, es herrschte eine fast tropische Luftfeuchtigkeit. Seit Doktor Süß ihr verraten hatte, dass hohe Luftfeuchtigkeit gut gegen die Allergie war, verbrachte sie die meiste Zeit im Wintergarten. Genauer gesagt: Sie hatte schon vorher die meiste Zeit im Wintergarten verbracht, aber nun tat sie es mit wissenschaftlicher Begründung. Sie schlief sogar hier, sobald es die Jahreszeit zuließ.

Sie legte sich auf das Bett, allerdings ohne sich zuzudecken, damit sie nicht einschlief: Sie wollte nicht, dass Wilhelm sie schlafend fand. Jetzt, wo der Kreislauf erschlaffte, begann sie trotz der beinahe tropischen Raumtemperatur zu frösteln. Es störte sie nicht, sie genoss es sogar. Es erinnerte sie sanft an gewisse, längst abgeschriebene Empfindungen, allerdings ließ sie es dabei bewenden. Weiter zu denken fand sie unanständig in ihrem Alter. Überflüssig. Vollkommen abwegig. Ob Wilhelm noch daran dachte? Wieso hatte er sich bei ihrem Auszug aus dem Schlafzimmer beschwert? Ohnehin schliefen sie ja seit langem getrennt: Schon im gemeinsamen Schlafzimmer hatten die Betten zwei Meter voneinander entfernt gestanden. Was wollte er also? Litt er darunter? Sollte sie es, ihm zuliebe, noch einmal tun? Allein der Gedanke an das Wasserglas auf Wilhelms Nachttisch ernüchterte sie: Schon 1940 in Frankreich, im Internierungslager Vernet, hatte Wilhelm durch den Skorbut alle Zähne verloren, und wenn noch nicht alle, dann den Rest auf dem Weg nach Casablanca. Du lieber Gott, was für eine Zeit, was für Ängste, was für ein Durcheinander ... Ihr wurde schummrig. Zenk fiel ihr noch einmal ein, mit seinen wirklich prachtvollen Zähnen: Nein, Zenk war natürlich nicht im Internierungslager gewesen, dachte Charlotte. Zenk war nirgends gewesen. Außer, vermutlich, in der Hitlerjugend ...

Als sie wieder die Augen öffnete, war es dunkel geworden. Im Haus war es still. Charlotte ging durch die Küche zum ehemaligen Dienstboteneingang (die Tür zwischen der Küche und den Wohnräumen hatte Wilhelm idiotischerweise zugemauert, jetzt musste man immer, auch wenn man das Mittagessen aufdeckte, den langen Weg über die Diele nehmen) und rief die Kellertreppe hinunter:

– Wilhelm?

Durch die Doppeltür zum ehemaligen Weinkeller war Grummeln und Lachen zu hören. Es war jetzt halb zehn, und die saßen noch immer da unten. Charlotte stieg die Treppe hinunter, durch ihr Erscheinen hoffte sie, die Auflösung der Runde zu beschleunigen. Geräuschvoll öffnete sie die Tür. Aus dem Zigarettendunst wehte ihr eine etwas zu joviale Begrüßung entgegen, die ihr umso mehr das Gefühl gab, ein Eindringling zu sein. Die übliche Mischpoke war versammelt: Horst Mählich und Schlinger, ein junger Genosse, der Charlotte durch seinen übermäßiger Eifer auf die Nerven ging, auch Weihe, der gar nicht in der Partei war, saß dort; außerdem ein paar andere, die Charlotte weniger gut kannte. Auf dem großen Eichentisch zwischen überquellenden Aschenbechern, wichtig aufgeschlagenen Notizheften, zwischen Kaffeetassen und Vita-Cola-Flaschen lag eine Art Plakatentwurf.

EINE LOKOMOTIVE FÜR KUBA!

Darunter, in fehlerhaftem Spanisch:

LA VIVA REVOLUTION!

– Entschuldigung, ich wollte nicht stören, sagte Charlotte, plötzlich entschlossen, sich kampflos zurückzuziehen. Aber bevor sie die Tür schließen konnte, rief Wilhelm:

– Ach, Lotti, kannst du uns nicht rasch ein paar Brote zurechtmachen, die Genossen haben Hunger.

– Ich schau mal, was da ist, murmelte Charlotte und stapfte die Treppe hoch.

Einen Augenblick stand sie in der Küche, verdattert über so viel Dreistigkeit. Schließlich nahm sie, wie fremdgesteuert, ein frisches Mischbrot aus dem Brotfach (Gott sei Dank hatte Lisbeth eingekauft) und begann es in Scheiben zu schneiden. Warum tat sie das? War sie Wilhelms Sekretärin? Sie war Institutsdirektorin! ... Nein, sie war natürlich *nicht* Institutsdirektorin. Zu ihrem Bedauern hatte man die Institute in «Sektionen» umgetauft, sodass sie sich nun, weniger klangvoll, nur noch «Sektionsleiterin» nannte, aber das änderte nichts in der Sache: Sie war berufstätig, sie arbeitete wie ein Pferd, sie bekleidete einen wichtigen Posten an jener Akademie, an der die künftigen Diplomaten der DDR ausgebildet wurden (Guinea hatte als erster nichtsozialistischer Staat die DDR bereits anerkannt und die Anerkennung nur auf Druck der Bundesrepublik wieder zurückgezogen!). Sie war Sektionsleiterin an einer Akademie – und was war Wilhelm? Ein Nichts. Ein Rentner, vorzeitig pensioniert ... Und wahrscheinlich, dachte Charlotte, während sie, blind vor Wut, in den Kühlschrank starrte, auf der Suche nach irgendwas, das sie auf die Brote schmieren konnte, wahrscheinlich wäre Wilhelm nach seinem Scheitern als Verwaltungsdirektor der Akademie *vor die Hunde gegangen*, wenn sie nicht selbst zur Bezirksleitung gerannt und die Genossen angefleht hätte, Wilhelm irgendeine wenigstens ehrenamtliche Aufgabe zu geben. Sie selbst hatte ihn ermutigt, den Posten des Wohnbezirksparteisekretärs zu übernehmen, sie hatte ihm eingeredet, dass dies eine wichtige gesellschaftliche Aufgabe sei – das Problem war nur, dass Wilhelm dies inzwischen selbst glaubte. Und, was noch schlimmer war: Die anderen glaubten es offenbar auch!

Sie entschied sich für die runde Schachtel Schmelzkäse und ein Glas saurer Gurken und begann, die auf dem Tablett ausgelegten Brote zu bestreichen ... Wohnbezirksparteisekretär: Das war der Mann, der den Parteibeitrag der zehn oder fünfzehn Veteranen zwischen Thälmannstraße und OdF-Platz kassierte – nichts weiter. Aber was machte Wilhelm? Hielt irgendwelche geheimen Versammlungen ab, da unten in seiner Zentrale, plante irgendwelche «Operationen». Zu den letzten Kommunalwahlen hatte er eine *motorisierte Einsatzstaffel* organisiert, um denjenigen, die am frühen Nachmittag immer noch nicht gewählt hatten, Agitatoren auf den Hals zu schicken: Den ganzen Rasen hatten diese Trottel zerfahren! Seine neueste Idee: die Lokomotive für Kuba. Neuendorf, mit seinen nicht einmal zehntausend

Einwohnern, sollte das Geld für eine Diesellok aus dem Karl-Marx-Werk aufbringen. Überall sammelten sie wie verrückt, die Jungen Pioniere brachten Altstoffe weg, und am Ende sollten die Leute noch etwas für eine große Tombola hergeben, die am nächsten Wochenende im Klub der Volkssolidarität stattfinden und den Höhepunkt der ganzen Aktion darstellen sollte.

Unglaublich, wie er die Leute einzuwickeln verstand, dachte Charlotte, während sie die Brote mit Schmelzkäse bestrich. Mit seinen Andeutungen, seinem Gehabe. Mit seinem Hut, den er zu jeder Jahreszeit trug. Fast war er, sie musste es zugeben, schon eine Berühmtheit in Neuendorf. Stand andauernd in der Zeitung, auch wenn es nur die Lokalpresse war. Die Leute kannten ihn, sie grüßten ihn auf der Straße. Nicht sie, *er* wurde gegrüßt. Die Leute erzählten sich irgendwelche unerhörten Geschichten ... Wie machte der das? Nein, man konnte nicht sagen, dass Wilhelm solche Geschichten in die Welt setzte. Aber irgendwie, weiß der Teufel ... Er nagelte sein Lasso an die Wand in seiner Zentrale – und schon waren die jungen Genossen überzeugt, Wilhelm sei ein begnadeter Lassowerfer gewesen. Er schenkte Cuba Libre aus, und schon glaubten alle, er kenne Fidel Castro persönlich! Und wenn er Nescafé auf «mexikanisch» trank (was nichts anderes hieß, als dass er das Pulver zuerst mit Kaffeesahne anrührte, sodass dann eine kleine Schaumkrone auf dem Kaffee entstand) und dazu eine russische Papyrosse rauchte, war eigentlich allen klar, dass Wilhelm in Mexiko das sowjetische Geheimdienstnetz aufgebaut hatte.

Wenn die wüssten, dachte Charlotte. Sie hielt einen Augenblick inne (sie war gerade dabei, die winzigen Gurken in winzige Scheiben zu schneiden). Hielt inne und dachte an Hamburg: Wilhelms «Geheimdiensttätigkeit». Drei Jahre lang hatte er im Büro gesessen und Zigaretten geraucht. Das war Wilhelms «Geheimdiensttätigkeit». Drei Jahre auf verlorenem Posten. Nichts ging mehr. Nachrichten über Verhaftungen trudelten ein, und Wilhelm saß da und wartete. Worauf eigentlich? Worauf hatten sie eigentlich gewartet? Wofür hatten sie ihr Leben riskiert? Sie wusste es nicht. *Jeder weiß nur so viel, wie er wissen muss*, sagte Wilhelm. Und sie, anstatt mit den Jungs nach Moskau zu gehen, war in Deutschland geblieben und hatte die Ehegattin gespielt: zur Tarnung. Fast war sie – das konnte man natürlich keinem erzählen – froh gewesen, als alles aufflog und sie Hals über Kopf abhauen mussten. Mit Schweizer Pässen. Bei Wilhelms Berliner Dialekt. Du lieber Gott, das war ein Geheimdienst. Nicht einmal anständige Pässe konnten sie einem beschaffen.

Erbärmlich, die Brote: Der frische Teig war beim Bestreichen gerissen. Wütend verteilte Charlotte Gurkenscheiben darauf, obwohl sie, je mehr sich die Sache dem Ende näherte, desto sicherer war, dass sie *nicht* in den Keller gehen würde ...

Was nun? Der Akademieapparat fiel ihr ein: Erst kürzlich hatte Wilhelm einen Anschluss seines sogenannten Akademieapparates in den Keller verlegen lassen – ein internes Betriebstelefon, das Wilhelm, obwohl er bereits seit sechs Jahren aus der Akademie ausgeschieden war, unverdrossen weiterbenutzte. Sie ging zu *ihrem* Akademieapparat und rief Wilhelm auf *seinem* Akademieapparat an, um ihm mitzuteilen, dass die Brote auf dem Küchentisch standen – und obwohl sie im selben Moment von einem mörderischen Hunger überfallen wurde, verdrückte sie sich erst einmal aus der Küche, um nicht dabei zu sein, wenn Schlinger das Tablett holte.

Sie aß viel und schlief schlecht. Nachts gegen halb drei setzte der Harndrang ein, sie wankte durch den Flur wie ein Kind, ängstlich und dünnhäutig. Zur Wolfsstunde, wie ihre Mutter diese Uhrzeit genannt hatte, war sie von jeher den verschiedensten Anfechtungen ausgesetzt. Selbst die Muschel im Flur war ihr unheimlich; sie sah nicht nach links, nicht nach rechts, versuchte, an nichts Schlimmes zu denken. Aber als sie auf dem Klo saß und darauf wartete, dass das letzte Tröpfchen abging, kam ihr auf einmal der Verdacht, ihr Artikel könnte dem Genossen Hager missfallen haben; sie könnte sich völlig verrannt haben und ihr Artikel sei in Wirklichkeit schlecht und kleinlich und rückwärtsgewandt ...

Am Morgen war der Gedanke immer noch da, wenn auch durch das Tageslicht gemildert. Trotzdem widerstand Charlotte der Versuchung, im Morgenrock zum Briefkasten zu rennen und nachzuschauen, ob das *ND* schon gekommen war. Sie stand auf wie immer, duschte kalt, bereitete sich einen Muckefuck und ein Toastbrot mit Butter, erst dann ging sie die Zeitung holen, brachte sie, zusammen mit Toast und Muckefuck, in den Wintergarten, schaffte es sogar, zuerst die Titelseite zu überfliegen, auf der von kriminellen Machenschaften an der Sektorengrenze die Rede war, und blätterte dann geduldig bis zur Kulturseite – und da war er!

Mehr als eine Frage des guten Geschmacks. Wolfgang Koppes Roman «Mexikanische Nacht» im Mitteldeutschen Verlag. Von Charlotte Powileit

Es war nicht das erste Mal, dass etwas von ihr gedruckt wurde, aber Routine war es keineswegs. Obwohl sie den ganzen Artikel im Grunde auswendig konnte, las sie noch einmal jedes Wort, genüsslich, mit Toastbrot und Muckefuck. Jetzt, wo er gedruckt stand, wirkte der Artikel noch fester, noch schlüssiger als vorher.

Im Grunde genommen handelte es sich um eine Rezension, aber da sie auch grundsätzliche Fragestellungen behandelte, hatte man Charlotte eine Halbseite eingeräumt: alle sechs Spalten. Es ging um das Buch eines westdeutschen Schriftstellers, das jüngst in einem DDR-Verlag erschienen war. Es war ein schlechtes, ein ärgerliches Buch, Charlotte hatte es von der ersten Seite an gründlich missfallen. Es handelte von einem jüdischen Emigranten, der nach Deutschland – ins westliche Deutschland – zurückkehrte und feststellte, dass die faschistische Ideologie dort immer noch fortlebte. So weit, so gut. Anstatt aber – immerhin eine denkbare Alternative – in die DDR zu gehen, kehrte er nach Mexiko zurück, wo er ein bisschen über Leben und Tod philosophierte und sich schließlich das Leben nahm. Zwar war es spannend und sprachlich brillant, auch vertrat der Autor zweifellos eine antifaschistische Gesinnung – aber das war auch schon alles.

Noch das geringste Übel: Mexiko war vollkommen falsch dargestellt, als wäre der Autor nie da gewesen.

Gegen die Tatsache, dass die Hauptfigur homosexuell war, hatte Charlotte im Prinzip nichts einzuwenden, auch wenn sie, das musste sie zugeben, auf unangenehme Weise an ihren Bruder Carl-Gustav denken musste, wenn der Ich-Erzähler seine homoerotischen Abenteuer mit minderjährigen mexikanischen Strichjungen schilderte: langatmig, zermürbend, ekelhaft.

Ihr Haupteinwand war jedoch politischer Art. Das Buch war negativ. Defätistisch. Es zog den Leser in dunkle Sphären hinunter, machte ihn passiv und klein, stellte ihn hilflos in eine Welt, die grausam war und schlecht, zeigte keinerlei

Auswege auf – weil es, so meinte der Ich-Erzähler, keine Auswege gab. Seltsamerweise überkam ihn diese Gewissheit ausgerechnet beim Anblick der Kolossalstatue der Coatlicue.

Anstatt in der Statue die Dialektik von Leben und Tod zu erkennen, anstatt sie als Ausdruck einer großen Idee und als Hervorbringung eines heroischen Volkes zu würdigen, erblickte der Ich-Erzähler in ihr eines der «kühnsten und kältesten Monumente der Vergeblichkeit», ein «reines Bekenntnis zur Hässlichkeit der Existenz», woraus er den Schluss zog, dass es am besten sei, allein in den Dschungel zu gehen – und darin zu verschwinden.

Nein, dieses Buch, las Charlotte und fand sich mit jedem Wort, jeder Silbe im Recht, *dieses Buch eignet sich nicht, um die Jugend zu einer weltzugewandten, humanistischen Haltung zu erziehen. Es eignet sich nicht, um die Menschen gegen das drohende atomare Inferno zu mobilisieren. Es eignet sich nicht, um den Glauben an den Fortschritt der Menschheit und an den Sieg des Sozialismus zu fördern, und deswegen gehört es nicht in die Regale der Buchläden unserer Republik.*

Punkt.

Der Muckefuck war ausgetrunken, der Toast gegessen. Übrig blieb ein komisches Ziehen im Bauch: Irgendwo in ihren Unterlagen lungerte noch eine Abbildung der Coatlicue, ausgeschnitten aus dem *Siempre.* Oder war sie von Adrian?

Die Versuchung, die Wirkung von Coatlicue zu prüfen – fast zehn Jahre danach.

In der oberen Etage begann es zu rumoren: Acht Uhr, Wilhelm stand auf. Das Badewasser rauschte. Tatsächlich pflegte Wilhelm schon morgens zu baden und, während er in der Wanne saß, eine Viertelstunde täglich Höhensonne zu nehmen. Charlotte brachte die Zeitung zurück in den Briefkasten – ein bisschen albern, gewiss, aber der Stolz auf ihren Artikel war ihr peinlich, und sie wollte, dass Wilhelm die Zeitung vorfand wie immer und den Artikel selbst entdeckte.

Viertel nach acht standen die Haferflocken bereit. Wilhelm kam die Treppe herunter, in bester Laune, sie erkannte es am Schritt, und bereits in Krawatte und Anzug (einen Anzug trug er sogar unterm Blaumann). Er marschierte schnurstracks zum Briefkasten, holte sein *ND*, überflog, wie gewöhnlich, die erste Seite, um sie, während er seinen Haferflockenbrei löffelte, zu kommentieren. Sein heutiger Kommentar:

– Ein Affentheater mit Westberlin. Dann muss man die Staatsgrenze eben abriegeln!

Dummes Zeug natürlich, aber Charlotte hatte nicht vor zu streiten. Sie schwieg, löffelte ihre Haferflocken. Wilhelm verstand nicht die Bohne von Außenpolitik. Viermächtestatus, Potsdamer Abkommen: Böhmische Dörfer für ihn, dachte Charlotte. Sagte aber:

– Der Hausmeister ist auch weg.

– Der Wollmann?

– Genau, der Wollmann, sagte Charlotte.

– Zum Teufel mit Wollmann, sagte Wilhelm. Aber die jungen Leute! Verstehst du: Studieren auf unsere Kosten, und dann hauen sie ab. Da muss man den Riegel vorschieben!

Charlotte nickte und räumte die Teller ab.

Nach dem Frühstück ging Wilhelm *ND* lesen. Er tat dies am Schreibtisch. Noch immer, wie damals in Mexiko, las er *jeden* Artikel.

Charlotte widmete sich inzwischen ihren häuslichen Pflichten, wartete aber in Wirklichkeit darauf, dass Wilhelm ihren Artikel entdeckte. Sie fing an, die Küche aufzuräumen, beschloss dann, dies Lisbeth zu überlassen; streunte durchs Haus, überlegte, was man mit den frei gewordenen Zimmern von Kurt und Irina anfangen könnte; war erneut gekränkt beim Anblick der Möbel, die sie, Charlotte, für Kurt und Irina gekauft hatte, als diese aus der Sowjetunion heimgekommen waren, und die Irina nun bei ihrem Auszug demonstrativ hatte stehenlassen – und war plötzlich wieder bei Zenk. Genauer gesagt, sie dachte darüber nach, wie sie das Problem Zenk bei Hager vorbringen könnte, falls Hager in den nächsten Tagen anrief, oder, noch genauer, wie sie, ohne es direkt auszusprechen, klarmachen könnte, dass sie sich selbst, offen gestanden, für einen geeigneteren Prorektor hielt.

Als sie wieder nach unten kam, war Wilhelm bereits im Haus unterwegs.

– Bist du schon fertig mit dem *ND*, fragte Charlotte scheinheilig.

– Ja, sagte Wilhelm, kann das mit zur Tombola?

Er hielt eine Tischdecke hoch: in den mexikanischen Farben, handgewebt, mit Schlangen- und Adlermotiv.

– Nein, Wilhelm, die geht auf keinen Fall mit zur Tombola.

Hatte er den Artikel nicht gelesen? Oder hatte er bloß ihren Namen übersehen?

Um zehn kam Lisbeth. Wie immer pflegte Lisbeth alle Fragen, auch die bereits geklärten, fünfmal zu stellen ... Nein, Lisbeth, es wird nicht staubgesaugt, wenn ich im Haus bin ... Ja, heute Wäsche ... Ja, Mittagessen um eins.

– Liest du eigentlich *ND*, Lisbeth?

– Ich hab ja schon die *Märkische Volksstimme*.

– Ach was, *Märkische Volksstimme*.

Aber Lisbeth war sowieso zu tumb. Sollte sie ruhig die *Märkische Volksstimme* lesen.

Dann wieder Wilhelm, den weißen Porzellanadler in der Hand, den der Vorbesitzer des Hauses bei seiner Flucht hinterlassen hatte.

Charlotte verdrehte die Augen:

– Wer soll denn das kaufen?

– Nicht kaufen! Weißt du nicht, was eine Tombola ist?

Lisbeth fragte:

– Frau Powileit, soll ick Kartoffelbrei machen oder Kartoffelmus?

Charlotte zählte bis fünf, um Lisbeth nicht anzuschreien, dann sagte sie:

– Das ist mir schnurzpiepegal, Lisbeth.

Um drei Uhr klingelte Kurt, pünktlich wie immer. Charlotte hatte nach dem Mittag geschlafen, hatte das graue Kostüm angelegt und, zur Feier des Tages, einen dezenten mexikanischen Halsschmuck.

Alexander wartete am Auto, Irina ebenfalls – geschminkt wie ein Papagei, aber das war natürlich ihre Sache.

– Mein Schatz, sagte sie zu Irina. Mein Spätzchen, zu Alexander. Zu Kurt sagte sie: Kurt.

Das Auto war blau, winzig klein: ein Trabant. Man bestaunte es zunächst von allen Seiten. Auch Wilhelm kam jetzt heraus.

– Kein Wort zu Wilhelm, raunte Charlotte Kurt zu.

Selbstverständlich wusste Wilhelm nichts davon, dass sie Kurt fünftausend Mark für das Auto geliehen hatte. Zu Wilhelm sagte sie:

– Nanu, willst du mitfahren?

– Ach was, sagte Wilhelm, für so was hab ich keine Zeit.

– Das Auto hat sowieso nur vier Plätze, sagte Kurt.

Alexander sagte:

– Mein Anzug kratzt.

Wilhelm klopfte gegen die Kunststoffkarosserie und erklärte:

– In Zukunft wird man alle Autos aus Plaste bauen.

– Und wie kommt man dahinten rein, wollte Charlotte wissen.

Das Auto besaß nur zwei Türen.

– Du kannst vorn sitzen, sagte Kurt.

Aber Charlotte wehrte ab (nicht zuletzt aus Sicherheitsbedenken, immerhin war Kurt Anfänger), und Kurt klappte einen Sitz um, sodass Charlotte – allerdings auf allen vieren – in den Fond des kleinen Gefährts kriechen konnte. Seltsame Idee, die Türen einzusparen.

Am meisten überraschte sie, dass Kurt auf dem Beifahrersitz Platz nahm, während Irina sich ans Steuer setzte.

– Wer fährt denn?

Beide drehten sich erstaunt um.

– Ich fahre, sagte Irina.

Genauer gesagt: Ich farre. Denn auch nach fünf Jahren in Deutschland sprach Irina noch gebrochen Deutsch. Ein Rätsel, wie sie die Fahrprüfung bestanden hatte.

– Mein Anzug kratzt, sagte Alexander.

Es war der Anzug, den Charlotte ihm zu Weihnachten geschenkt hatte.

– Wie kann denn der Anzug kratzen, wollte Charlotte wissen.

– Am Hals, sagte Alexander.

– Aber am Hals trägst du doch ein Hemd, wandte Charlotte ein.

– Kratzt aber trotzdem.

– Gut, sagte Irina, dann farren wir noch zu Hause vorbei, und du ziehst an was anderes.

Ein bisschen ärgerlich, dass das Kind dermaßen verhätschelt wurde. Ein intelligenter, aufgeschlossener Junge, aber so wie er erzogen wurde, war sein Unglück vorhersehbar.

– Als ich so alt war wie du, begann Charlotte und wollte Alexander von dem kratzenden weißen Wollkleid erzählen, das sie stets hatte tragen müssen, wenn ihre Mutter sonntags mit ihr in den Tiergarten ging, aber in diesem Augenblick ging der Motor los, und das ganze Gefährt rasselte wie eine Kaffeemühle.

Irina hielt am Fuchsbau. Das Haus war von Baugerüsten umstellt. Auch für die Sanierung des Hauses hatte Kurt sich bei Charlotte eine größere Summe geliehen.

– Dann ist das Auto also eigentlich mehr für Irina, erkundigte sich Charlotte, nachdem Irina und Alexander ausgestiegen waren.

– Mutti, ich kann nicht Auto fahren, du weißt doch, dass ich bloß auf einem Auge sehe.

Charlotte schwieg. In der Tat, daran hatte sie nicht gedacht. Andererseits: Wozu brauchte Irina ein Auto?

– Außerdem zahl ich dir das Geld ja zurück, sagte Kurt. Ich zahl dir monatlich zweihundert Mark, und wenn ich die Gehaltserhöhung bekomme, dreihundert.

– Darauf läuft es hinaus, sagte Charlotte und verkniff sich, ja, sie *verkniff sich*, hinzuzusetzen: Du zahlst und Irina fährt.

Trotzdem sagte Kurt:

– Mutti, ich weiß nicht, warum du so feindselig bist.

– Ich bin nicht feindselig.

– Ich finde, sagte Kurt, wir sollten die Tatsache, dass wir

jetzt getrennt wohnen, zum Anlass nehmen, ein neues Kapitel in unseren Beziehungen aufzuschlagen.

– Das finde ich auch, sagte Charlotte.

Sie mochte das Thema nicht ausdehnen. Es schmerzte sie, dass Kurt in dieser Sache so ungerecht war. Als ob es an ihr läge! Sie bemühte sich schon seit geraumer Zeit um die Verbesserung der Beziehungen, und es kränkte sie, dass Kurt dies nicht einmal bemerkte. Nie erlaubte sie sich ein kritisches Wort über Irina: über ihre Allüren, ihre Verschwendungssucht, im Gegenteil, sie gab noch Geld für Irinas Hausbauprojekt, obwohl sie es, wenn sie ehrlich war, in jeder Beziehung maßlos fand. Jetzt brauchte Irina noch ein Auto ... Aber Leistung gleich null. Kurt ackerte, Kurt hatte promoviert, hatte sein erstes Buch geschrieben, ein großartiges Buch – während Irina noch immer nicht ihre Ausbildung als Dokumentaristin beendet hatte. Wie auch, wenn sie nicht einmal richtig Deutsch sprach.

Das alles sagte Charlotte nicht. Stattdessen fragte sie:

– Hast du eigentlich schon das *ND* gelesen?

– Ja, sagte Kurt, ich habe deinen Artikel gelesen.

Dann stiegen Irina und Alexander wieder ins Auto, Alexander im Pulli, und Charlotte versuchte es noch einmal:

– Als ich so alt war wie du ...

Und wieder ging die Kaffeemühle los, ein Kuriosum, dieses Auto, in dem man sich nicht einmal unterhalten konnte. Auf dem Rücksitz wurde man hin und her geworfen. Zudem fuhr Irina beängstigend schnell, donnerte über die Kreuzungen, ohne nach links oder rechts zu schauen.

– Muss man nicht Vorfahrt beachten, fragte Charlotte höflich.

Niemand antwortete, vielleicht wussten sie nicht, an wen von beiden die Frage gerichtet war, oder sie hatten die Frage überhört bei dem Lärm. Charlotte ließ es dabei bewenden.

Sie fuhren zum Park Sanssouci, dann hieß es aussteigen. Aber Alexander sagte:

– Ich will aber noch Auto fahren!

– Nachher fahren wir ja wieder zurück, sagte Kurt.

Doch das Kind war nicht umzustimmen: Auto fahren!

Irina sagte:

– Na, dann farren wir nach Cecilienhof.

– Das ist zu kurz, entschied Alexander. Ihr habt gesagt Autotour!

Unglaublich, was hier vorging. Tatsächlich wurde in Erwägung gezogen, die Tour bis Bornim oder Neufahrland auszudehnen. Am Ende einigte man sich doch auf Cecilienhof, allerdings mit Umwegen. Alexander war zufrieden.

– Unser Auto hat einen Reservetank, teilte er mit.

Charlotte nickte.

Endlich Cecilienhof. Einparkmanöver – als handle es sich um ein Schiff. Kurt half ihr heraus, die reinste Kletterpartie, dann fragte er:

– Und? Wie findest du unser Auto?

– Großartig, sagte Charlotte.

Alexander wischte mit dem Ärmel einen Vogeldreck von der Karosserie. Charlotte enthielt sich jeder Bemerkung. Mehrmals drehte Alexander sich noch nach dem Auto um, und Charlotte wartete, bis sie außer Reichweite waren.

– Als ich so alt war wie du, begann sie zum dritten Mal, da musste ich jeden Sonntag mit meiner Mutter in den Tiergarten gehen, weil meine Mutter den Spleen hatte, dem Kaiser, der dort manchmal spazieren ging, ihre Aufwartung zu machen.

Alexander bekam große Augen.

– Dem Kaiser?

– Genau, sagte Charlotte, Kaiser Wilhelm. Und dann warteten wir manchmal stundenlang, kommt heute der Kaiser, kommt er nicht, und immer musste ich ein weißes Wollkleid tragen, das fürchterlich kratzte. Ein richtiges Kratzekleid, sagte Charlotte – und prüfte die Wirkung ihrer Worte in Alexanders Gesicht.

Es gab keine. Stattdessen fragte Alexander:

– Und kam dann der Kaiser?

Irina sagte:

– Jetzt hör auf, Mutti. Wenn dir etwas Schlechtes im Leben passiert, musst du nicht wünschen, dass es anderen auch passiert.

– Und kam dann der Kaiser, wollte Alexander wissen.

– Ja, sagte Charlotte, dann kam der Kaiser. Und ich habe ihn gehasst.

An der Badestelle am Ende des Heiligen Sees gingen Irina und Alexander Schwäne füttern, Charlotte setzte sich mit Kurt auf eine Bank. Es ging ein angenehmer, leichter Wind. Man hörte das Schilf rascheln.

– Nun, wie fandest du meinen Artikel, fragte Charlotte und setzte hinzu: Aber sei nicht so streng mit mir!

Sie merkte, dass Kurt herumdruckste.

– Na los, heraus mit der Sprache. Du fandest ihn also nicht gut?

– Ich verstehe dich nicht, sagte Kurt. Wieso du dich an so was beteiligst.

– Wieso denn beteiligst? An was denn?

Kurt schaute sie an. Auf einmal sah sie, dass er sie nur mit einem Auge ansah, und für einen Moment empfand sie so etwas wie Schuld – als sei sie, als Mutter, verantwortlich dafür.

– Mutti, hier geht es doch um eine politische Kampagne, sagte Kurt. Hier versuchen Leute, einen härteren Kurs durchzusetzen.

– Aber das Buch ist schlecht, wandte Charlotte ein.

– Dann lies es nicht.

Kurt plötzlich ungewohnt schroff.

– Nein, Kurt, so geht das nicht, sagte Charlotte. Auch ich habe das Recht, meine Meinung zu schreiben. Auch ich habe das Recht, ein Buch schlecht und schädlich zu finden, und ich finde es schlecht und schädlich, und dabei bleibe ich.

– Es geht nicht um dieses Buch.

– Mir geht es um dieses Buch.

– Nein, sagte Kurt. Es geht hier um Richtungskämpfe. Es geht hier um Reform oder Stillstand. Demokratisierung oder Rückkehr zum Stalinismus.

Charlotte griff sich entnervt an die Schläfen.

– Stalinismus ... Auf einmal reden alle von Stalinismus!

– Ich verstehe dich nicht, sagte Kurt, und obwohl er gedämpft sprach, klang seine Stimme scharf, und er betonte jedes Wort, als er sagte: Dein Sohn ist in Workuta ermordet worden.

Charlotte sprang auf, bedeutete Kurt mit der Hand, zu schweigen.

– Ich möchte nicht, dass du so etwas sagst, Kurt, ich möchte nicht, dass du so etwas sagst!

Alexander kam gelaufen und teilte mit, dass die Möwen den Schwänen das Futter stahlen. – Und weg war er.

Kurt schwieg, Charlotte schwieg ebenfalls.

Am Ufer hörte man das Schilf rauschen.

Das Erste, was sie im Hause wahrnahm, war die stickige Luft, die sich wie ein alter Lappen auf ihre Lungen legte. Den Grund dafür erkannte sie, als sie die Treppe zum Badezimmer hinaufstieg: Mählich und Schlinger, jeder einen Pinsel in der Hand, machten sich im oberen Flur an einem großen Plakat zu schaffen und hatten – offenbar um beim Malen eine glatte Unterlage zu haben – den langen Läufer zusammengerollt. Die Luft war von Staub erfüllt.

– Was macht ihr denn da, fauchte Charlotte

– Wilhelm hat gesagt, begann Mählich ...

– Wilhelm hat gesagt, Wilhelm hat gesagt, presste Charlotte heraus.

Im Bad nahm sie eine Prednisolon. Nach dem Duschen drückte sie sich ein feuchtes Handtuch vor den Mund, um über den Flur zu kommen. Inzwischen hatten die beiden Wilhelm zur Verstärkung geholt.

– Was ist denn los, wollte Wilhelm wissen.

Charlotte antwortete nicht, bahnte sich einen Weg durch den schmalen Flur, stieß versehentlich Schlinger an, der seinerseits aus dem Gleichgewicht geriet und auf das frischgemalte Plakat trampelte: direkt auf die – noch immer falsch geschriebene – *revolution.*

– Was ist denn in dich gefahren!

Charlotte ging weiter, ohne sich umzudrehen, stieg die Treppe hinab. Wilhelm hinterher, verstellte ihr den Weg zum Wintergarten.

– Kannst du mir mal erklären, was los ist?

– Wilhelm, sagte Charlotte so ruhig wie möglich. Es dürfte dir doch bekannt sein, dass ich unter einer Hausstauballergie leide.

– Wie bitte?

– Haus-staub-al-ler-gie, sagte Charlotte.

– Du immer mit deinem Zeug, sagte Wilhelm.

Charlotte schob die Flügel der Wintergartentür vor seiner Nase zusammen und schloss die Vorhänge.

Sie legte sich aufs Bett, hörte ihr Herz schlagen. Hörte ihren leicht rasselnden Atem. Auf der Zunge spürte sie noch den bitteren Abdruck der Prednisolon.

So lag sie eine Weile.

Der Zimmerspringbrunnen brummte.

Die Königin der Nacht fiel ihr ein. Die sie zum Blumenhändler zurückgebracht hatte, ohne sie blühen zu sehen.

Übrigens: In Mexiko hatte sie nie Asthma gehabt.

Nachts träumte sie wieder schlecht, konnte sich aber am Morgen nicht mehr daran erinnern. Wollte es auch nicht.

Den Sonntag verbrachte sie damit, Unkraut zu zupfen.

Am Montag hörte sie in den Nachrichten, dass eine von den Vereinigten Staaten ausgerüstete Invasionsarmee in Kuba gelandet war.

Am Mittwoch war die Invasionsarmee aufgerieben.

Der Genosse Hager rief nicht mehr an.

Wilhelms Tombola wurde ein großer Erfolg. Der Kreissekretär hielt eine Rede. Und der Vertreter der Nationalen Front verlieh Wilhelm die goldene Ehrennadel.

1. OKTOBER 1989

Sie hatte keine Ahnung, wie lange sie so gesessen hatte, auf ihrem Bett, wo sie immer saß, die Beine über den Fesseln gekreuzt, die Hände im Schoß, als wären's nicht ihre. Sie weinte nicht mehr. Ihre Tränen waren getrocknet, und die feinen Salzkrusten, die sie zurückgelassen hatten, kitzelten in ihrem Gesicht.

Draußen war es sehr hell, als sie aufsah, so hell, dass es wehtat. Die Birken leuchteten gelb, ein warmer Herbst dieses Jahr, gut für die Ernte, dachte Nadjeshda Iwanowna. In Slawa wurden jetzt die Kartoffeln gemacht, die ersten Feuer rauchten schon, das Kartoffelkraut brannte, und wenn erst mal das Kartoffelkraut brannte, dann war sie gekommen, unwiderruflich: die Zeit des abnehmenden Lichts.

Nadjeshda Iwanowna schnäuzte sich und nahm das Strickzeug zur Hand, das sie irgendwann heute morgen auf dem Kopfkissen abgelegt hatte, die Socken für Sascha, dann kriegte sie eben Kurt, eine Socke war schließlich schon fertig, bei der anderen arbeitete sie sich gerade an die Ferse heran, von Socken verstand sie was, hatte schon viele Socken gestrickt, die ersten so groß wie Eierwärmer, dreißig Jahre war das nun her, aber noch heute hatte sie den Geruch seiner Nackenhaare in der Nase, wenn sie daran dachte, wie er auf ihrem Schoß gesessen hatte, und sie hatten Maltschik-Paltschik gespielt, stundenlang, oder sie hatte ihm etwas vorgesungen, das Lied vom Zicklein, das nicht auf die Großmutter hören wollte, das wollte er immer hören, wieder und wieder, wird es vergessen haben, der Junge, obwohl er's schon beinahe auswendig konnte mit seinen zwei Jahren, aber immer: Waruhum, waruhum, nur Hörnlein und Hufen, vergeblich gerufen, nur Hörnlein und Hufen, na, macht nichts, vielleicht schrieb er ja mal eine Postkarte, obwohl er wahrscheinlich Wichtigeres zu tun hatte dort, musste sich erst mal an alles gewöhnen, Amerika, sie kannte es ja aus dem Fernsehen, das andere Programm, zweimal schalten, sie guckte, ehrlich gesagt, meistens das andere Programm, Breschnew hatte sie genug geguckt, war irgendwie doch interessanter, Amerika, auch wenn man sich manchmal nicht hinzuschauen getraute, was die alles zeigten, wenn er sich bloß nicht versündigte, dachte Nadjeshda Iwanowna, oder war, was im Fernsehen kam, bloß Fernsehen, und am Ende war's auch nicht viel anders als hier, man konnte ja rübergucken beinahe, oder war das noch Deutschland, was man da sah, übern See, oder war Deutschland Amerika, also ein Teil davon, also der Teil von Deutschland, der ein Teil von Amerika war, zum Verrücktwerden das Durcheinander, und wozu, wenn's am Ende das Gleiche war, wie Ira behauptete, nur dass man dort alles kaufen konnte, hatte Ira gesagt, in dem anderen Deutschland, das Amerika war, aber verstehen verstand sie es nicht: An dem Platz, wo der O-Bus ankam, dort wo Sascha zur Schule gegangen war, da konnte man auch alles kaufen, nicht einmal rationiert, so viel du tragen kannst, Milch konntest du kaufen – in Tüten, das glaubte ihr keiner in Slawa, nur, ehrlich gesagt, ob's an den Tüten lag oder weil sie staatlich waren, die Kühe, und mit der Maschine gemolken wurden, jedenfalls dick wurde sie nicht, die Milch, wenn man sie stehen ließ, verdarb einfach nur, die Milch von den staatlichen Kühen, war eben doch was anderes, die eigene Kuh im Stall, Dickmilch mit Zucker, das hatte er gern gemocht, Quark hatte man auch, und Butter hatte man, alles hatte man, was man brauchte.

Für die Ferse musste sie die Maschenzahl in drei Teile teilen, aber sie zählte nie nach, das machte sich irgendwie immer von selbst, dann die Maschen verschränken, und dann ging's geradeaus, immer die Nadel lang, Kurt hatte die gleiche Größe, nur dass er die Socken nie trug, ehrlich gesagt, bedankte sich immer höflich, wenn sie ihm Socken schenkte, das ja, aber was soll man machen, die Hände wollten irgendwas tun, im Frühjahr war wieder der Garten dran, wenn sie's erlebte, aber die Zeit bis dahin musste man ja auch irgendwie rumkriegen, immer nur fernsehen, man wurde ja dumm im Kopf, manchmal las sie das Buch, das Kurt ihr gegeben hatte, lesen konnte sie schließlich, hatte sich ja alphabetisiert, als sie nach Slawa kamen, wo die Sowjetischen waren, nur dass es zu dick war, das Buch, *Krieg und Frieden*, wenn man in der Mitte angekommen war, hatte man den Anfang schon wieder vergessen, über die Heumahd ging's, daran erinnerte sie sich, schwere Arbeit, sie hatte genug Heu gemäht in ihrem Leben, nach Feierabend, wenn sie vom Sägewerk kam, im August war die Heumahd, im September kamen dann die Kartoffeln dran, so war das gewesen in Slawa. Jetzt hatte sie nur noch die Gurken, aber die machten sich praktisch von selbst, nur gießen musste man sie hin und wieder, Schlauch aufdrehen und fertig, so leicht war das Leben in Deutschland, das glaubte ihr keiner in Slawa, leicht war es, aber andererseits immer so vor sich hin, und Ira meckerte auch bloß, manchmal fragte man sich, ob es ein Fehler gewesen war, das Haus aufzugeben in Slawa, aber was soll man machen, die alten Knochen, wenn man nicht einmal mehr die Leiter hochkommt zum

141

Windbretterölen, nein, sie beklagte sich nicht, aber irgendwie reichte es langsam, immerhin achtundsiebzig war sie, ihre Schwestern hatten nicht mal die zwanzig erreicht, Ljuba und Vera, irgendwo lagen sie, zwischen Gríschkin Nagár und Tartársk, und sie saß hier noch immer, in diesem Deutschland, bekam sogar eine Pension, dreihundertdreißig im Monat, zuerst hatte sie noch für die Beerdigung gespart, hatte immer befürchtet, sie könnte sterben, bevor es für ihre Beerdigung reichte, und wer weiß, dann wurde sie womöglich verbrannt, so etwas taten die hier, aber inzwischen reichte es drei Mal, und sie war immer noch da, stopfte noch immer ihre Rente ins Kopfkissen, hundert hatte sie immer gleich Sascha gegeben, Ira nahm ja kein Geld, hatte es nicht nötig, verstehst du, hochmütig, wie sie nun einmal war, das ärgerte Nadjeshda Iwanowna.

Jetzt klopfte es an der Tür, Kurt war's, ob sie denn mitkam nachher, zu Wilhelms Geburtstag. Herrje, heute morgen hatte sie noch dran gedacht, aber dann hatte der alte Kopf es vergessen, aber zugeben wollte sie's nicht.

– Natürlich komm ich mit, sagte sie. Wie denn anders.

Nur der Blumenladen am Friedhof hatte längst zu, äch ty, rastjopa, was nun, eine Schachtel Pralinen hatte sie noch, hoffentlich nicht von Charlotte und Wilhelm, die schenkten ihr immer Pralinen, obwohl sie gar keine aß, aber schaden tat's nix, hatte sie was anzubieten, wenn Sascha mit seiner Freundin kam, Kalinka oder wie, seine Neue, ob die mit nach Amerika war oder in Deutschland geblieben? Schlecht war sie nicht gewesen, die Arme ein bisschen zu dürr, zum Arbeiten taugte sie nicht, aber arbeiten arbeitete sie auch nicht, sondern war Schauspielerin, Dünne brauchte man schließlich auch im Film, oder sie schenkte Wilhelm die Gurken, gute Gurken, uralische Art, mit Knoblauch und Dill, Sascha war immer ganz wild gewesen auf ihre Gurken, allerdings, ob's zum Geburtstag das Richtige war, sie würde Kurt fragen, immerhin neunzig, das war schon was, und dabei sah er noch gut aus, Wilhelm, beinahe wie achtzig, und immer im Anzug, wie ein Minister sah er aus und sprach auch so, mit Bedeutung, merkte man gleich, dass er rumgekommen war in der Welt, mit dem Schiff waren sie über das Meer, Gott bewahre, einmal hatte sie es gesehen, das Meer, bis zum Himmel nur Wasser, das glaubte ihr keiner in Slawa, und ganz oben, ganz auf dem Rand, krochen winzige Schiffe entlang wie auf dem Dachfirst, schreckliche Vorstellung, da war ihr die Eisenbahn lieber, wenigstens war man auf Gottes Erde, und wenn's erst mal fuhr, dann war es gar nicht so schlimm, wenn man sich erst einmal daran gewöhnt hatte, sogar schlafen schlief sie am Ende und wachte dann auf und war plötzlich in Deutschland und wusste nicht mal, wie weit es eigentlich war, Sascha hatte es ihr einmal zeigen wollen auf einer Karte, als ob man's ersehen konnte auf einer Karte, wie weit es war, von Tartársk, beispielsweise, bis nach Gríschkin Nagár, das war auf der Karte vier Finger breit, aber in Wirklichkeit waren es vier Jahre, die sie gegangen waren, oder länger, sie wusste es gar nicht mehr, eine Ewigkeit waren sie gegangen, seit sie denken konnte, ein einziges Gehen. An Tartársk erinnerte sie sich, ehrlich gesagt, gar nicht mehr, wo sie geboren war, der Vater, der nicht vom Flößen zurückgekehrt war, hatte Mutter Marfa gesagt, später hieß es dann plötzlich, er sei im Krieg gefallen, eine einzige Dunkelheit, aus der man kam, und das Erste, was sichtbar wurde, wenn sie zurückdachte, das war der Weg, ein schwaches, ein wackliges Bild: der Weg, der kein Ende nahm, und wenn sie nach unten schaute, sah sie die eigenen, dreckigen Füße, das war das Erste, woran sie sich erinnerte, und an den ewigen Durst und dass die Hand rot war von Blut, wenn man sich an die Stirn schlug, vor lauter Mücken.

Sie zog das Kleid über, das Gute, lila mit Goldfaden, auch ein bisschen, nun ja, übertrieben in ihrem Alter, in Slawa konnte man so was nicht anziehen, aber hier trugen die Leute ja alles Mögliche, sogar die Alten, wenn sie beim Tanz gewesen war im Klub der *Volkso-Dali-Rität*, einmal im Jahr, Eintritt frei, da war sie gern hingegangen, als die Füße noch gingen, auch wenn sie die Tänze nicht kannte, die vorgeschriebenen, hatte einfach getanzt wie zu Hause, uralisch, Likörchen dazu, und dann tanzten sie auf einmal alle uralisch, mehr oder weniger, jetzt musste sie nur noch in ihre Schuhe reinkommen, gute Schuhe, hatte Ira ihr besorgt, aber bezahlt hat's der Staat, das glaubte ihr auch keiner in Slawa, solche Schuhe, gute, lederne Schuhe, als Kind hatte sie immer Ausschau gehalten nach solchen Schuhen, wenn sie in irgendein Dorf kamen und sie vor der Kirche saß, gehasst hatte sie das, die beiden Großen durften sich Arbeit suchen im Dorf, und sie, die Kleinste, musste die Hand aufhalten, den ganzen Tag lang, Kopf runter, Hand hoch, aber wenn keine Schuhe in Sicht waren, konnte man die Hand auch mal runternehmen, das hatte sie rasch kapiert, Fußlappen brachten nix, Bastschuhe hin und wieder, aber sobald irgendwo Schuhe auftauchten, da hieß es Achtung, richtige, lederne Schuhe, so wie die, die sie trug, *ottopädische* hießen sie, so was kannten die gar nicht in Slawa, mit zwölf Löchern auf jeder Seite, eigentlich schade, dass sie nun doch nicht nach Slawa fuhr, Nina hatte sie eingeladen, sogar ein Visum war da, aber was soll man machen, wo sie nicht einmal mehr bis zur Kirche kam mit diesen Füßen, da halfen auch ihre *Ottopädischen* nix, waren einfach hinüber, die Füße, waren genug umhergegangen auf dieser Welt, bis Gríschkin Nagár, von Tartársk her, vier Jahre lang oder wie viel, nur gegangen, gegangen, jeden Sommer, von der Schneeschmelze an, bis in die Erntezeit, und dann gib Gott, dass der Kulak sich erbarm, und sei's nur ein Plätzchen im Stall, wo man den Winter verbrachte.

Zum Rein-in-die-Schuhe musste sie die Schnürsenkel immer fast ganz ausfädeln, jetzt knöperte sie sich durch zwölf Löcher wieder hinauf, band eine Schleife, und noch einen Knoten über die Schleife, zur Sicherheit, dann war es geschafft. Sie bürstete sich die Haare, wobei sie nicht extra ins Bad ging, für ihre Zotteln genügte der Fernsehschirm, fand Nadjeshda Iwanowna, umso besser, wenn man sich nicht so genau sah, dann zog sie den Sommermantel über, draußen war es noch warm, nahm statt der Handtasche, die sie bei solchen Gelegenheiten mit sich herumtrug – warum eigentlich, den Schlüssel hatte sie sowieso an einer Kette um den Hals, und ihr Portemonnaie versteckte sie in einer extra eingenähten Rocktasche –, nahm also statt der Handtasche das Glas Gurken, das seit heute morgen auf ihrem Tisch stand, setzte sich wieder aufs Bett und wartete, bis Kurt sie abholte. Es machte ihr nichts aus zu warten, wenn man wusste, worauf man wartet, im Gegenteil, dann wartete sie sogar gern. Ihr fiel ein, dass sie noch nichts gegessen hatte, das Käsebrot, das Ira ihr hingeknallt hatte, lag noch immer unangebissen auf dem Tisch, aber sie beschloss, es nicht anzurühren, sie war ja kein Hund, schließlich, also blieb sie sitzen, das Glas Gurken im Schoß, und wartete, dachte an nichts, jedenfalls an nichts Bestimmtes, nur dass es seltsam war, an was sie heut dachte, das dachte sie, wie sie als Kind vor der Kirche saß und nach Schuhen schaute, lange hatte sie nicht mehr daran gedacht, aber wo das gewesen war, keine Ahnung, das Dorf, die Gesichter, nichts mehr von alldem, vergessen, wie den Anfang des Buches, das *Krieg und Frieden* hieß, nur an den Tag, wo sie Ljuba fanden, daran erinnerte sie sich natürlich, wie sie im Schnee lag, dass man glauben konnte, es sei ein gefrorener Lumpen. Dass sie einen der Männer mit einer Axt bedroht hatte, so hieß es. Und dann mussten sie ziehen, die «Unruhestifter», mitten im Winter, immerhin gab ihnen der Kulak noch ein viertel Pud Brot, das wusste sie noch, und wie die Leute hinter den Fenstern standen und schauten, und dann – wusste sie nicht mehr. Keine Ahnung. Irgendwie kamen sie durch. Irgendwo kamen sie unter. Irgendwann – war es in diesem Sommer, war es im nächsten? – erreichten sie Gríschkin Nagár, noch zu dritt: Mutter Marfa, Vera, Nadjeshda.

An Vera erinnerte sie sich noch gut. Ljubow war die Schönste gewesen, hatte Mutter Marfa immer gesagt, aber Vera die Sanfteste, und so hatte Nadjeshda Iwanowna sie auch in Erinnerung, gottesfürchtig und still, und noch heute fragte sie sich, wieso ausgerechnet Vera so ein grausames Ende gefunden hatte. Einen einzigen Winter hatte sie in Gríschkin Nagár noch erlebt. Das erste Mal, dass sie ein eigenes Zuhause gehabt hatten, der Vetter hatte ihnen die Kate überlassen, schön die Ritzen mit Moos ausgestopft, der Ofen reichte zum Schlafen gerade für drei, abends brannte der Kienspan, es roch nach Harz, während man zusammen am Tisch saß und vor sich hin werkelte. Der Samowar summte. Draußen heulte der Wind, oder, wenn es ganz still war, dann heulten die Wölfe, weit entfernt, so schien es, aber wenn der Winter lange genug gedauert hatte, dann kamen sie, schlichen zwischen den Häusern von Gríschkin Nagár umher, und wenn man am Morgen die Tür aufmachte, fand man im Schnee ihre Spuren. Im Sommer waren sie feige, da wurde man eher von den Mücken gefressen als von den Wölfen, halb tot musste man sein, ehe sie einen anfielen, sagten die Männer, wahrscheinlich war sie schon halb verrückt gewesen vor Durst, wer weiß, wie lange sie schon herumgeirrt war, wer sich verlief, lief im Kreis, so hieß es, gefunden hatte man sie in einer Entfernung von zwölf oder fünfzehn Werst, zwei Jahre später, den Zinkeimer brachte man, mit dem sie zum Beerensammeln gegangen war, und in dem Eimer, frag lieber nicht, noch heute bekam sie Gänsehaut, wenn sie dran dachte, was von ihr übrig geblieben war, Hörnlein und Hufen, nun weißt du, warum, zweimal drehst du dich, zweimal streckst du dich nach den Beeren, schon hast du die Richtung verloren, groß ist die Taiga, und schnell verliert man die Richtung, und dann merk es dir wohl, was übrig geblieben ist von dem Zicklein, nur Hörnlein und Hufen, vergeblich gerufen, nur Hörnlein ... Egal, wird's vergessen haben, der Junge, wozu auch, in Deutschland gab's keine Wölfe, alles geordnet in Deutschland, sogar der Wald, und wer weiß, ob es in Amerika überhaupt Wald gab.

Jetzt klopfte Kurt.

– Ich schenk ihm ein Glas Gurken, sagte Nadjeshda Iwanowna. Oder ist das nicht gut genug?

– Das ist sehr gut, Nadjeshda Iwanowna, schenken Sie ihm ein Glas Gurken.

Ein guter Mann, Kurt, immer höflich, immer mit Vor- und Vatersnamen, Ira konnte von Glück reden, dass sie so einen gefunden hatte, dachte Nadjeshda Iwanowna, während sie sich aufrappelte, zwar gesessen hatte er auch im Lager, ein Ehemaliger war er, aber das hatte sie schon in Slawa gemerkt, dass die Ehemaligen anständig waren, anständiger als die Lagerverwaltung mitunter, das versoffene Pack, aber dass er's mal so weit bringen würde, *Professer* war er, fuhr nach Berlin jeden Montag, mit einer Aktentasche, machte da irgendwas, sie wusste es nicht genau, aber von Staats wegen irgendwas, und Geld verdiente er, hatte Ira ein Auto gekauft, das glaubte ihr keiner in Slawa: Die Frau fuhr Auto, und der Mann ging zu Fuß, allerdings, wo war denn Ira?

– Wo ist denn Ira, fragte Nadjeshda Iwanowna.

Kurt schüttelte den Kopf.

– Kommt nicht mit, sagte er.

– Wie denn, kommt nicht mit? Zu Wilhelms Geburtstag?

Kurt zeigte mit dem Finger nach oben. Jetzt hörte Nadjeshda Iwanowna die Musik, die aus Iras Zimmer kam, die Musik kannte sie, Ira hörte sie in letzter Zeit öfter, es war russische Musik, ein russischer Sänger, der um sein Leben brüllte, aber nicht die Musik war es, was Nadjeshda Iwanowna beunruhigte.

– Geht's ihr nicht gut, fragte Nadjeshda Iwanowna.

– Geht ihr nicht gut, sagte Kurt.

– Wegen Sascha, fragte Nadjeshda Iwanowna.

– Wegen Sascha, sagte Kurt.

War trotzdem kein Grund zum Trinken, fand Nadjeshda Iwanowna. Gehörte sich einfach nicht für eine Frau, wo gab es denn so was, die Frau trinkt, und der Mann ist nüchtern, man schämte sich wirklich, rauchen rauchte sie auch, das war alles nicht richtig, sich betrinken zu Wilhelms Geburtstag, als ob Sascha zurückkäme, wenn sie sich da oben betrank.

– Haken Sie sich bei mir unter, Nadjeshda Iwanowna, sonst stürzen Sie noch.

Sie hakte sich bei Kurt unter, stieg Stufe für Stufe die Treppe vorm Haus hinab. Das Unkraut zwischen den Gehwegplatten hätte man jäten müssen, dachte sie, während sie zum Gartentor schritten, aber das war nicht ihre Sache.

– Hauptsache, es geht ihm gut dort, sagte Nadjeshda Iwanowna.

– Ja, sagte Kurt, das ist die Hauptsache.

Charlotte und Wilhelm wohnten in derselben Straße, nicht sehr weit, aber doch auch nicht nah für kaputte Füße. Zum Glück waren die Bürgersteige in Deutschland gepflastert. Kurt hatte das Gurkenglas an sich genommen, sie gingen eingehakt, kleine Schritte. Vielleicht war er einfach nicht streng genug mit Irina, dachte Nadjeshda Iwanowna. Von ihr ließ sie sich ja überhaupt nichts mehr sagen, alles wusste sie besser, ob's um die Gurken ging oder um den Teig für Pelmeni, da gehörten nun mal keine Eier rein, oder versuch mal, ihr zu sagen, sie soll weniger trinken, ein Donnerwetter gab's da, was mischst du dich in mein Leben ein, wir sind hier nicht hinterm Ural, dabei, entschuldige, waren sie ja hinterm Ural, *weit hinterm Ural,* da kannst du nur Tür zu und Ruhe. Wahrscheinlich kam's daher, weil sie keinen Vater gehabt hatte, Großmutter Marfa hatte sie natürlich verwöhnt, zuerst hieß es: Schande, Schande, ein Kind von dem Schwarzen, der Schwarze hatte sie immer gesagt, der «Zigan», dabei war er überhaupt kein Zigan, Händler war er gewesen, Petroleum hatten sie bei ihm gekauft, ein guter Mann war's, Pjotr Ignatjewitsch, kein Trinker, nicht wie die Mushiks in Gríschkin Nagár, ein Herr war's, beinahe, mit seinem Mantel und seinen Manieren, drei Pferde vor seinem Wagen, so viel gab es im ganzen Dorf nicht, und wenn es auch Sünde gewesen war, und sie bat Gott um Vergebung, aber insgeheim fühlte sie sich unschuldig, denn wäre nicht Mutter Marfa davor gewesen, dann hätten sie sich vor Gott und der Kirche getraut, er hatte es ihr versprochen, auf Ehrenwort.

– *Er* wollte mich ja heiraten, sagte Nadjeshda Iwanowna.

– Wer, fragte Kurt.

– Na, Pjotr Ignatjewitsch, sagte Nadjeshda Iwanowna.

– Aha, sagte Kurt, gewiss.

Aber sie spürte, dass er ihr nicht so recht glaubte.

– Er hätte mich geheiratet, wiederholte sie, wenn nicht Marfa davor gewesen wäre, und dann sind wir ja weggegangen aus Gríschkin Nagár, später, als Ira schon groß war, nach Slawa.

– In welchem Jahr war denn das, fragte Kurt.

– Als die Sowjetischen kamen.

– Als die Sowjetischen kamen, Nadjeshda Iwanowna, da waren Sie gerade zehn.

– Nein, nein, korrigierte ihn Nadjeshda Iwanowna, ich weiß es ja noch, das war, als der Vetter die Kühe geschlachtet hat, weil es hieß, wer mehr als drei Kühe hat, wird entkulakisiert, und dann haben sie ihn trotzdem entkulakisiert, *weil* er die Kühe geschlachtet hat.

– Sie meinen, sie haben ihn erschossen.

– Werden ihn wohl erschossen haben, ist lange her.

– Und da sind Sie nach Slawa.

– Nu ja, erst wollte Marfa nicht hin, nach Slawa, da war'n ja die Sowjetischen.

– Aber in Gríschkin Nagár waren doch auch die Sowjetischen, haben Sie gerade erzählt.

– Ja, aber in Gríschkin Nagár, verstehst du, da war ja nicht viel mit sowjetisch, sechs Häuser, nicht mal 'ne Kirche zum Abreißen. In Slawa reißen sie Kirchen ab, hieß es. Da machen sie elektrischen Strom. Damit wollte sie nix zu tun haben, meine Mutter. Die war ja gegen den Fortschritt. Ich war ja nicht gegen den Fortschritt. Dass sie Kirchen abgerissen haben, das war eine Schande. Aber elektrischer Strom, warum nicht? Und Schule, hieß es, machen sie in der Stadt, da sind wir dann in die Stadt gezogen, hauptsächlich auch wegen Irina.

– In welche Stadt denn, fragte Kurt.

– Wie denn, in welche Stadt?

– Sie sagten, Sie sind in die Stadt gezogen.

– Ja, das weißt du doch, sagte Nadjeshda Iwanowna.

– Also meinen Sie Slawa.

– Ja, klar, Slawa. Wohin denn sonst?

– Natürlich, sagte Kurt, wohin denn sonst.

Sie wechselten die Straßenseite. Die Sonne schien durch die schütteren Baumkronen, wärmte durch die Kleidung hindurch, bis in die Knochen. Nadjeshda Iwanowna genoss es, an Kurts Seite zu gehen, so eingehakt, fast schmeichelte es ihr, sogar ihre Füße hatte sie beim vielen Reden vergessen. Vielleicht, dass sie doch noch einmal zur Kirche ging, also zur orthodoxen, ein Stück konnte man mit der Straßenbahn fahren, und eine Kerze stiften für Sascha, auch wenn er nicht daran glaubte, vielleicht half es ja trotzdem, dass er endlich zur Ruhe kam, der Junge, oder sie gab mal was für die Kollekte, wenn's daran lag, Geld hatte sie schließlich.

Das Haus von Charlotte und Wilhelm war ein schönes Haus. Das kleine Türmchen, das auf der einen Dachseite herausragte, gab ihm sogar etwas von einer Kirche, Mutter Marfa hätte es für eine Kirche gehalten, allerdings hielt sie ja jedes Steinhaus für eine Kirche. Der Eingang lag beinah zu ebener Erde, besonders dieser Umstand kam Nadjeshda Iwanowna herrschaftlich vor, man brauchte nur eine Stufe zu nehmen, dann stand man vor einer doppelt geflügelten Tür aus massivem Holz, mit Schnitzereien sogar und zwei goldenen Fischköpfen.

Ein junger Mann im Anzug öffnete ihnen, Nadjeshda Iwanowna kannte ihn, sie hatte ihn schon öfter bei Charlotte und Wilhelm gesehen, ein fröhlicher Mensch, der immer lachte und sie überschwänglich begrüßte, *Babuschka, Babuschka* sagte er, und Nadjeshda Iwanowna sagte: Gott sei mit dir, mein Sohn.

– Bogh s taboju, synok.

Zuerst betrat man einen kleinen Vorraum, von hier führte eine Glastür in den geräumigen Flur, es gab sogar eine Nische für die Garderobe, die genau wie die Haustür aussah, aus Holz und geschnitzt, nur dass Wilhelm sie angestrichen hatte, aber geschmackvoll, nicht wie Ira, die die Möbel weiß anstrich, dass es aussah wie Krankenhaus.

Jetzt kam Charlotte angerauscht, auch sie war ja älter als Nadjeshda Iwanowna, aber immer noch fix auf den Beinen, und eine Frisur wie ein junges Mädchen. Auch wenn das Gespräch zwischen Kurt und Charlotte auf Deutsch stattfand, begriff Nadjeshda Iwanowna, dass Charlotte nach Irina und Sascha fragte, und konnte an ihrem Gesicht ablesen, dass sie nicht glücklich war über das, was Kurt ihr mitteilte: nämlich, so vermutete Nadjeshda Iwanowna, dass Sascha in Amerika war. Immerhin nahm sie es mit Fassung, bloß Wilhelm sollte nichts erfahren, ni slowa Wilgelmu, wiederholte sie extra nochmal auf Russisch.

– Verstehen Sie, Nadjeshda Iwanowna, er ist schon ganz und gar …

Und dann machte sie eine schwer zu deutende Handbewegung. Was war mit Wilhelm? Ging es ihm nicht gut?

Tatsächlich war Wilhelm mager geworden, seit Nadjeshda Iwanowna ihn das letzte Mal gesehen hatte, er verschwand fast in seinem riesigen Sessel. Sein Blick war dunkel und seine Stimme gebrochen, als er sie begrüßte.

– Für dich, Väterchen, sagte Nadjeshda Iwanowna und überreichte das Gurkenglas.

Wilhelms Blick hellte sich auf, er sah Nadjeshda Iwanowna an und sagte dann, mit Blick auf die Gurken:

– Garoch!

Aber es waren keine Erbsen.

– Es sind Gurken, erklärte Nadjeshda Iwanowna: Ogurzy!

– Garoch, sagte Wilhelm.

– Ogurzy, sagte Nadjeshda Iwanowna.

Aber Wilhelm, als wolle er ihr beweisen, dass doch Erbsen drin seien, ließ das Glas öffnen und angelte eine Gurke heraus. Und obwohl es nun wirklich eindeutig eine Gurke war, in die er hineinbiss, sagte er:

– Garoch!

Nadjeshda Iwanowna nickte – so stand es also um ihn. Hatte sich auf den Weg gemacht, der alte Wilhelm. Jetzt verstand sie das Dunkle in seinem Blick, sie hatte es schon gesehen, bei Todgeweihten.

– Bogh s taboju, sagte Nadjeshda Iwanowna.

Dann machte sie sich daran, die Gäste zu begrüßen. Sie kannte viele, wenn auch nicht mit Namen. Sie kannte den schweigsamen Mann mit den traurigen Augen, der Wilhelm das Gurkenglas aufgemacht hatte. Sie kannte auch seine Frau, eine blonde Person, die immer einen Kopf größer schien als ihr Mann – außer, wenn sie nebeneinanderstanden. Sie kannte auch die Gemüseverkäuferin aus dem Laden neben der Post, eine freundliche Frau, der sie zur Entnahme des zu zahlenden Geldbetrags bedenkenlos ihr Portemonnaie zu überlassen pflegte. Auch den Polizisten kannte sie und den Nachbarn, dessen Hand immer feucht war und der sie immer mit *Da sdrawstwujet!* begrüßte: Es lebe! – nur *was* eigentlich leben sollte, sagte er nie. Überhaupt waren alle freundlich, auch die, die sie nicht kannte, die Männer standen extra auf, schüttelten ihr die Hand und klopften ihr auf die Schulter, dass es schon peinlich war, nur der freundliche Herr im hell-grauen Anzug, der sich im letzten Jahr noch russisch mit ihr unterhalten hatte, sah sie an, als würde er sie nicht erkennen, seine Hand zitterte, und sein Gesicht war erstarrt, und er sah plötzlich aus wie Breshnew.

Sie setzte sich ans Ende der langen Tafel, man schob ihr extra einen kleinen Sessel heran, in dem sie so tief versank, dass sie kaum an die Tischplatte reichte. Sie bekam Kaffee und Kuchen, Gott sei Dank war der Kaffee nicht stark, und der Kuchen war köstlich, sie verzehrte zwei Stück, den Tel-ler auf den Knien balancierend, während die anderen Gäste sich wieder ihren Gesprächen zuwandten. Die Deutschen redeten viel, das war ja nichts Neues, alles Studierte, die hatten sich viel zu erzählen, für Nadjeshda Iwanowna war es nichts als der übliche Schwall schnarrender, kehliger Laute. Ja, natürlich hatte sie Deutsch lernen wollen, als sie nach Deutschland kam, jeden Tag hatte sie sich hingesetzt und die deutschen Buchstaben gepaukt, aber dann, als sie *alle Buchstaben auswendig* konnte, *das ganze deutsche Alphabet*, machte sie eine verblüffende Entdeckung: Deutsch konnte sie trotzdem nicht. – Und da hatte sie's aufgegeben, sinnlos war's, eine schwierige, eine rätselhafte Sprache, die Worte kratzen einem im Hals wie trocken Brot, *Chuttentak* – zur Begrüßung, und zum Abschied – *Affidersin*, oder umgekehrt, *Affidersin*, *Chuttentak*, so ein Aufwand, bloß um jemanden zu begrüßen.

Der Mann mit den traurigen Augen schob Nadjeshda Iwa-nowna einen kleinen, grünen Metallbecher hin und erhob sein Glas.

– Nadjeshda Iwanowna, sagte der Mann.

– Da sdrwastwujet, rief der Feuchthändige und hob eben-falls sein Glas in die Höhe.

– Nu, satschjem, sagte Nadjeshda Iwanowna.

Eigentlich wollte sie nicht, aber auf einmal prosteten ihr alle zu, forderten sie auf zu trinken, egal, dachte Nadjeshda Iwanowna, einen konnte sie sich genehmigen, auf Wilhelms Geburtstag, sie kippte den Schnaps runter, aber in dem Augenblick, wo sie ihn runterkippte, fiel ihr ein, dass man so etwas in Deutschland nicht tat, in Deutschland nippte man ja immer bloß an den Gläsern, es war ihr ein bisschen unangenehm, sich so vertan zu haben, zudem schmeckte das Zeug widerlich, sie war es nicht mehr gewohnt zu trinken, sie spürte, wie der Alkohol ihr in den Kopf hinaufstieg, und nach einer Weile kam es ihr vor, als würden die Leute noch mehr und noch schneller reden, die schnarrenden Deutschlaute schnarrten in ihren Ohren, fast wurde ihr ein bisschen schwindelig von so viel Mitteilungsdrang, so viel konnte doch gar nicht passiert sein seit letztem Jahr, dachte Nadjeshda Iwanowna, die einzige Neuigkeit, die ihr einfiel, war, dass Sascha in Amerika war.

– Sascha w Amerike, sagte sie zu dem Mann mit den traurigen Augen.

– Nadjeshda Iwanowna, sagte der Mann.

Er griff zur Schnapsflasche, um ihr noch einmal einen einzugießen, aber Nadjeshda Iwanowna wehrte entschieden ab. Sie war schon von einem Glas so betrunken, dass sie zwischen all den schnarrenden Deutschlauten sogar russische Worte zu hören begann, genauer gesagt, ein Wort oder, noch genauer, einen Namen: *Gorbatschow* hieß er, irgendwie kannte sie den aus dem Fernsehen, oder bildete sie sich's bloß ein, mit dem Mal auf der Stirn, so einen gab es doch, aber wieso sie ihn immer im amerikanischen Fernsehen zeigten, war ihr unklar, war doch einer von den Unseren – oder?

Jetzt kam Melitta, Saschas Ehemalige. Nadjeshda Iwanowna erkannte sie sofort, obwohl sie sich herausgeputzt hatte wie eine Bojarin. Seit sie sich von Sascha hatte scheiden lassen, war Nadjeshda Iwanowna ihr weniger freundlich gesinnt, das musste sie zugeben, ein Unglück war's, wie er damals abgenommen hatte, der Junge, und Markus, ihr Urenkel, kam auch nur noch selten, seitdem. Als er klein war, da hatte er bei ihr auf dem Schoß gesessen, wie Sascha damals, und sie hatte ihm das Lied vom Zicklein gesungen, allerdings, verstehen verstand er ja nix, verstand ja kein Russisch, der Markus, brachten sie ihm ja nicht bei. Eine Zeitlang war er noch hin und wieder zu ihr ins Zimmer gekommen, um sich eine Praline zu holen, aber so was durfte sie ihm ja nicht geben, da war ja Melitta davor, als ob's Gift wäre, und dann kam er gar nicht mehr, sie konnte sich nicht einmal mehr erinnern, wann sie Markus das letzte Mal gesehen hatte, groß war er geworden, aber dürr wie ein Besenstiel, und blass wie Jesus am Kreuz, kein Wunder – wenn er nie etwas Süßes bekam.

Sie sah, wie Markus seinem Urgroßvater ein Geschenk überreichte, sie erzählten sich irgendwas, dann begann der Junge die Leute am Tisch zu begrüßen, und während er Stück um Stück näher kam, nahm Nadjeshda Iwanowna ihre Sprachkenntnisse zusammen, um ihren Urenkel wenigstens auf Deutsch begrüßen zu können, zur Sicherheit sprach sie das Wort noch ein paarmal vor sich hin, bis er endlich heran war, er reichte ihr brav seine Hand, sie war zart und zerbrechlich, der Händedruck schwach, aber ein feines Gesicht hatte er, seine Stirn war hoch, und seine dunklen Locken erinnerten Nadjeshda Iwanowna eindeutig an Sascha.

– Affidersin, sagte Nadjeshda Iwanowna.

Ihr Urenkel schaute sie erstaunt an, dann schaute er zu seiner Mutter und lachte.

– Auf Wiedersehen, sagte Markus.

Und schon war er weg. Wand vorsichtig, aber bestimmt seine zarte Hand aus der ihren und verschwand.

Nadjeshda Iwanowna betrachtete ihre Hand, es kam ihr auf einmal vor, als hätte sie ihm wehgetan mit dieser groben, abgenutzten Kartoffelhand, mit dieser Sägewerkshand, sie betrachtete die furchterregenden Adern, die auf dem Handrücken hervortraten, die schrumplige Haut an den Knöcheln, die von kleinen und großen Verletzungen aufgeworfenen Nägel, die Narben und Poren und Falten und die von Hunderten Linien durchfurchte Handfläche. Irgendwie verstand sie sogar, dass er nicht angefasst werden wollte von so was.

Dann verstummten die schnarrenden Deutschlaute. Nadjeshda Iwanowna schaute auf, ein Mann mit einer roten Mappe erschien, das war, sie wusste es gleich, der Ordensverleiher, Wilhelm bekam ja fast jedes Jahr einen Orden, von Staats wegen, und ein Papier gab's dazu, wo draufstand, wofür er den Orden bekam. Das las der Mann jetzt vor, aus der roten Mappe, die er aufgeklappt in der Hand hielt, Nadjeshda Iwanowna lauschte ehrfurchtsvoll, auch wenn sie es im Einzelnen nicht verstand, so viel verstand sie: dass es hier um wichtige Dinge ging, sie lehnte sich in ihrem Sessel zurück, ihr Blick wanderte zum großen Fenster, während der Redner Wilhelms Leben erzählte, es dämmerte schon, nur in den Wipfeln der Bäume war noch Licht, die Blätter in den Baumkronen umtänzelten einander lautlos, und Nadjeshda Iwanowna glaubte den Abendhauch zu spüren, die Kühle im Gesicht, wenn man sich, nachdem man noch die Glut zusammengeharkt hatte, abwandte und über den plötzlich schon dunkel gewordenen Kartoffelacker zum Haus stapfte … Bald, wenn die Ernte vorbei war, hatte Nina Geburtstag, Mitte Oktober, manchmal gab es schon Schnee, aber es war noch nicht kalt, und die Stimmung war gut, alle hatten sie ihre Kartoffeln gehortet, die richtige Zeit, um zu feiern, tags zuvor hatten sie zusammen Pelmeni gemacht, und dann wurde gesungen, getanzt, und dann wurde wieder gesungen, wenn alle ein Gläschen getrunken hatten, die traurigen Lieder, dann weinten alle und fielen sich um den Hals, nun ja, und dann wurde wieder getanzt, so war das in Slawa, dachte Nadjeshda Iwanowna und hätte beinahe vergessen zu klatschen, als die Rede zu Ende war und der Ordensverleiher Wilhelm den Orden ansteckte.

Dann schnarrten wieder Deutschlaute, schnarrten und schnatterten an ihren Ohren vorbei, jetzt störte es sie nicht mehr, der Schnaps hatte sich gesetzt, es war ihr warm im Leib und leicht in der Seele, und in Gedanken war sie in Slawa, in Gedanken ging sie die Bolschaja Lesnaja entlang und sah alles ganz deutlich: das Erzrot der schnurgeraden Schotterstraße, das, wenn man die Straße entlangschaute, weit in der Ferne im lichten Gelb eines Birkenhains endete; die Straßengräben, in denen Schweine sich suhlten; die Ziehbrunnen und die hölzernen Trottoire; die mannshohen Bretterzäune, hinter denen sich einstöckige Holzhäuser verbargen, und eines von diesen Häusern war einmal ihres gewesen. Ja, vor sehr langer Zeit, fiel ihr ein, als ihre Hand noch jung und zart gewesen war, so jung und zart wie die ihres Urenkels Markus, da hatte eine Wahrsagerin aus dieser zarten, kaum lesbaren Hand ihre Zukunft gelesen und ihr Wohlstand und Glück prophezeit – und so war es ja auch gekommen. Ein eigenes Haus hatte sie gehabt, eine eigene Wirtschaft, am Ende sogar eine Kuh, eine braun-weiß gescheckte, und sie hatte sie Marfa genannt, zu Ehren der Mutter, die es nicht mehr erlebt hatte.

Ja. Es war alles ganz einfach. Sie würde nach Slawa fahren, zu Ninas Geburtstag, das Visum hatte sie ja. Sie würde mit

Nina in der Küche sitzen und Dickmilch löffeln. Sie würden zusammen Pelmeni machen, dann würden sie feiern, wer da noch übrig war. Und dann würde sie sterben, ganz einfach. Dort in der Heimat würde sie sterben, dort wollte sie begraben sein, wie denn anders, ein Glück, dachte sie, während die Deutschlaute in ihren Ohren schnarrten, ein Glück, dass ihr das jetzt noch eingefallen war, hier auf der Geburtstagsfeier von Wilhelm, aber sagen sagte sie's keinem, so dumm war sie nicht, und das Geld, das sie im Kopfkissen aufbewahrte, das tauschte sie bei der Bank gegen Rubel.

– Nu dawai, sagte sie zu dem Mann mit den traurigen Augen und schob ihren kleinen grünen Metallbecher hin.

Der Mann mit den traurigen Augen goss Nadjeshda Iwanowna ein und lachte.

– Nadjeshda Iwanowna, sagte der Mann.

– Da sdrawstwujet, rief der Feuchthändige.

– Bogh s toboju, sagte Nadjeshda Iwanowna und kippte den Schnaps in einem Zug runter.

1966

Vor zehn Jahren, auf den Monat genau, waren sie aus Russland gekommen. Derselbe milchweiße Himmel hatte über den Feldern gehangen, hier und da sprossen, wenn man genau hinsah, bereits die Knospen, aber aus der Ferne war die Landschaft ebenso farblos gewesen wie heute, die Ortschaften ebenso menschenleer, und Kurt erinnerte sich, wie er aus dem Fenster des Kleinbusses auf *das da draußen* gestarrt hatte: angeblich seine Heimat.

Sie hatten sich Goldzähne machen lassen von ihrem letzten Geld, einen Schneidezahn jeweils, um anständig auszusehen in Deutschland. Ihre guten Sachen hatten sie in einem extra Köfferchen verstaut, um sie nach der tagelangen Zugfahrt erst kurz vor der Ankunft anzuziehen, aber schon als Kurt ausstieg und Charlotte und Wilhelm auf dem Bahnsteig stehen sah, kam er sich schäbig vor in seinem sorgsam gestopften Jackett und den weiten Hosen, die er eben noch für ganz passabel gehalten hatte. Wilhelm hatte einen Kleinbus geordert, offenbar in Erwartung einer riesigen Menge Gepäcks, aber als sie in Slawa ihre Sachen sortiert hatten, schien sich fast nichts für das Leben in Deutschland zu eignen, und ihre Habe schrumpfte auf zwei Handköfferchen und einen Rucksack zusammen – am Ende hatte er noch weniger aus der Sowjetunion mitgebracht, als er zwanzig Jahre zuvor, als Fünfzehnjähriger, hingebracht hatte.

Fünfunddreißig war er gewesen, als er zurückkam, und auch wenn er – als eine Art Wiedergutmachung – sofort eine Stelle an der Akademie der Wissenschaften bekam (also an der «richtigen» Akademie, wie Kurt gern betonte, um den Unterschied zur Neuendorfer Akademie deutlich zu machen), war der Neubeginn alles andere als leicht gewesen. Wahrscheinlich war er der älteste Doktorand, den das Institut je gehabt hatte. Sein Deutsch war nach zwanzig Jahren in Russland akzentgefärbt. Er wusste nicht, was erlaubt war und wann man lachen durfte. Aus einer Welt kommend, wo man sich morgens mit dem Mutterfluch begrüßte, hatte er kein Gefühl dafür, wie man den Honoratioren gegenübertrat, geschweige denn für das feine Geflecht der Allianzen und Animositäten im sozialistischen Wissenschaftsbetrieb. Ein Jahr lang hatte ein – durchaus wohlgesinnter – Vorgesetzter geglaubt, ihn mit der Übersetzung von Texten aus dem Russischen beschäftigen zu müssen. Und noch drei Jahre später war er vor allem als Dolmetscher seines Chefs mit nach Moskau gefahren.

Nun war er wieder in Moskau gewesen. Und obwohl ihm die Stadt noch nie so dreckig, so roh, so anstrengend erschienen war wie bei diesem Besuch – die langen Wege, die Betrunkenen, die allgegenwärtigen «Diensthabenden» mit ihren griesgrämigen Gesichtern, sogar die berühmte Metro, auf die er immer ein bisschen stolz gewesen war, weil er als junger Mann bei Subbotniks an ihrem Bau teilgenommen hatte, alles war ihm auf die Nerven gegangen: die Enge, der Lärm, das guillotineartige Zuschnappen der automatischen Türen (und wieso eigentlich lag diese verdammte Metro fast *hundert Meter* unter der Erde, und wieso, noch erstaunlicher, hatte er sich das damals nicht gefragt); auf dem Roten Platz war ihm der Fotoapparat aus der Hand gefallen, und auf dem

Nowodewitschi-Friedhof, dem er aus Pflichtgefühl einen Besuch abstattete, weil er einmal mit Irina dort gewesen war, um sich vor den Gräbern Tschechows und Majakowskis zu verneigen, hatte ihn ein kalter Regen erwischt, ein Aprilregen, wie es ihn nur in Moskau gab, imstande, einen Menschen zu töten – obwohl das alles unangenehm und abstoßend gewesen war, konnte er nicht leugnen, Genugtuung empfunden zu haben über die Hochachtung, die man ihm nun, nach zehn Jahren, plötzlich in diesem Land entgegenbrachte: dem Exsträfling, dem «Auf ewig Verbannten».

Das letzte Mal hatte er sein Hotelzimmer noch mit einem rumänischen Kollegen teilen müssen. Dieses Mal hatte man ihn sogar vom Flughafen abgeholt, er hatte ein Doppelzimmer im Hotel Peking für sich allein bekommen, wenngleich, idiotischerweise, ohne Bad (typisch für die pompösen Hotels aus der Stalinzeit). Der berühmte Jerusalimski hatte sich begeistert gezeigt über sein neues Buch, hatte ihn überall als *den* Experten auf seinem Gebiet vorgestellt und am Ende sogar persönlich eine Stadtrundfahrt mit ihm unternommen, und Kurt hatte eine diebische Freude dabei empfunden, sich nicht anmerken zu lassen, wie gut er das alles kannte: die Manjeshnaja, das Hotel Metropol und ach, sieh mal an, die Lubjanka ...

Nur auf das Techtelmechtel mit der Doktorandin hätte er lieber verzichten sollen, dachte Kurt, während sich der Trabbi mit einem melodischen Säuseln durch eine unscheinbare Ortschaft schlängelte (da Kurt gewöhnlich mit der Bahn fuhr, konnte er die Orte auf der Südumfahrung Berlins immer noch nicht voneinander unterscheiden). Das war dumm, dachte er, solche Dinge im Kreis der Kollegen. Obendrein war die Frau noch nicht einmal sonderlich attraktiv gewesen, sogar – im Vergleich zu Irina – beschämend unattraktiv, aber mit diesem bestimmten Blick, diesem Augenaufschlag, da war er erledigt; es ging einfach nicht anders. Kurt fragte sich nicht zum ersten Mal, ob seine Schwäche in Bezug auf Frauen eher – wozu er als Marxist neigte – aus den *Verhältnissen* zu erklären sei (nämlich aus der Tatsache, dass er den größten Teil seiner Jugend im Lager verbracht hatte) oder ob sie angeboren war, ob er sie tatsächlich von seinem Vater, den Charlotte als unglaublichen Schwerenöter darstellte, *geerbt* hatte.

– Nun erzähl mal, forderte Irina ihn auf. Wie war es?

– Anstrengend, sagte Kurt.

Und das entsprach ja der Wahrheit.

Und es entsprach auch der Wahrheit, dass er täglich im Archiv gewesen war. Und dass er auf dem Symposium einen unplanmäßigen Vortrag hatte halten müssen. Dass der Verlag ihm einen Vorschuss gezahlt und dass die Zeitschriftenredaktion ihn um einen Artikel gebeten hatte. Dass Jerusalimski ihn zum Essen eingeladen und mit ihm eine Stadtrundfahrt gemacht hatte – das alles entsprach der Wahrheit, und fast begann ihm, während er erzählte, selbst einzuleuchten, dass zwischen alledem für ein Techtelmechtel gar keine Zeit gewesen war.

Auch dass er Sehnsucht gehabt hatte, entsprach der Wahrheit. Und dass er einsam gewesen war zwischen all den wohlgesinnten Menschen, von denen er keinen so gut kannte, dass er es gewagt hätte, die Fragen, die ihn beunruhigten, auch nur anzutippen – zum Beispiel die Frage, inwieweit, nach Ansicht seiner Kollegen, eine Re-Stalinisierung der Sowjetunion drohte, nachdem der tölpelhafte, aber doch irgendwie sympathische Reformer Nikita Chruschtschow (ohne den er, Kurt, noch immer als «Ewig Verbannter» hinterm Ural säße) als Parteichef abgelöst worden war.

– Und ich war auf dem Nowodewitschi, sagte er.

Und Irina sagte:

– Machst du mir eine Zigarette an?

Genau genommen sagte sie: Maachst du mir Sigarjete? Und Kurt sagte:

– Ich maache dir Sigarjete.

Er zündete zwei Zigaretten an, eine für Irina, eine für sich. Sog den Rauch ein und spürte jetzt tatsächlich die Erschöpfung, die er in seiner Erzählung über das anstrengende Moskau beschworen hatte. Es fröstelte ihn sogar. Er betrachtete seine beschämend attraktive Frau und dachte, schon jetzt ein wenig erregt, an den Abend, der ihm bevorstand.

Sascha hatte es vorgezogen, zu Hause zu bleiben. Früher hätte er keine Gelegenheit ausgelassen, zum Flughafen mitzufahren, aber die Phase, wo er Flugzeugkonstrukteur werden wollte, war vorbei. Stattdessen nahm er jetzt mit dem Tonbandgerät neumodische Musik im RIAS auf und trieb sich bis in die Dämmerung mit zweifelhaften Freunden herum, darunter ein frühreifes Mädchen aus der Parallelklasse, das aus halb asozialen Verhältnissen stammte und jetzt schon, mit zwölf, einen ansehnlichen Busen unter dem schmuddelig blauen Pullover trug.

Entsprechend verhalten reagierte Sascha auf das kleine Geschenk, das Kurt ihm aus Moskau mitgebracht hatte – es war Juri Gagarins «Moja doroga w kosmos» – Mein Weg in den Kosmos.

– Danke schön, leierte er, ohne das Buch auch nur anzusehen.

Er würde sich mehr um den Jungen kümmern, beschloss Kurt. Sein Russisch wurde immer stockender. Auch seine

Leistungen in der Schule ließen zu wünschen übrig. Kürzlich hatte er eine Drei mit nach Hause gebracht: eine Drei! Kurt erinnerte sich nicht, überhaupt je eine Drei bekommen zu haben. Eine Drei, fand Kurt, fiel schon in den Bereich des Unanständigen.

Nach einem Geschenk für Irina hatte er in Moskau vergeblich gesucht. Was konnte man ihr mitbringen? Gegen jede Art russischer Folklore war sie geradezu allergisch, und auch sonst, hatte Kurt festgestellt, gab es im Land der Großen Sozialistischen Oktoberrevolution eigentlich nur Mist, und so hatte er im letzten Moment eine Flasche «Sowjetskoje Schampanskoje» gekauft, die er, als Sascha im Bett war, unter ausschweifenden Entschuldigungen auspackte. Dann nahm er ein heißes Bad, Irina entkorkte das Schampanskoje und offenbarte ihm, nachdem sie sich einen winzigen Rausch angetrunken hatten, die Überraschung: Das Schlafzimmer war fertig. Er hatte es schon geahnt, und doch staunte er, fühlte sich – ein weiteres Mal – vor Irina schuldig. Rätselhaft war das: Fünf Jahre lang war er überzeugt gewesen, dass Irina mit ihrem Umbau übertrieb; fünf Jahre lang hatte er versucht, den Umbau auf das Notwendige zu reduzieren, und wenn er ganz ehrlich war: Am liebsten hätte er einfach mal alles ordentlich angestrichen, und fertig. Ja, er hatte es eilig! Die Zeit verrann, sein spät in Gang gekommenes Leben. Er hatte nachts Panikattacken bekommen. Es hatte ihm Angst gemacht, wenn Irina einfach irgendwelche Wände einreißen ließ, wenn er die Rohre und Leitungen sah, die da heraushingen, dieses ganze Zeug, das ja irgendwie wieder in die Wände hineinmusste. Er hatte, auch das war vorgekommen, türenknallend das Haus verlassen, sooft er mitbekam, dass Irina Unsummen ausgab, weil es unbedingt *diese* Tür, *dieses* Holz, *dieses* Rot sein musste, aber am Ende, das musste er zugeben, hatte Irina doch irgendwie recht behalten, auch wenn sie, und das war das Rätselhafte, im Einzelnen immer unrecht gehabt hatte.

Es war ein herrliches, ein wunderbares Schlafzimmer. Im Grunde ganz schlicht: Nur das Bett stand darin, ein einfaches, ungeteiltes Doppelbett, das es so in der ganzen DDR nicht zu kaufen gab, dazu der alte Schrank, über den Kurt zuerst bloß gelacht hatte. Der Teppichboden war weiß, weiß auch die Wände, nur die Wand an der Stirnseite des Bettes war karminrot, und an dieser Wand hing, flankiert von zwei Leuchten, ein riesiger ovaler, von einem breiten, verschnörkelten Goldrahmen eingefasster Spiegel, dessen übermäßige Neigung keinen Zweifel über seinen Zweck zuließ.

– Was wohl die Handwerker gedacht haben, murmelte Kurt.

– Die haben schon das Richtige gedacht, sagte Irina und führte seine Hand unter ihren Rock, wo Kurt zwischen Slip und Strumpf ein Stück nackter, sich zu einem feinen Pölsterchen wölbender Haut erspürte ...

– Verrückt, sagte Kurt, als sie später nebeneinander auf dem Bett lagen. Eben, im Sektrausch, als sie irgendwie übereinander und ineinander gewesen waren, hatte er für Augenblicke das Gefühl gehabt, er würde sich verdoppeln – nicht nur bildlich, sondern *tatsächlich*. Für Augenblicke, so erklärte er Irina, sei es ihm vorgekommen, als habe er mehr als nur zwei Arme und Beine gehabt und mehr als nur einen «Chui», sagte er – über Anstößiges sprachen sie russisch.

Und Irina, noch immer in Wallung, umschlang seinen Leib mit den Beinen und flüsterte ihm ins Ohr:

– Ich glaube, ich sollte meine Freundin Vera mal einladen ...

166

Am nächsten Morgen stand Kurt spät auf: um acht. Es war Sonntag, und Kurt hatte sich – unter Aufbietung seiner ganzen Disziplin – mit den Jahren angewöhnt, am Sonntag *nicht* zu arbeiten, ja er hatte sogar gelernt, sich auf den arbeitsfreien Sonntag zu freuen.

In Schlafanzug und Bademantel betrat er die Küche und deklamierte stehend und mit Pathos den Vierzeiler, den er sonntags beim Rasieren zu dichten pflegte, um seine Familie zu erheitern. Der heutige lautete:

Aus Moskau komm ich angehoppelt
und fühle meine Kraft verdoppelt.
Mit Heiterkeit, schon beim Rasieren,
will ich euch alle infizieren.

Sascha verzog das Gesicht. Irina lächelte still, während sie Kurt Kamillentee eingoss. Sie bestand darauf, dass er vor dem Kaffee eine Tasse Tee trank, wegen des Magens, und Kurt tat ihr den Gefallen.

Beim Frühstück eröffnete ihm Irina, dass sie heute noch einmal losmüsse: Gojkovic komme, der jugoslawische Schauspieler, der in dem Indianerfilm, den die DEFA drehen wollte, die Hauptrolle spielte.

Kurt schluckte. Weißbrotkrümel kratzten in seinem Hals. Seit Irina – er wusste im Grunde gar nicht als *was* – bei der DEFA arbeitete, kam es öfter vor, dass sie ihn in dieser Weise enttäuschte. Angeblich war es eine Halbtagsstelle, aber in Wirklichkeit arbeitete sie oft bis in die Nacht oder am Wochenende, und alles für nichts, denn am Ende verpulverte sie bei alldem mehr Geld, als sie verdiente, dachte Kurt. Sagte aber nichts. Nahm einen Schluck Kaffee, spülte die Weißbrotkrümel runter. Ja, natürlich hatte auch Irina ein Recht zu arbeiten. Wenngleich es eine höchst seltsame Arbeit war, mit irgendwelchen Schauspielern im Gästehaus der DEFA zu sitzen und Wodka zu saufen. Oder mit diesem Indianer durch die Gegend zu fahren. Kurt hatte ein Foto gesehen: Muskelprotz. Ließ sich mit nacktem Oberkörper fotografieren, unglaublich.

– Das Mittagessen steht auf Herd, sagte Irina. Und um vier bin ich zu Hause.

Nachdem Irina gefahren war, ging Kurt, noch immer in Bademantel und Schlafanzug, in sein Zimmer. Er drehte die Heizung auf, setzte sich auf den Heizkörper. Betrachtete, während er die zunehmende Hitze am Hintern spürte (ja, auch die Gasheizung war eine gute Idee gewesen!), die schwedische Importbücherwand, die Irina ihm vermittels irgendwelcher undurchsichtigen (hoffentlich nicht kriminellen!) Transaktionen beschafft hatte. Fünf Jahre lang hatte er seine Bücher in Kisten von Zimmer zu Zimmer geschleppt. Jetzt standen sie da in vollkommener Ordnung, ein Anblick, der Kurt immer aufs Neue befriedigte – nur warum er den Krichatzki, das kleine, zerfledderte Lateinlehrbuch, das er zehn Jahre lang mit durchs Lager geschleppt hatte, bei seinen eigenen Werken eingeordnet hatte, war Kurt plötzlich unklar. Er nahm das Buch heraus, wusste aber nicht recht, wohin damit (kein Nachschlagewerk, keiner Periode zuzuordnen) – und stellte es wieder zurück.

Dann holte er die Vorträge und Zeitschriften seiner Moskauer Kollegen heraus, die Zettel mit Telefonnummern und Adressen, der übliche Kram, den man von so einer Reise mitbrachte, das meiste war Mist, selbstverständlich, die meisten Telefonnummern würde er, nachdem er sie sorgfältig in sein Telefonbuch übertragen hatte, nie anrufen; die meisten Vortragsmanuskripte würden eine Weile in seinem Zimmer herumliegen, bis er sie, nach Wahrung einer Anstandsfrist, wegwarf. Kurt legte die Kopien, die er sich im Archiv hatte machen lassen, beiseite – und haute den Rest in den Papierkorb. Holte die Zettel mit Adressen und Telefonnummern wieder heraus, begann sie zu sortieren. Hielt auf einmal eine namenlose Nummer in der Hand, brauchte ein paar Sekunden, um zu begreifen, zu wem die Nummer gehörte ... und war einen Augenblick versucht, sie aufzuheben, als Rache für Gojkovic – aber dann musste er an den gestrigen Abend denken, an den goldenen Spiegel, an seine wundersame Verdopplung und an das Versprechen, das Irina ihm ins Ohr gehaucht und das sich sofort mit einem Bild verbunden hatte, das jetzt wieder vor seinen Augen aufstieg – gerade in dem Moment, als es draußen klingelte.

Rasch steckte er den Zettel in die Bademanteltasche und marschierte zur Haustür, noch immer das Bild vor Augen, es war ein Bild aus dem vergangenen Sommer, Urlaub am Schwarzen Meer, wo sie zusammen mit Vera gewesen waren, zufällig übrigens, denn sie hatten Vera überraschend im Transitraum getroffen, Kurt hatte sie nur flüchtig gekannt, eine ehemalige Kollegin Irinas aus deren Zeit im Archiv der Neuendorfer Akademie, die, wie sich herausgestellt hatte, zu ihrer Reisegruppe gehörte und die, da sie, wie sich ebenfalls herausstellte, neuerdings geschieden war, allein nach Nessebar flog, und von dort – vom Strand in Nessebar – stammte auch das Bild, das Kurt, wie flüchtig auch immer, bei den zehn oder zwölf oder vierzehn Schritten vom Schreibtisch bis zur Haustür durch den Kopf ging. Alle drei waren nämlich das erste Mal an einem südlichen Meer gewesen, und alle drei waren beim Betreten des Strandes überrascht gewesen, wie *heiß* der Sand in Nessebar war, Kurt hatte unwillkürlich begonnen, von einem Fuß auf den anderen zu hüpfen, und dasselbe taten die Frauen, plötzlich hüpften sie alle drei, ein alberner kleiner Tanz, den sie aufführten, und was bei diesem Tanz mittanzte, waren Veras auf wundersame Weise oder vielleicht einfach durch einen sich lösenden Bademantelgürtel zum Vorschein kommende *Dinger*, dachte Kurt, denn er wusste kein anderes Wort dafür, es waren wirklich *Dinger*, schwere weiße, von winzigen blauen Äderchen durchzogene *Dinger*, die noch vor Kurts Nase tanzten, als er die Haustür öffnete und in ein rundes, schief lächelndes Gesicht blickte, das er einige Sekundenbruchteile später als das Gesicht seines Parteisekretärs Günther Habesatt identifizierte.

– Nanu, sagte Kurt.

– Entschuldige, sagte Günther und trat von einem Bein auf das andere, als müsste er dringend pinkeln.

Aber Günther musste nicht pinkeln. Eine Weile stand er, noch immer von einem Bein aufs andere tretend, in der Mitte von Kurts Zimmer herum, äußerte sich bewundernd über das Haus und das Zimmer und die schwedische Importbücherwand, lehnte Kaffee ab, bat aber um ein Glas Wasser und ließ sich dann in einem der schon etwas abgeschabten Schalensessel nieder, die aus Charlottes Haus stammten und in dem sich Günthers beträchtliche Körpermasse verteilte wie in einer Badewanne. Insgeheim verachtete Kurt dicke Menschen. Günther war im Großen und Ganzen ein netter Kerl, hilfsbereit, kein Intrigant, aber doch ein eher schwacher, ein anfälliger Mensch, das jedenfalls glaubte Kurt aus der Tatsache schließen zu können, dass Günther sich, wenngleich widerstrebend (oder jedenfalls den Anschein des Widerstrebens erweckend), hatte verpflichten lassen, Parteisekretär zu werden. Auch Kurt hatte man angesprochen, aber er hatte – selbstverständlich – abgelehnt.

Nachdem er das Glas Wasser – scheinbar ganz ohne zu schlucken – in seinem großen Körper hatte verschwinden lassen, schaute Günther sich noch einmal im Raum um, als könnte er jemand übersehen haben, und begann mit gesenkter Stimme und unter Kopfwackeln und Augenverdrehen den Grund seines Erscheinens zu erläutern. Die Angelegenheit war ebenso einfach wie dumm. Paul Rohde, ein immer schon etwas übermütiger und nicht immer disziplinierter Mitarbeiter aus Kurts Arbeitsgruppe, hatte in der ZfG das Buch eines westdeutschen Kollegen besprochen, in dem die sogenannte Einheitsfrontpolitik der KPD Ende der zwanziger Jahre kritisch beleuchtet wurde (welche, wie jedem klar war, in Wirklichkeit natürlich eine Spalterpolitik gewesen war, die die Sozialdemokratie verunglimpft und das Erstarken des Faschismus auf schlimmste Weise befördert hatte!), und dann hatte Rohde dem westdeutschen Kollegen persönlich seine Rezension geschickt, versehen mit der Bemerkung, er möge entschuldigen, dass sie so negativ sei, die gesamte Arbeitsgruppe finde das Buch klug und interessant, *aber in der DDR sei es leider noch längst nicht so weit, dass das Thema Einheitsfrontpolitik offen diskutiert werden könne* ...

Etwas Derartiges an einen westdeutschen Kollegen zu schreiben war natürlich unglaublich dumm, aber ... irgendetwas kapierte Kurt nicht. Mit wachsendem Unbehagen hörte er sich an, wie Günther vom Fortgang der Sache berichtete, welcher, kurz gesagt, darin bestand, dass die Abteilung Wissenschaft des Zentralkomitees der SED eine harte Bestrafung des Genossen Rohde forderte, welche morgen, am Montag, auf der Parteiversammlung beschlossen werden sollte, und bei dieser Gelegenheit – *du weißt ja, wie's ist* – wurden von Rohdes Kollegen, besonders aber von den

Kollegen der Arbeitsgruppe, und ganz besonders von Kurt, dem Leiter der Arbeitsgruppe, «spontane» Stellungnahmen erwartet, und darüber, erklärte Günther, habe er Kurt vorab informieren wollen, ganz im Vertrauen, versteht sich ...

– Und woher, entschuldige, kennst du eigentlich den Inhalt des Briefes?

Günther schien ihn nicht zu verstehen.

– Na, vom ZK, sagte er.

– Und das ZK?

Günther verdrehte die Augen, hob seine dicken Arme und sagte dann:

– Tja.

Nachdem Günther gegangen war, zog Kurt seine Arbeitsklamotten an und ging in den Garten. Das Wetter war gut, und gutes Wetter musste man irgendwie nutzen. Er holte die Harke heraus, aber es war kaum Laub da, also überlegte er, ob er irgendetwas beschneiden könnte. Aber er war sich nicht sicher, die Knospen kamen bereits, womöglich war es zu spät zum Beschneiden. Und obwohl er den Gedanken ans Beschneiden schon wieder aufgegeben hatte, suchte er noch eine Weile die Gartenschere, ohne sie allerdings zu finden. Stattdessen fand er ein paar Tulpenzwiebeln und beschloss, sie einzupflanzen. Eine Zeitlang ging er im Garten herum und schaute nach einem geeigneten Platz, konnte sich aber für keinen entscheiden. Sein Magen meldete sich: ein Grummeln, das Kurt für Hunger zu halten beschloss. Er brachte die Tulpenzwiebeln wieder in den Schuppen.

Als er das Haus betrat, drang aus Saschas Zimmer laute Musik: Beatmusik, die er neuerdings hörte. Kurt klopfte an, trat ein. Sascha drehte die Musik ein wenig leiser. Er saß am Schreibtisch, das Tonbandgerät stand direkt vor ihm, das

Lehrbuch daran gelehnt, er war gerade dabei, irgendetwas in ein Schulheft zu schreiben.

– Du kannst bei dem Lärm keine Hausaufgaben machen, sagte Kurt.

– Is bloß Bio, teilte Sascha mit, während er mit einem kleinen silbernen Kreuz spielte, das er an einem Kettchen um den Hals trug.

– Nanu, sagte Kurt, bist du jetzt christlich?

– Nee, belehrte ihn Sascha. Ist ein Gammlerkreuz.

Gammler. Das Wort kannte Kurt aus dem Fernsehen – aus dem Westfernsehen. Dort war neuerdings öfter von Gammlern die Rede: langhaarigen Gestalten, die Kurt irgendwie mit dieser neuen Musik in Verbindung brachte und die, so viel war klar, Arbeit grundsätzlich ablehnten.

– So, sagte Kurt. Willst du mal Gammler werden.

Sascha grinste.

Kurt drehte sich um, war schon dabei, das Zimmer zu verlassen, blieb aber noch einmal stehen.

– Mein Leben lang, sagte er, versuche ich dich zum Arbeiten zu erziehen. Und du ...

Und auf einmal hörte er sich schreien:

– Du wirst Gammler! Mein Sohn wird Gammler!

Er riss das Tonbandgerät an sich, das mit einem kläglichen Rülpser verstummte, und marschierte los. Erst als er in seinem Zimmer ankam, bemerkte er, dass er das Kabel abgerissen hatte.

Noch während er duschte – er war zwar nicht dreckig geworden, aber nach Gartenarbeit duschte man nun mal –, ging ihm die Szene durch den Sinn. Er ärgerte sich, eigentlich über sich selbst, versuchte aber umso mehr, seinen Wutanfall zu rechtfertigen. Gewiss bestand keine akute Gefahr, dass Sascha «Gammler» wurde. Aber seine lasche Haltung, seine Faulheit, sein Desinteresse für alles, was er, Kurt, für wichtig und nützlich hielt ... Wie konnte man dem Jungen nur begreiflich machen, worauf es ankam? Der Junge war intelligent, keine Frage, aber irgendwas fehlte ihm, dachte Kurt. *Irgendetwas dadrinnen.*

Der Krichatzki kam ihm in den Sinn, schon zum zweiten Mal heute: das Lateinbüchlein, das er durchs Lager geschleppt hatte, und einen Augenblick dachte er darüber nach, inwieweit die Sache pädagogisch verwertbar sei: dass er sich *sogar im Arbeitslager* auf das Latinum vorbereitet hatte – etwas in dieser Art ging Kurt durch den Kopf, aber das war, musste er sich eingestehen, Unsinn. Er hatte sich im Lager nicht aufs Latinum vorbereitet. Er hatte gehungert. Und der Hunger hatte ihn dermaßen blöd gemacht, dass er sich manchmal gefragt hatte, ob der Schaden noch reparabel war. Viel hat jedenfalls nicht gefehlt, dachte Kurt und erinnerte sich, während er seine Beine mit der Körperbürste zu bearbeiten begann, dunkel an merkwürdige, halb wahnsinnige Zustände, die ihn heimgesucht hatten, erinnerte sich an die Stimme, die nach und nach das Kommando übernommen hatte, unbeteiligt, gleichgültig und immer – seltsam – in der dritten Person: Jetzt friert er ... Jetzt tut es ihm weh ... Jetzt muss er aufstehen ...

Stopp. Falsches Programm. Das Bürsten nach dem Kaltduschen gehörte zum Morgenritual, in das er versehentlich hineingerutscht war. Kurt legte die Bürste weg, betrachtete sich im Spiegel. Manchmal fiel es ihm schwer zu glauben, dass es ihn tatsächlich noch gab. Und dann kam ihm die Vergangenheit vor wie ein Loch, in das er, wenn er nicht aufpasste, wieder hineinfallen konnte. Irgendwann einmal, dachte er sich, würde er das alles aufschreiben. Wenn die Zeit reif dafür war.

Er zog sich an und machte sich ans Aufwärmen des Mittagessens. Es gab Rindsgulasch mit Rotkohl. Sascha kam – ohne Gammlerkreuz. Setzte sich an den Tisch, krumm, sein Blick bohrte sich in den Teller. Er stocherte mit der Gabel im Rotkraut herum, schob die Blättchen einzeln in den Mund. Noch immer, auch mit zwölf Jahren, hatte er die Angewohnheit, alles getrennt zu essen: Fleisch und Beilagen. Aber Kurt entschied, über das alles hinwegzusehen. Stattdessen versuchte er es noch einmal «vernünftig»:

– Ich habe dir immer erlaubt, sagte Kurt, deine Musik zu hören – oder nicht?

Sascha stocherte im Rotkohl.

– Oder nicht, wiederholte Kurt.

– Ja, sagte Sascha.

– Aber wenn deine Begeisterung für diese Beatmusik dazu führt, dass du Gammler werden willst, dann muss ich dir sagen, dass deine Lehrer recht haben, wenn sie so was verbieten. Trägst du das Ding etwa auch in der Schule?

Sascha stocherte im Rotkohl.

– Ich frage dich: Trägst du das Kreuz auch in der Schule?

– Ja, sagte Sascha.

Kurt merkte, wie der Ärger erneut in ihm aufstieg.

– Bist du denn wirklich so dämlich?

Kurt kaute zweiunddreißig Mal, wie der Internist es ihm geraten hatte, legte dann das Besteck aus der Hand und betrachtete seinen Sohn, der noch immer im Rotkohl stocherte. Betrachtete die schmalen Handgelenke (genauer: das rechte Handgelenk; das linke war unter der Tischplatte verschwunden), die großen, gebogenen Wimpern, die er von Irina geerbt hatte (und über die Sascha sich, weil sie angeblich mädchenhaft aussahen, ärgerte), die schwer dressierbaren Locken, die von ihm, von Kurt, stammten (und derentwegen es in der

Schule immer wieder Ärger gab, weil ein hundertprozentig linientreuer Direktor bei jedem Millimeter, der an den Ohren überstand, den Einfluss einer westlich-dekadenten Jugendkultur witterte). Und plötzlich empfand er ein unbändiges, fast schmerzliches Bedürfnis, diesen Menschen vor all dem Ungewissen, das noch auf ihn zukam, zu beschützen.

In der Nacht rumorte sein Magen. Am Morgen verordnete Irina ihm eine Rollkur. Am Vormittag versuchte Kurt mit einem Heizkissen unter dem Pullover, noch ein wenig an seinem neuen Buch über Hindenburg zu arbeiten. Dann machte er sich, nur mit einer Hühnerbrühe im Bauch, auf den Weg.

Die Fahrt ins Institut war – seit dem Mauerbau – lang geworden. Früher waren die S-Bahnen direkt durch Westberlin gefahren, und für diejenigen, die angewiesen waren, die Westsektoren nicht zu betreten, hatte es Sonderzüge gegeben, die zwischen Friedrichstraße und Griebnitzsee nicht hielten. Nun gab es den «Sputnik», der Westberlin weiträumig umkreiste. Um ihn zu erreichen, musste Kurt zuerst mit dem Zubringerbus zum Bahnhof Drewitz und von dort aus eine Station bis Bergholz, das auf dem Sputnik-Ring lag. Mit dem Sputnik kam er, wenn es gutging, bis Ostbahnhof, und schließlich fuhr er noch fünfzehn Minuten mit der S-Bahn bis Friedrichstraße. Zum Glück musste er diese Tour nur an wenigen Tagen auf sich nehmen, denn zu den erfreulichen Seiten des notorischen Mangels in der DDR gehörte, dass es auch an Büroräumen mangelte, weshalb die Mitarbeiter des Instituts für Geschichtswissenschaft angehalten waren, ihre, wie es hieß, häuslichen Arbeitsplätze zu nutzen. Die Besprechungen seiner Arbeitsgruppe legte Kurt für gewöhnlich auf den sowieso obligatorischen Montag. Im Übrigen drückte er sich, wo es nur ging, ließ sich, da er als Neuendorfer den weitesten Weg hatte, von zweitrangigen Veranstaltungen beurlauben, schwänzte sogar, entschuldigte sich mit schwer überprüfbaren Busverspätungen oder schob seine angegriffene Gesundheit vor: die Magenprobleme, die er, ohne es direkt auszusprechen, als eine Folge der Lagerhaft darzustellen verstand, was ihm bei seinen Vorgesetzten, auch wenn sie von seinen Lagererfahrungen mehr ahnten als wussten, verschämtes Verständnis einbrachte – und zwar ohne dass er bei alldem ein schlechtes Gewissen gehabt hätte. Im Gegenteil, er betrachtete jede vermiedene Sitzung als gewonnene Arbeitszeit. Was für Kurt zählte, waren geschriebene Seiten, und in dieser Hinsicht – was die Anzahl der wissenschaftlichen Publikationen betraf – hielt er den unangefochtenen Rekord.

Von der Friedrichstraße aus waren es nur noch fünf Minuten zu Fuß. Das Institut lag schräg gegenüber der Universität in der Clara-Zetkin-Straße, eine ehemalige Mädchenschule, gebaut in der Gründerzeit, Sandsteinfassade, vom Kohlenruß mit den Jahren geschwärzt und noch immer, auch zwanzig Jahre danach, gezeichnet von Einschusslöchern aus den letzten Kriegstagen. Am Pförtner vorbei führte eine pompöse Freitreppe ins Hochparterre, wo sich die Leitung des Instituts breitgemacht hatte. Kurts Abteilung lag im obersten Stock. Der bescheidene Versammlungsraum war schon stark gefüllt, als Kurt ankam, man musste noch Stühle aus dem Sekretariat holen; allerdings klumpten die zusätzlich hereingebrachten Stühle im hinteren Teil des Raumes zusammen, während es vorn, wo gerade das kleine Präsidium Platz nahm, zunehmend dünner wurde.

Das Präsidium bestand aus Günther Habesatt, dem Institutsdirektor und einem Gast aus der Abteilung Wissenschaft des Zentralkomitees der SED, welchen Günther als den Genossen Ernst vorstellte. Der Mann war ungefähr in Kurts Alter. Er war nicht sehr groß, eindeutig kleiner als Günther und der Direktor, hatte graue, kurzgeschorene Haare und ein Gesicht, das ständig zu lächeln schien.

Nachdem Günther – steif und ganz ohne Augenverdrehen – die Versammlung eröffnet und den einzigen Tagesordnungspunkt verlesen hatte, übernahm der Genosse Ernst das Wort und begann, flankiert von Günthers Beerdigungsgesicht und dem pointierten Nicken des Institutsdirektors, über die *komplizierter werdende internationale Lage* und den *sich verschärfenden Klassenkampf* zu berichten. Anders als Günther sprach der Genosse Ernst flüssig, beinahe eloquent, mit dünner, aber durchdringender Stimme, die sich, wenn er etwas hervorheben wollte, einschmeichelnd senkte – und die Art, wie er redete, kam Kurt auf einmal bekannt vor, oder war es die seltsame Angewohnheit, sein Notizbuch umzublättern, ohne hineinzuschauen, während er von den *revisionistischen und opportunistischen Kräften* sprach, innerhalb deren, so der Genosse Ernst, der *Hauptfeind* zu suchen sei, und bei dem Wort *Hauptfeind* senkte sich seine Stimme, und Kurt entdeckte Paul Rohde, der offenbar schon die ganze Zeit in unmittelbarer Nähe des Präsidiumstisches gesessen hatte, grau, geschrumpft, den Blick ins Leere gerichtet, erledigt, dachte Kurt. Paul Rohde war erledigt, Parteiausschluss, fristlose Entlassung, plötzlich war es ihm klar. Hier ging es schon gar nicht mehr um Paul Rohde. Hier ging es längst nicht mehr um irgendeinen verdammten Brief. Hier geschah das, was Kurt seit langem, genauer gesagt, seit der Ablösung Chruschtschows (aber eigentlich auch schon vor der Ablösung Chruschtschows) befürchtet hatte, Anzeichen hatte es schließlich genug gegeben, nur dass diese Anzeichen keine Anzeichen gewesen waren, begriff Kurt jetzt, sondern die Sache selbst: Das letzte Plenum, auf dem man kritische Schriftsteller niedergemacht hatte, die Absetzung des Kulturministers, der Bruch mit Havemann, *das* war es, es war *da*, es war im Institut, in Gestalt dieses Mannes mit dem Gesicht, das ständig zu lächeln schien, mit der sich einschmeichelnd senkenden Stimme, mit dem Notizbuch, in dem er blätterte, ohne hineinzuschauen, während er die Versammlung aufklärte über die *Rolle der Geschichtswissenschaft in den Kämpfen unserer Zeit* und über den *Zusammenhang von Parteilichkeit und historischer Wahrheit.*

Es war still geworden im Raum, eine Stille, die sich auch nicht in Hüsteln und Rascheln auflöste, als der Redner zum Ende kam. Nun war Rohde dran: Selbstkritik. Kurt hörte Rohde seinen auswendig gelernten Text stoßweise herauspressen, jedes Wort vorher abgesprochen, ganz klar, Kurt hörte ihn schlucken, die Pausen dehnten sich unerträglich, bis sich Worte wie *feindlich ... verantwortungslos ... gehandelt ...* langsam zu satzartigen Gebilden fügten.

Dann bat Günther um Stellungnahmen. Der Abteilungsleiter meldete sich «spontan» zu Wort, verurteilte den Kollegen Rohde, welcher ihn schwer enttäuscht habe, und entschuldigte sich dann, unter dem beifälligen Nicken des Genossen Ernst, für seine *mangelnde Wachsamkeit.*

Dann war Kurt dran, das war die Reihenfolge. Kurt spürte, wie sich die Aufmerksamkeit auf ihn richtete. Sein Hals war trocken. Sein Kopf war leer. Er war selbst überrascht über den Satz, den er hervorbrachte:

– Ich bin nicht sicher, ob ich verstanden habe, worum es geht, sagte Kurt.

Der Genosse Ernst kniff die Augen zusammen, als könne

er Kurt schlecht erkennen. Noch immer konnte man glauben, dass er lächelte, aber sein Gesicht hatte sich in etwas Gemeines, Schweinsartiges verwandelt.

Einen Augenblick herrschte Schweigen, dann beugte Günther sich zu dem Schweinsgesicht hin. Es war jetzt so still im Raum, dass Kurt hören konnte, was Günther flüsterte:

– Der Genosse Umnitzer war letzte Woche in Moskau.

Das Schweinsgesicht sah Kurt an, nickte.

– Genosse Umnitzer, niemand zwingt dich, hier Stellung zu nehmen.

Und an alle gewandt ergänzte er:

– Wir führen ja hier keinen Schauprozess durch, nicht wahr, Genossen?

Er lachte. Irgendwer lachte mit. Erst als der nächste Kollege sprach, merkte Kurt, dass seine Hände zitterten.

Seine Hand zitterte noch immer, als er sie hob, um für den Parteiausschluss Rohdes zu stimmen.

Dann hatte er Durst. Nach der Versammlung stieg er die Treppe hinunter, um dem Ansturm auf die Toiletten im oberen Stock zu entgehen, und als er die Tür der Herrentoilette ein Stockwerk tiefer öffnete, stand er Rohde gegenüber. Rohde sah ihn an, streckte ihm die Hand entgegen.

– Danke, sagte er.

– Wofür, fragte Kurt.

Er zögerte, die Hand zu ergreifen. Sie war, als er sie doch ergriff, kalt und feucht. Aber hoffentlich, dachte Kurt, schon gewaschen.

Kurz vor sechs war Kurt bereits auf dem Ostbahnhof, früher als sonst. Der Zug fuhr pünktlich ab, blieb dann aber eine Station vor Bergholz stehen: Betriebsstörung, der Schaffner bat um ein wenig Geduld.

Nicht dass eine Betriebsstörung auf dieser Strecke etwas Außergewöhnliches gewesen wäre. Aber das halblaute Gerede der anderen Fahrgäste ging Kurt plötzlich auf die Nerven. Er wollte nachdenken, doch in dem stehenden Zug schienen auch seine Gedanken blockiert zu sein. Er stieg aus, überquerte unvorschriftsmäßig die Bahngleise und machte sich auf den Weg. Zwar begann es bereits zu dämmern, aber bis Neuendorf waren es keine zehn Kilometer. Er kannte die Gegend, hier hatten sie im Herbst einmal Pilze gesucht. Statt jedoch der Straße zu folgen, die einen umständlichen Bogen über ein Nachbardorf beschrieb, nahm Kurt von Schenkenhorst aus einen Fahrweg, der ihn ein Stück nordwestlich wieder zur Straße führen würde – auf seinen Orientierungssinn konnte er sich verlassen.

Er ging zügig, wenngleich seine Knie vor Hunger schon etwas weich waren. Am Ostbahnhof hatte er noch erwogen, eine Currywurst zu kaufen, hatte es dann aber, aus Angst vor Magenbeschwerden, unterlassen. Nun rutschte das Hungergefühl allmählich in die Kniekehlen, Unterzuckerung nannte man das. Kein Grund zu Beunruhigung. Kurt wusste, wie lange der Körper trotz Hunger noch zu funktionieren imstande war: lange. Der Himmel bewölkte sich. Unwillkürlich beschleunigte Kurt den Schritt. Allmählich kamen die Bilder von der Parteiversammlung wieder ... Das Schweinsgesicht. Die Augen. Die dünne, sägende Stimme: *Wir führen ja hier keinen Schauprozess durch* ... An wen, verdammt, erinnerte ihn dieser Mensch?

Der Weg führte jetzt direkt in den Wald. Hier war es schon deutlich dunkler als auf dem freien Feld, und Kurt zögerte. Ob er den Wald lieber umgehen sollte? Doch was war das schon für ein Wald. Ein Wäldchen war das. Wie oft war er durch die Taiga marschiert. Wie oft hatte er in der Taiga übernachtet! Trotzdem stürmte er jetzt im Eilschritt voran. Aber nun krümmte sich der Weg immer weiter nach Osten. Um nicht doch noch die Orientierung zu verlieren, bog Kurt scharf links ab und marschierte geradewegs über den weichen Moosboden ins Dunkle ... Und plötzlich wusste er es:

Lubjanka, Moskau 1941.

Jetzt sah er ihn vor sich. Frappierende Ähnlichkeit: die schmalen Augen, der Bürstenhaarschnitt und sogar die Art, wie er den Aktenordner aufgeschlagen, wie er darin geblättert hatte, ohne hineinzuschauen:

– Sie haben Kritik an der Außenpolitik des Genossen Stalin geäußert.

Der Sachverhalt: Anlässlich des «Freundschaftsvertrags» zwischen Stalin und Hitler hatte Kurt damals an Bruder Werner geschrieben, die Zukunft werde erweisen, ob es vorteilhaft sei, mit einem Verbrecher Freundschaft zu schließen.

Zehn Jahre Lagerhaft.

Wegen antisowjetischer Propaganda und Bildung einer konspirativen Organisation. Die Organisation waren: er und sein Bruder.

Jetzt war ihm der weiche Waldboden unter den Füßen auf einmal unangenehm. In der Ferne glaubte er das Bellen der Bauchsägen zu hören, das unheimliche Brüllen der Baumriesen, wenn sie, sich langsam um die eigene Achse drehend, zu Boden gingen. Und nach einer Weile kamen auch Bilder, flüchtig, zusammenhanglos: Zählappelle bei dreißig Grad minus; der morgendliche Anblick der vereisten Barackendecke, ein Anblick, der verbunden war mit der Erinnerung an die dumpfe Geschäftigkeit von zweihundert Barackenbewohnern, die sich für den Tag fertig machten, an ihre Ausdünstungen, den vom Hunger verdorbenen Atem, den Gestank ihrer Fußlappen, ihres Nachtschweißes, ihrer Pisse ...

Schwer zu glauben, dass er das alles erlebt, dass er es *über-lebt* hatte. Erneut kam ihm der Krichatzki in den Sinn, den er in der Brusttasche zum Arbeitseinsatz geschleppt hatte – sein letzter Privatbesitz, abgesehen von seinem Löffel. Der letzte Beweis dafür, dass irgendwo da draußen noch eine andere Welt existierte. *Deshalb* hatte er den Krichatzki (Zigarettenpapier!) nicht gegen Brot eingetauscht, hatte ihn mitgeschleppt in diesen Winter hinein, den schlimmsten, 1942/43, als es nichts mehr zu tauschen gab, schon gar kein Brot, das jeder selbst auffraß, 600 Gramm bei Normerfüllung, das bedeutet, mit allen Schlechtwetter-Koeffizienten, acht Festmeter Holz zu zweit, vierzehn Bäume täglich, alles mit der Hand, Ein-Meter-Bohlen, entastet, bei 90 Prozent gibt es noch 500 Gramm schlechtes, glitschiges Brot, darunter verhungerst du: Bei 400 Gramm schaffst du die 400-Gramm-Norm nicht mehr, dann geht es abwärts, irgendwann kriegst du den Blick, diesen Blick, den sie kriegen, bevor sie am Morgen steif auf der Pritsche liegen, dann tragen sie dich hinaus, so wie du die anderen hinausgetragen hast, an der Wache vorbei, wo sie kurz noch anhalten, und der Wachhabende drückt seine Machorka aus und nimmt den Hammer, Vorschrift ist Vorschrift, und schlägt dir, dem Toten, den Schädel ein ...

Kurt hatte sich an einen Baum gelehnt – es war eine Kiefer, er erkannte es am Geruch. Er hatte die Augen geschlossen, seine Stirn berührte die Rinde. Noch immer blitzten vereinzelte Bilder auf, aber allmählich wurde es stiller in seinem Kopf. Stattdessen war da ein anderes Geräusch. Eine Art Ächzen. Ein Tier, ein großes Tier? Kurt kannte die Verhaltensregeln: sich tot stellen. Auf den Bauch legen und sich tot stellen, und wenn er dich umdreht (denn genau das taten Bären), dann Luft anhalten. Aufhören zu atmen.

Kurt hörte auf zu atmen, neigte den Kopf nach rechts und sah an der Kiefer vorbei auf eine kleine Lichtung, auf der, in einer Entfernung von zehn, fünfzehn Metern, ein blauer Trabbi stand, der mit schnellen, regelmäßigen Bewegungen auf und ab federte.

Trachajutsja, dachte Kurt: Die ficken.

Er holte seine Brille heraus und prüfte das Kennzeichen – nicht Irina. Nicht der Indianer. Er atmete auf. Der eigene Atem kitzelte ihn im Hals, und sein Ausatmen ging in ein leises, glucksendes Lachen über. Dann schlug er einen respektvollen Bogen um das wippende Fahrzeug und machte sich davon.

Es tröpfelte jetzt ein bisschen, aber der Regen kam nicht in Gang. Offenbar hatte sich ein Gewitter über der Havel verfangen. Kurt hatte die Richtung wieder, schritt jetzt gleichmäßig aus. Nein, er war hier nicht in der Taiga. Weder gab es hier Arbeitslager noch Braunbären, stattdessen standen blaue Trabbis im Wald, in denen die Leute fickten. Wenn das kein Fortschritt ist, dachte Kurt. Und war es nicht auch ein Fortschritt, wenn man die Leute – anstatt sie zu erschießen – aus der Partei ausschloss? Was erwartete er? Hatte er vergessen, wie mühsam die Geschichte sich vorwärtsbewegte? Auch die Französische Revolution hatte unendliche Wirrnis nach sich gezogen. Köpfe waren gerollt. Ein selbstgekrönter Revolutionsgeneral hatte ganz Europa mit Krieg überzogen. *Jahrzehnte* hatte diese – bürgerliche – Revolution gebraucht, um bei ihren Zielen anzukommen. Warum sollte es der sozialistischen Revolution anders ergehen? Man hatte Chruschtschow abgelöst. Irgendwann kam ein neuer Chruschtschow. Irgendwann kam ein Sozialismus, der diesen Namen verdiente – wenn auch vielleicht nicht mehr in seiner Lebenszeit, in jenem winzigen Abschnitt der Weltgeschichte, dessen Zeuge er zufällig war und den er, verdammt nochmal, zu nutzen gedachte – jedenfalls das, was davon übrig geblieben war nach zehn Jahren Lager und fünf Jahren Verbannung.

Es knatterte hinter ihm: Der Trabbi kam. Kurt trat beiseite und hob, was sonst nicht seine Art war, die Hand zum Gruß, blind gegen das Scheinwerferlicht, und empfand, obwohl er niemanden sah, eine glückselige Verschworenheit mit den Fremden im Auto, die – sehr wahrscheinlich – soeben irgendjemanden betrogen hatten.

Jetzt regnete es tatsächlich. Es roch nach Regen und Wald und ein bisschen nach Zweitakter-Abgasen. Kurt atmete tief, atmete alles ein, schnüffelte dem Trabbi hinterher, und der süßliche Abgasgeruch kam ihm auf einmal vor wie der Geruch der Sünde. Es war wunderbar, am Leben zu sein. Wunderbar – und verwunderlich auch. Und wie so oft in diesen Momenten, wenn er es kaum fassen konnte, dass er tatsächlich lebte, dachte er zugleich daran, dass Werner *nicht* mehr lebte: sein großer kleiner Bruder, der Stärkere, immer, der Schönere von beiden ... Aber während der Gedanke an Werner normalerweise mit einem Anflug von schlechtem Gewissen verbunden war, empfand Kurt dieses Mal etwas anderes, Neues, das nicht wie das schlechte Gewissen im Bauch saß, sondern weiter oben, in der Brust, in der Kehle. Es war etwas, das die Kehle verengte und die Brust weitete und das Kurt nach einiger Zeit als Trauer identifizierte. Es war weniger schlimm, als er gedacht hatte. Und es war auch, seltsamerweise, nicht zu trennen von dem Glück, das er empfand, sondern vermischte sich damit zu einer großen, die Welt einschließenden Empfindung. Was ihn schmerzte, war nicht so sehr der Tod, sondern das ungelebte Leben Werners. Zugleich aber empfand er es plötzlich als Trost, dass er an

Werner denken, sich an ihn erinnern konnte, dass sein Bruder, solange er, Kurt, lebte, nicht völlig verschwunden war, dass er – im Gegensatz zu seiner Mutter, die sich die Ohren zuhielt, wenn man von Werner sprach! – seinen Bruder in sich bewahrte, ihn vor der endgültigen Vernichtung bewahrte, und er verstieg sich, während ihm das Regenwasser übers Gesicht lief, zu der (zugegeben unwissenschaftlichen) Vorstellung, er könne für seinen Bruder mitleben, mitatmen, mitriechen, ja sogar – und jetzt fiel ihm seine wundersame Verdopplung ein –, sogar mitficken, dachte Kurt, und Veras *Dinger* erschienen in einem ganz neuen Licht: Mitficken, dachte Kurt, im Namen seines ermordeten Bruders.

1. OKTOBER 1989

Manchmal vergaß er, was zu tun war.

Es kam ihm so vor, als sei er über Nacht erstarrt.

Er rollte probehalber mit den Augen.

Seine linke Hand zuckte.

Er drehte den Kopf zuerst nach rechts, dann nach links.

Er sah, dass ihn aus dem Halbdunkel etwas angrinste.

Wilhelm nahm sein Gebiss aus dem Wasserglas und stand auf.

Er ging ins Bad. Er ließ Badewasser ein. Er brachte die große Höhensonne Typ «Sonja» in Gang und setzte sich, ausgerüstet mit einer dunklen Schutzbrille, in die Wanne.

Sein Kopf war leer. In seinem Kopf war nur das Grummeln des Badewassers. Im Grummeln des Badewassers war eine Melodie. Es war eine Melodie, die er kannte. Eine Art Kampflied, das ihn aber gleichzeitig traurig stimmte. Kämpferisch-traurig. Leider fielen ihm die Worte nicht ein.

Schlamassel, das war das Erste, was Wilhelm an diesem Tag dachte.

Er nickte: Schlamassel – das war es. Er biss seine, wie er sie nannte, volkseigenen Zähne zusammen, um dem Anflug von Melancholie entgegenzuwirken. So blieb er sitzen, bis das Wasser ihm an den Bauchnabel reichte.

Dass sein Rücken bei dieser Bräunungsmethode stets weiß blieb, störte ihn nicht. Niemand sah seinen Rücken.

Nach dem Baden rasierte er sich, wobei er zwei Finger auf seinen Oberlippenbart legte. Er litt zunehmend am grauen Star. Schon des Öfteren hatte er sich versehentlich ein Stück Bart wegrasiert, bis er schließlich zu der Zweifingermethode übergegangen war, um wenigstens den letzten Rest Bart zu bewahren.

Er zog die langen Unterhosen über die kurzen und legte eine Lage mehrfach gefalteten Klopapiers ein. Er zog die Socken an und befestigte sie an den Sockenhaltern. Bedauerlicherweise war der Umfang seiner Waden geringer als der Umfang der Sockenhalter, sodass Wilhelm nichts anderes übrigblieb, als die Sockenhalter, damit sie nicht rutschten, in die Socken zu stopfen.

Er stieg die Treppe hinunter. In seinem Kopf meldete sich wieder die Melodie: kämpferisch-traurig. Er biss die Zähne zusammen. Seine Kniegelenke schmerzten beim Abwärtsgehen. Seine Füße verschleppten den Takt.

Als er in der Diele die vielen leeren Blumenvasen sah, fiel ihm ein, dass er Geburtstag hatte. Anstatt, wie gewohnt, zuerst zum Briefkasten zu gehen, marschierte er in die Küche – bevor er seine Frage vergaß:

– Sind die Blumenvasen beschriftet?

– Herzlichen Glückwunsch, sagte Charlotte.

Sie sah ihn an, die Arme in die Hüften gestemmt, den Kopf auf typische Weise schräg haltend.

Sie sah aus wie ein Vogel.

– Ich weiß, dass ich Geburtstag habe, sagte Wilhelm.

Er setzte sich und löffelte seine Haferflocken. Sie schmeckten nach nichts. Er schob den Teller weg und griff nach seinem Kaffee.

– Vergiss nicht, deine Tabletten zu nehmen, sagte Charlotte.

– Ich nehm keine Tabletten, sagte Wilhelm.

– Du musst aber deine Tabletten nehmen, sagte Charlotte.

– Papperlapapp, sagte Wilhelm und stand auf.

Er marschierte zum Briefkasten, aber der Briefkasten war leer. Es war Sonntag. Am Sonntag gab es kein *ND*. Früher hatte es auch am Sonntag *ND* gegeben, aber das hatten sie abgeschafft. Schlamassel.

Er ging in sein Zimmer und schloss die Tür. Wusste auf einmal nicht weiter – wieder so ein Moment. Wahrscheinlich lag es an den Tabletten. Schon seit einer Weile hegte er diesen Verdacht. Die Starre in den Gelenken. Die Leere im Kopf. Wer weiß, was für ein Zeug sie ihm gab. Die Tabletten machten ihn dumm. Sie machten ihn vergesslich. Sie machten ihn so vergesslich, dass er am Morgen vergaß, dass er sich am Abend vorgenommen hatte, keine Tabletten zu nehmen.

Die Angst, das Gedächtnis zu verlieren. Wilhelm versuchte sich zu erinnern, probehalber: aber an was?

Er ging zum Schrank und kramte den Schuhkarton heraus, in dem er, neben Orden und Medaillen, verschiedene Dokumente seines Lebens aufbewahrte. Er entnahm dem Karton einen Zeitungsartikel, der durch häufiges Falten bereits leicht beschädigt war. Er nahm die Lupe zur Hand und las:

Ein Leben für die Arbeiterklasse.

Darunter ein Bild, auf dem ein Mann mit kahlem Schädel und großen Ohren zuversichtlich in die Zukunft blickte.

Wilhelm fuhr mit der Lupe in die Mitte des Textes. Unter dem Glas rutschten, sich aufwölbend, die Worte hindurch:

... trat im Januar 1919 in die Kommunistische Partei Deutschlands ein ...

Wilhelm überlegte. Natürlich wusste er, dass er 1919 in die Partei eingetreten war. Er hatte es in Dutzenden Lebensläufen geschrieben. Er hatte es Hunderte Male erzählt: den Genossen, den Arbeitern vom Karl-Marx-Werk, den Jungen Pionieren, aber wenn er zurückdachte, wenn er wirklich versuchte, sich an den Tag zu erinnern, dann erinnerte er sich eigentlich nur noch daran, wie Karl Liebknecht zu ihm gesagt hatte:

– Junge, putz dir doch mal die Nase!

Oder war es gar nicht Liebknecht gewesen? Oder war das gar nicht beim Eintritt in die Partei?

Charlotte kam: mit Wasserglas und Tabletten.

– Ich habe zu tun, sagte Wilhelm und strich, um seiner Aussage Nachdruck zu verleihen, mit einem Rotstift den Artikel aus – wie er gewohnheitsgemäß alle Artikel ausstrich, die er gelesen hatte, damit er nichts zweimal las. Glücklicherweise bemerkte er seinen Fehler sofort und wendete das Blatt, bevor Charlotte den Schreibtisch erreichte.

– Wenn du deine Tabletten nicht nimmst, sagte Charlotte, rufe ich Dr. Süß an.

– Wenn du Dr. Süß anrufst, dann sage ich ihm, dass du mich vergiftest.

– Du bist ja vollkommen übergeschnappt.

Charlotte ging – mit Wasserglas und Tabletten.

Wilhelm blieb sitzen und betrachtete sein versehentlich ausgestrichenes Leben. Was nun? Eliminieren, sagte ihm sein konspirativer Instinkt. Er zerriss das Blatt und warf es in den Papierkorb ... Zum Teufel damit. Das Wichtigste stand sowieso nicht drin. Das Wichtigste stand in keinem seiner Dutzend Lebensläufe. Das Wichtigste war sowieso *ausgestrichen*.

Sein anderes Leben. *Lüddecke Import Export.* Die Hamburger Zeit. Seltsam, daran erinnerte er sich ohne Mühe: Sein Hafenbüro.

Nachts der Wind.

Das Versteck für seine *Korowin* Kaliber sechs fünfunddreißig – er würde es heute noch finden.

Jetzt war die Melodie wieder da. Er sah aus dem Fenster. Die Sonne schien. Der Himmel war blau, und zwischen den allmählich vergilbenden Blättern der Eberesche hingen in roten Dolden die Beeren. Ein schöner Tag. Ein herrlicher, wunderbarer Tag, dachte Wilhelm und biss seine Zähne zusammen. Versuchte, es wegzubeißen.

Wofür?

Wofür hatte er seinen Arsch riskiert? Wofür waren die Leute draufgegangen? Dafür, dass irgend so ein Emporkömmling jetzt alles zugrunde richtete?

Tschow, dachte Wilhelm: wie damals Chruschtschow. Seltsam, immerhin, dass beide mit «tschow» aufhörten.

Er nahm den Schuhkarton, ging zum Schrank. Die Orden klapperten, als er ihn hineinstellte.

Er ging in die Diele. Einen Augenblick überlegte er, was zu tun war. Als er die Blumenvasen sah, fiel es ihm ein. Er ging zurück in sein Zimmer und holte die Lupe. Dann griff er eine Blumenvase heraus. Auf der Blumenvase klebte ein Etikett. Auf dem Etikett stand – nichts. Er griff eine zweite Vase heraus: nichts. Er prüfte die dritte ...

Wilhelm marschierte in den Salon.

– Da steht ja nichts drauf, sagte er.

– Wo steht nichts drauf?

– Auf den Blumenvasen.

– Du, ich hab jetzt wirklich Wichtigeres zu tun, sagte Charlotte.

– Verdammt, ich habe gesagt, die Blumenvasen werden beschriftet.

– Dann beschrifte sie doch, sagte Charlotte und nahm eine Tischdecke aus dem Schrank, ohne sich weiter um Wilhelm zu kümmern.

Gern hätte er Charlotte erklärt, dass das blödsinnig war: Jetzt konnte man die Vasen nicht mehr beschriften. *Vorher* hätte man die Vasen beschriften müssen, damit *hinterher* jeder wieder die richtige Vase zurückbekam. Aber es lohnte sich nicht, mit Charlotte zu streiten. Um mit Charlotte zu streiten, war seine Zunge zu schwer, und sein Kopf brauchte zu lange, um Worte aus seinen Gedanken zu machen.

Er marschierte zurück in die Diele. Was war jetzt zu tun? Er blieb stehen, betrachtete ratlos die Blumenvasen, die in Reih und Glied in der Garderobennische standen.

Plötzlich sahen sie aus wie Grabsteine.

Die Haustür ging, Lisbeth kam. Raschelte mit den Kleidern. Brachte den Herbstgeruch mit herein. In der Hand hielt sie einen Strauß Rosen.

– Herzlichen Glückwunsch, sagte sie.

– Lisbeth, du sollst kein Geld für mich ausgeben.

Lisbeth hielt ihm die Blumen hin, strahlte. Ihre Zähne waren ein bisschen schief. Aber ihr Hintern war stramm, und ihre Brüste schwappten durchs Dekolleté wie Wellen durchs Schwimmbecken.

– Aber nachher nimmst du sie wieder mit, befahl Wilhelm. Und jetzt mach mir mal einen Kaffee.

– Aber Charlotte hat's doch verboten, dass ich dir Kaffee mach, flüsterte Lisbeth: Wegen dei'm Blutdruck.

– Papperlapapp, sagte Wilhelm. Du machst mir jetzt Kaffee.

Er ging ins Zimmer und setzte sich an den Schreibtisch. Was war zu tun? Er wusste es nicht, aber da er vor Lisbeth nicht zugeben wollte, dass er es nicht wusste, nahm er seine Lupe zur Hand und suchte ein Buch im Regal. Tat, als würde er ein Buch im Regal suchen. Fand aber den Leguan. Es war ein kleiner Leguan. Er hatte ihn vor langer Zeit mit der Machete erschlagen und ausstopfen lassen. War sehr gut ausgestopft, der Leguan, sah beinahe aus wie lebendig. War aber tot. War tot und verstaubte im Bücherregal, und Wilhelm tat es auf einmal leid, dass er den Leguan mit der Machete erschlagen hatte. Wer weiß, vielleicht würde er heute noch leben? Wie lange lebten Leguane?

Er nahm Meyers Lexikon, Band La bis Lu, und blätterte darin bis «legal».

Dann kam Lisbeth und stellte den Kaffee auf seinen Schreibtisch.

– Pssst, machte sie.

– Komm her, sagte Wilhelm.

Er nahm einen Hundertmarkschein aus seiner Brieftasche.

– Das ist zu viel, sagte Lisbeth.

Kam aber trotzdem. Wilhelm zog sie dicht an sich heran und steckte ihr den Hundertmarkschein ins Dekolleté.

– Du Schlimmer, sagte Lisbeth.

Ihre Wangen röteten sich, wurden noch dicker. Sie wand sich sanft aus seiner Umarmung, nahm das kleine Tablett, auf dem sie den Kaffee gebracht hatte, und ging.

– Lisbeth?

– Ja?

Sie blieb stehen.

– Wenn ich mal tot bin, hat sie mich vergiftet.

– Aber Wilhelm, wie kannst du denn so was sagen.

– Ich sage, was ich sage, sagte Wilhelm. Und ich will, dass du's weißt.

Eine kleine Weile glaubte er noch, den Abdruck ihrer Schwimmbeckenbrüste an seinem Körper zu spüren.

Es klingelte. Wilhelm hörte, wie jemand kam. Dann war nichts zu hören. Grummeln. Dann erschien Schlinger. Mit einem Strauß Nelken.

– Ich geh gleich wieder, sagte Schlinger, ich wollte der Erste sein.

Wilhelm studierte gerade das Lexikon. Leguane, so hatte er inzwischen herausbekommen, wurden bis zu zwei Meter zwanzig lang. Wie alt sie wurden, konnte er leider nicht finden.

– Ich gratuliere dir zum Geburtstag, sagte Schlinger, und wünsche dir, lieber Wilhelm, auch weiterhin viel Schaffenskraft und …

– Bring das Gemüse zum Friedhof, sagte Wilhelm.

Schlinger lachte.

– Immer gut gelaunt, sagte er. Immer einen Scherz auf den Lippen.

– Und, was hat sie gesagt, fragte Wilhelm.

– Wer?

– Charlotte.

Schlinger machte ein dummes Gesicht. Zog die Mundwinkel herunter, die Brauen hoch. Auf seine Stirn legten sich dicke, wurstige Falten.

– Ich weiß schon, sagte Wilhelm. Plemplem, der Alte. Übergeschnappt.

– Aber Wilhelm, du bist doch noch vollkommen …

– Was?

– Ich meine, du bist doch für dein Alter vollkommen …

– Plemplem, sagte Wilhelm.

– Aber nein, du bist doch geistig vollkommen ...

Schlinger fuchtelte mit den Nelken herum.

– Ich bin *ein bisschen* plemplem, sagte Wilhelm. Aber nicht *völlig* plemplem.

– Nein, natürlich nicht, sagte Schlinger.

– Ich merke noch, wo es langgeht.

– Aber klar, sagte Schlinger.

– Nämlich bergab.

Schlinger holte Luft, sagte aber dann doch nichts. Wackelte mit dem Kopf, man wusste nicht, ob er den Kopf schüttelte oder nickte. Dann, plötzlich ernst, mit zusammengekniffenen Augen:

– Es gibt, offen gestanden, Probleme. Aber wir werden sie lösen.

– Papperlapapp, sagte Wilhelm.

Gern hätte er Schlinger erklärt, dass Probleme – solche Probleme – nicht in der Kreisleitung Potsdam gelöst wurden. Gern hätte er ihm erklärt, dass Probleme – solche Probleme – in Moskau gelöst wurden und dass das Problem gerade darin bestand, dass Moskau selbst das Problem war. Aber seine Zunge war zu schwer und sein Kopf zu träge, einen so verzwickten Gedanken in Worte zu fassen. Deswegen sagte er nur:

– Tschow.

Schlingers Stirn legte sich in wurstige Falten. Sein Kopf kam zum Stillstand. Seine Augen schauten schräg nach oben an Wilhelm vorbei.

Plötzlich sah er aus wie ein Leguan.

– Wie alt werden eigentlich Leguane?

– Wie bitte?

– Leguane, sagte Wilhelm. Kennst du keine Leguane?

– Das ist doch so eine Art Reptil.

– Ja, sagte Wilhelm, Reptil.

– Ich denke, sie werden alt, sagte Schlinger. Sein Kopf wackelte, und er machte ein Gesicht, als hätte er etwas Intelligentes gesagt.

Als Schlinger gegangen war, fiel Wilhelm ein, was zu tun war. Er marschierte in den Salon.

– Ich ziehe den Ausziehtisch aus, sagte Wilhelm.

Aber Charlotte sagte:

– Das macht Alexander.

– Das mache ich selbst, sagte Wilhelm.

– Das kannst du nicht, sagte Charlotte. Das macht Alexander.

– Alexander! Seit wann kann Alexander *irgendwas*?

– Diesen Ausziehtisch kann nur Alexander ausziehen, das haben wir doch x-mal probiert.

– Papperlapapp, sagte Wilhelm.

Natürlich konnte er den Ausziehtisch ausziehen. Schließlich hatte er Metallarbeiter gelernt. Was hatte Alexander gelernt? *Was war der eigentlich?* Nichts. Jedenfalls fiel Wilhelm nichts ein, was Alexander sein könnte. Außer unzuverlässig und arrogant. Noch nicht einmal in der Partei war der Kerl. Aber um mit Charlotte zu streiten, war seine Zunge zu schwer und sein Kopf zu träge.

Wer weiß, was sie ihm für Zeug gab. Auch Stalin hatte man ja vergiftet.

Wilhelm ging in die Diele, wo die Grabsteine in Reih und Glied standen. Schwach leuchteten ihre leeren Etiketten im rötlichen Licht. Wofür, dachte Wilhelm. Die Idee, den Rotstift zu nehmen und ihre Namen draufzuschreiben – Wilhelm beherrschte sich. Ohnehin wusste er von den meisten nur die Decknamen. Die, allerdings, wusste er noch. Clara Chemnitzer. Willi Barthel. Sepp Fischer aus Österreich ... *Alle* wusste er noch. Würde sie niemals vergessen. Würde sie mit ins Grab nehmen, bald.

Es klingelte, draußen stand der Pionierchor. Die Pionierleiterin sagte: Drei vier, und der Chor sang das *Lied vom kleinen Trompeter*. Schönes Lied, aber nicht das, was er meinte. Nicht das, was ihm die ganze Zeit durch den Kopf ging.

Er summte es der Pionierleiterin vor, aber sie wusste es auch nicht.

– Egal, sagte Wilhelm.

Es war eine junge Pionierleiterin, fast selber noch Pionier. Wilhelm holte einen Hundertmarkschein aus seiner Brieftasche.

– Aber Genosse Powileit, das kann ich auf keinen Fall annehmen!

– Papperlapapp, sagte Wilhelm. Kauf den Kindern ein Eis, ist mein letzter Geburtstag.

Er steckte der Pionierleiterin den Hundertmarkschein ins Dekolleté.

– Dann nehmen wir es für die Klassenkasse, sagte die Pionierleiterin.

Ihr Gesicht hatte rote Flecken bekommen. Sie dirigierte die Kinderschar aus dem Garten. An der Pforte drehte sie sich noch einmal um. Wilhelm biss die Zähne zusammen und winkte.

Er marschierte in den Salon. Marschierte, weil ihm ständig die Melodie durch den Kopf ging. Charlotte stand gerade am Telefon. Als er kam, legte sie den Hörer auf.

– Nimmt niemand ab, sagte sie.

Wilhelm sah, dass Charlotte nervös war. Instinktiv hakte er nach.

– Und – wo bleibt Alexander?

– Es nimmt niemand ab, wiederholte Charlotte. Kurt nimmt nicht ab.

– Na bitte, sagte Wilhelm. Da haben wir es wieder.

– Was haben wir?

– Schlamassel, sagte Wilhelm.

– Da ist irgendetwas passiert, sagte Charlotte.

– Ich zieh den Ausziehtisch aus, sagte Wilhelm.

– Du ziehst gar nichts aus, du lässt mich jetzt einmal nachdenken.

– Papperlapapp, sagte Wilhelm. Wer zieht denn den Ausziehtisch aus?

– Du ziehst den Ausziehtisch jedenfalls nicht aus, sagte Charlotte. Du hast schon genug kaputt gemacht in diesem Haus!

Eine unverschämte Behauptung, die Wilhelm hätte entkräften können, indem er aufzählte, welche Instandsetzungsarbeiten er im Laufe von fast vierzig Jahren durchgeführt, welche Elektrogeräte er repariert, welche Umbauten er bewerkstelligt, welche haushaltstechnischen Verbesserungen er vorgenommen hatte – viele schwierige Worte, zu schwierig, zu umständlich, zu lang, und so machte Wilhelm lediglich einen Schritt auf Charlotte zu, baute sich, seine Körpergröße ausspielend, vor ihr auf und sagte:

– Ich bin Metallarbeiter. Ich bin siebzig Jahre in der Partei. Wie lange bist du in der Partei?

Charlotte schwieg. Sie schwieg!

Wilhelm wandte sich um und verließ, um sich seinen kleinen Sieg nicht noch zu vermasseln, den Raum.

In der Diele standen zwei Männer.

– Delegation, sagte Lisbeth.

– Aha.

Wilhelm gab beiden die Hand.

– Ihre ... Ihre ..., sagte der eine Mann und zeigte auf Lisbeth.

– Haushaltshilfe, ergänzte Lisbeth.

– Ihre Haus Hals Hilfe hat uns hereingelassen, sagte der Mann.

– Schöner Fisch, sagte der andere, auf die Muschel deutend, in die Wilhelm die Glühlampe eingebaut hatte.

Sie standen dicht beieinander, beide gedrungen, fast krumm, beide trugen etwas zu helle, zu saubere Mäntel. Der Mann, der Haus Hals Hilfe gesagt hatte, hielt einen Teller in der Hand.

Er räusperte sich und begann zu reden. Er redete leise und umständlich, die Worte lösten sich langsam aus ihm heraus, so langsam, dass Wilhelm das letzte Wort schon vergessen hatte, bevor das nächste aus dem Mann herauskam.

– Zur Sache, Genossen, mahnte Wilhelm. Ich hab zu tun.

– Kurz und gut, sagte der Mann, du erinnerst dich, Genosse Powileit, an, Stichwort Kuba, unsere, damals, Spendenaktion, und wir dachten, es wäre in deinem Sinn, wenn wir das Thema hier, also dargestellt als ein Fahrzeug, so wie es in unserem Werk hergestellt wird, thematisch, äh, darstellen.

Er hielt Wilhelm den Teller vor die Nase. Aha, dachte Wilhelm. Er holte einen Hundertmarkschein aus seiner Brieftasche und knallte ihn auf den Teller.

Da guckten sie. Aber an seinem Geburtstag wollte er sich nun wirklich nicht lumpenlassen.

Dann kam Mählich: Punkt elf.

– Wilhelm, sagte Mählich und schüttelte ihm die Hand.

Das gefiel ihm an Mählich: dass er nicht viele Worte machte.

– Bring das Gemüse zum Friedhof, sagte Wilhelm. Wir ziehen den Ausziehtisch aus.

Sie gingen in den Salon und rückten den Tisch vors Fenster.

– Aber Alexander muss jeden Augenblick kommen, protestierte Charlotte.

– Papperlapapp, sagte Wilhelm. Papperlapapp!

Charlotte verließ den Raum.

Sie zogen die Seitenteile bis zum Anschlag heraus. Mählich fragte:

– Wilhelm, wie schätzt du die politische Lage ein?

Er schaute Wilhelm an. Schaute unter seinen gewaltigen Brauen hervor wie aus einer Höhle. Das gefiel ihm an Mählich. Er war ein ernsthafter Mann. Wilhelm fühlte sich zu einer Analyse ermutigt.

– Das Problem ist, sagte er, dass das Problem das Problem ist.

Er klappte ein Mittelteil um. Mählich tat auf seiner Seite dasselbe. Überraschenderweise hielten die Mittelteile nicht, sondern knickten ein und fielen glatt durch den Rahmen.

– Verstehe ich nicht, sagte Mählich.

– Hammer und Nägel, sagte Wilhelm. Du weißt doch wo's steht.

Mählich ging in den Keller und kam wieder mit einem Hammer und Nägeln. Wilhelm hob das Mittelteil auf, maß mit Daumen und Zeigefinger den Abstand zum Rahmen. Dort setzte er den Nagel an. Setzte noch einmal ab, weil er spürte, dass seine Analyse Mählich noch nicht hundertprozentig überzeugt hatte, und sagte:

– Das Problem sind die Tschows, verstehst du: Tschow-Tschow.

Mählich nickte sehr langsam. Wilhelm schlug zu.

– Emporkömmlinge, sagte er.

Er schlug zu.

– Defätisten.

Er hielt einen Augenblick inne und sagte:

– Früher wussten wir, was man mit denen tut.

Nächster Nagel. Charlotte kam rein:

– Was macht ihr denn, um Himmels willen.

– Wir ziehen den Ausziehtisch aus.

– Aber ihr könnt doch da keine Nägel einschlagen.

– Wieso können wir nicht, fragte Wilhelm.

Er versenkte den Nagel mit einem Schlag in der Tischplatte.

– Dunnerlüttchen, sagte Mählich.

Und Wilhelm sagte:

– Gelernt ist gelernt.

Halb vier wurde die große Schiebetür zwischen den Räumen geöffnet, die Feier begann. Wilhelm hatte inzwischen zu Mittag gegessen und ein wenig geruht; Lisbeth hatte ihm noch einen Kaffee gekocht; sie hatte ihm Nasen- und Ohrenhaare beschnitten und dabei mehrmals mit ihren Schwimmbecken-Brüsten seine Schulter angestupst.

Das kalte Buffet war gekommen und stand auf dem Ausziehtisch. Alexander dagegen war noch immer nicht da – eine Tatsache, die Wilhelm erfreute. Mehrfach fragte er Charlotte nach ihrem Enkel, den er vor allem als *ihren* Enkel betrachtete, so wie er die ganze Familie vor allem als *ihre* betrachtete: Defätistenfamilie. Irina mal ausgenommen. Immerhin war sie im Krieg gewesen. Im Gegensatz zu Kurt, der im Arbeitslager gewesen war – und sich jetzt als Opfer aufspielte. Der sollte froh sein, dass er im Lager gewesen war! An der Front hätte der nicht überlebt, als Halbblinder.

Jetzt klingelte es in einem fort, Charlotte rannte hin und her wie ein Huhn, während Wilhelm in seinem Ohrensessel saß, hin und wieder von dem Kognak in seinem grünschimmernden Aluminiumbecher nippte und ein grimmiges Vergnügen dabei empfand, die Gratulanten, die nacheinander vor seinen Sessel traten, mit immer demselben Satz in Verlegenheit zu bringen:

– Bring das Gemüse zum Friedhof.

Die Weihes kamen, tappelten beide im Gleichschritt herein und redeten mit gesalbten Stimmen.

Mählich kam jetzt mit Frau, einer blondierten Zicke, die stets über Rheuma klagte, obwohl sie noch keine sechzig war.

Steffi, stets aufgedonnert, seit ihr Mann unter der Erde lag.

– Bring das Gemüse zum Friedhof.

Bunke kam jetzt herein, so gerupft wie sein Blumenstrauß, die Krawatte auf halbmast, eine Seite des Hemdkragens überlappte das Revers. Schon beim Betreten des Raumes tupfte er sich den Schweiß von der Stirn. So einer war nun Oberst bei der Staatssicherheit – während man ihn, Wilhelm, damals nicht übernommen hatte: *Westemigrant!* Bis heute kränkte es ihn. Auch er wäre lieber in Moskau geblieben. Aber die Partei hatte ihn nach Deutschland geschickt, und er hatte getan, was die Partei von ihm verlangte. Sein Leben lang hatte er getan, was die Partei von ihm verlangte, und dann: *Westemigrant!*

– Bring das Gemüse zum Friedhof.

Bunke tupfte den Schweiß ab und sagte:

– Do gann isch kleisch pleiben.

...

Gesichter tauchten auf, die Wilhelm nicht kannte.

– Wer bist du?

Frau Bäcker, die Gemüseverkäuferin.

Harry Zenk, Rektor der Akademie: war noch nie zu seinem Geburtstag gekommen.

Till Ewerts – nach Schlaganfall.

– Bring das Gemüse zum Friedhof.

...

Aha, der Genosse Krüger. Abschnittsbevollmächtigter.

– In Uniform hätte ich dich erkannt, Genosse. Bring das Gemüse zum Friedhof.

...

Die Sondermanns. Deren Sohn im Gefängnis saß: wegen versuchter Republikflucht.

– Euch kenn ich nicht, sagte Wilhelm.

– Aber das sind doch Sondermanns, erklärte Charlotte.

– Euch kenn ich nicht!

Das Grummeln im Raum wurde für einen Augenblick leiser.

– Gut, sagte Sondermann. Drückte Charlotte den Blumenstrauß in die Hand und verschwand, zusammen mit seiner Gattin.

...

Kurt kam mit Nadjeshda Iwanowna, aber ohne Irina.

– Irina ist krank, sagte Kurt.

– Und Alexander?

– Alexander ist auch krank, mischte Charlotte sich ein.

Defätistenfamilie. Von Irina mal abgesehen. Und abgesehen, natürlich, von Nadjeshda Iwanowna.

Nadjeshda Iwanowna überreichte ihm ein Glas Gurken.

Wilhelm wühlte in seinem Gedächtnis. Zu lang war es her, dass er in Moskau gewesen war, damals zur Ausbildung bei der OMS, und das einzige Wort, das er unter den Trümmern seines Russischs noch auffand, war *garosch*: gut, hervorragend.

– Garosch, garosch, sagte er.

Nadjeshda Iwanowna sagte:

– Ogurzy.

Wilhelm nickte.

– Garosch!

Er ließ das Glas öffnen (von Mählich – Kurt kriegte es sowieso nicht auf mit seinen Intellektuellenfingern) und aß öffentlich eine russische Gurke. Früher hatte er russische Papirossy geraucht. Jetzt aß er wenigstens eine russische Gurke.

– Garosch, sagte Wilhelm.

– Du kleckerst, sagte Charlotte.

– Papperlapapp.

...

Wo blieb eigentlich der Bezirkssekretär?

...

Dafür plötzlich ein Kind. Das Kind hatte ein Bild in der Hand.

– Markus, dein Urenkel, sagte Charlotte.

Seit wann denn das? Wilhelm beschloss, nicht zu fragen. Er betrachtete das Bild, wie man Bilder betrachtete, die Kinder einem schenkten, und war überrascht, als er plötzlich erkannte:

– Ein Leguan!

– Eine Wasserschildkröte, sagte das Kind.

– Markus interessiert sich für Tiere, sagte die Frau, die neben dem Kind stand, die Mutter wahrscheinlich, Wilhelm beschloss, nicht zu fragen. Stattdessen sagte er:

– Wenn ich tot bin, Markus, dann erbst du den Leguan dort im Regal.

– Cool, sagte das Kind.

– Oder nimm ihn am besten gleich mit, sagte Wilhelm.

– Jetzt gleich, fragte das Kind.

– Nimm mit, sagte Wilhelm, mit mir geht es sowieso nicht mehr lange.

Er sah dem Kind nach, wie es die Runde machte, jedem Anwesenden artig die Hand gab, dann erst marschierte es zum Bücherregal und betrachtete den Leguan, noch ohne ihn an sich zu nehmen, lange und von allen Seiten ... Wilhelm biss die Zähne zusammen.

...

Ein Mann im braunen Anzug und Goldrandbrille. Warum trat er nicht näher? Warum blieb er dort stehen?

– Wer bist du, ich kenne dich nicht.

Der Stellvertreter, so stellte sich heraus. Des Bezirkssekretärs. Wieso der Stellvertreter?

– Der Genosse Jühn ist leider persönlich verhindert, sagte der Stellvertreter.

– Aha, sagte Wilhelm. Ich bin auch persönlich verhindert.

Alle lachten. Wilhelm ärgerte sich.

Der Mann klappte eine rote Mappe auf. Er begann zu reden. Seine Augen waren blau. Seine Stimme hatte ungefähr den Frequenzumfang eines Telefonhörers. Wilhelm verstand nicht, was der Mann sagte. Wilhelm ärgerte sich. Der Mann redete. Seine Worte klapperten. Sie klapperten durch Wilhelms Kopf, ohne ihren Sinn zu offenbaren. Geräusche.

Papperlapapp, dachte Wilhelm. Metallarbeiterlehre. Partei-
eintritt ... Emigration nach Paris ... Plötzlich kapierte er. Das
war sein Lebenslauf. Das, was aus dem Mund des Stellvertreters kam, was da sinnlos durch seinen Kopf klapperte – das
war sein Lebenslauf. Der Lebenslauf, den er schon Dutzende
Male geschrieben, den er schon zigmal den Grenzsoldaten,
den Arbeitern vom Karl-Marx-Werk, den Jungen Pionieren
erzählt hatte – und in dem, wie immer, das Wichtigste fehlte.

Alle klatschten. Der Stellvertreter kam auf Wilhelm zu.
In der Hand hielt er einen Orden, wie sie zu Dutzenden in
Wilhelms Schuhkarton lagen.

– Ich hab genug Blech im Karton, sagte Wilhelm.

Alle lachten.

Der Stellvertreter beugte sich zu ihm herunter und hängte
ihm den Orden um.

Alle klatschten, auch der Stellvertreter, der die Hände
jetzt frei hatte.

Das kalte Buffet wurde eröffnet. Zwischen den beiden Räumen begann ein unregelmäßiger Verkehr, bis die Leute sich
mit ihren Tellern an Tischen und Tischchen niederließen.
Wilhelm saß abseits im Ohrensessel und nippte an seinem
grünglänzenden Aluminiumbecher. Er dachte an das Wichtigste. An das, was fehlte. An Hamburg und an sein Hafenbüro. An die Nächte, den Wind. An seine *Korowin* Kaliber sechs
fünfunddreißig. Er *dachte* nicht daran, er erinnerte sich. Er
fühlte, wie sie in seiner Hand gelegen hatte. Er fühlte ihr Ge-
wicht. Er erinnerte sich an den Geruch – nachdem man den
Abzug betätigt hatte ... Wofür, dachte Wilhelm. Er schloss
die Augen. Es grummelte in seinem Kopf. Gerede. Sinnlos.
Papperlapapp. Nur hin und wieder – oder bildete er sich das

ein? – hin und wieder hörte er jetzt durch das Papperlapapp hindurch ein heiseres Bellen: Tschow! ... Und nochmal: Tschow – tschow ...

Wilhelm öffnete kurz die Augen: Kurt, wer sonst! Du bist selbst so ein Tschow, dachte Wilhelm. Defätist. Die ganze Familie! Irina mal ausgenommen, die war ja wenigstens im Krieg gewesen. Aber Kurt? Kurt hatte währenddessen im Lager gesessen. Hatte arbeiten müssen, wie schrecklich, mit seinen Händchen, mit denen er noch nicht mal ein Gurkenglas aufkriegte. Andere, dachte Wilhelm, hatten ihren Arsch riskiert. Andere, dachte er, waren draufgegangen im Kampf für die Sache, und am liebsten wäre er aufgestanden und hätte von denen erzählt, die draufgegangen waren im Kampf für die Sache. Hätte von Clara erzählt, die ihm das Leben rettete. Von Willi, der sich vor Angst in die Hosen schiss. Von Sepp, den sie in irgendeinem Gestapo-Keller zu Tode folterten, weil *ein Verräter zu wenig* eliminiert worden war. So war es gewesen, Herr Professor Neunmalklug, der kein Gurkenglas aufkriegte. So war es damals – und so war es heute. Das hätte er am liebsten gesagt. Und noch etwas hätte er gern gesagt: über damals und heute. Und über Verräter. Und was jetzt zu tun war, hätte er gern gesagt. Und worin das Problem bestand, hätte er gern gesagt, aber seine Zunge war zu schwer, und sein Kopf war zu alt, um aus dem, was er wusste, Worte zu machen. Er schloss die Augen und lehnte sich in seinen Ohrensessel zurück. Hörte nicht mehr die Stimmen. Nur noch Grummeln in seinem Kopf, wie das Badewasser am Morgen. Und aus dem Grummeln kam eine Melodie. Und aus der Melodie kamen – Worte. Da waren sie plötzlich, die Worte, die er gesucht hatte: einfach und traurig und klar, und so selbstverständlich, dass er im selben Augenblick schon vergaß, dass er sie vergessen hatte.

Er sang leise, für sich, jede Silbe betonend. In leicht schleppendem Rhythmus, er merkte es wohl. Mit einem nicht beabsichtigten Tremolo in der Stimme:

Die Partei, die Partei, die hat immer recht
Und, Genossen, es bleibe dabei
Denn wer kämpft für das Recht
Der hat immer recht
Gegen Lüge und Ausbeuterei
Wer das Leben beleidigt
Ist dumm oder schlecht
Wer die Menschheit verteidigt
Hat immer recht
So, aus Lenin'schem Geist
Wächst, von Stalin geschweißt
Die Partei – die Partei – die Partei.

1973

Dann hielt der Lkw, und die Heckklappe öffnete sich.

Ein Kopf erschien. Der Kopf trug eine Uniformmütze. Der Kopf begann zu schreien. An den Zähnen bildeten sich kleine Speichelbläschen, die im Licht der weißen Laternen schillerten, bevor sie zerplatzten.

Im Übrigen war nicht zu verstehen, was der Kopf schrie: Seltsame Sprache, die fast nur aus Vokalen zu bestehen schien.

Ein zweiter Kopf tauchte auf, dann noch einer, im nächsten Augenblick waren es vier oder fünf Uniformierte, die an der Heckklappe standen und brüllten, durcheinanderbrüllten, sich gegenseitig überbrüllten.

Unter der Plane kam Bewegung auf. Die Leute ergriffen ihre Taschen und Beutel, sprangen nacheinander von der Ladefläche. Stolperten im Dunkeln, blieben irgendwo hängen. Auch Alexander sprang. Seine Hand berührte die grobe, aschebahnartige Oberfläche des Platzes.

Am zweiten Tag begann er das Gebrüll zu verstehen. *If-schriiii Asch* bedeutete: im Laufschritt marsch. Und *Kompiiii Schtischta* bedeutete: Kompanie stillgestanden. Mit individuellen Abwandlungen.

Am dritten Tag verstand er schon fast alle zusammenhängenden Sätze mit «Arsch»: *Bewegen Sie Ihren Arsch, Sie*

Versager oder *Ich bringe Ihnen das Wasser im Arsche zum Kochen* oder, ebenfalls lehrreich: *Beim Laufen ist der Arsch der höchste Punkt des Körpers.*

Am vierten Tag hatten sie zum ersten Mal Politunterricht: *Neofaschismus und Militarismus in der BRD.* Wer einschlief, musste den Rest der Zeit stehen.

Am fünften Tag bekam er den ersten Brief von Christina. Er riss ihn sofort auf, las ihn noch auf dem Weg ins Zimmer. Las ihn noch einmal richtig, steckte ihn in die Brusttasche. Las ihn dann abends im Bett.

Der sechste Tag war ein Sonntag. Sonntags durfte man in den Kulturraum der Kompanie – wenn man die Ausgangsuniform anzog. Dort durfte man selbst mitgebrachten Kaffee trinken.

Alexander hatte keinen selbst mitgebrachten Kaffee. Er blieb im Zimmer. Las, auf dem Bett liegend, zum fünften oder zehnten oder fünfzehnten Mal den Brief von Christina. Las mit Erleichterung, dass sie nach seiner Abfahrt «den ganzen Tag traurig» gewesen war. Las mit Unbehagen, dass sie am Wochenende mit einer Kollegin aus der Bibliothek zum Scharmützelsee fahren würde: um sich «ein bisschen abzulenken». Machte ihr – in seiner Antwort – kleine Vorwürfe deswegen. Strich die Vorwürfe wieder aus. Fing noch einmal von vorn an. Beschrieb den Blick aus dem Fenster: ein Neubaublock, dahinter ein Zaun. Er hätte noch schreiben können: dahinter ein Panzerübungsgelände. War sich aber nicht sicher – gehörte das schon zu den militärischen Belangen, über die sie, wie gesagt wurde, zu schweigen hatten? Wurde der Brief kontrolliert?

Am siebenten Tag standen sie im Gelände, *Linie zu einem Glied* (was bedeutete: in drei Reihen), und warteten auf irgendwas (dass Stehen und Warten zu den Hauptbeschäftigungen eines Soldaten gehörte, hatte Alexander bereits gelernt). Noch immer hatte er leichte Kopfschmerzen vom Kaffeeentzug, der Stahlhelm drückte, Teil eins, Teil zwei auf dem Rücken, die Gasmaskentasche um den Hals, die Kalaschnikow über der Schulter. Die Ohren, noch immer ungewohnt nackt, begannen zu zwicken im scharfen Wind, der unter dem weit ausladenden NVA-Stahlhelm hindurchpfiff, aber sie standen, es war ihnen nicht erlaubt, sich zu rühren. Alexander sah auf den Nacken des Vordermanns, auf seine Ohren, welche genau so aussahen, wie seine eigenen Ohren sich anfühlten, nämlich knallrot – und musste auf einmal an *Mick Jagger* denken; fragte sich, was wohl jetzt, während er hier stand, auf diesem Übungsgelände, das *Katzenkopf* hieß, und auf die roten Ohren seines Vordermanns starrte, ein Mensch wie Mick Jagger tat. Undeutlich erinnerte er sich an ein Foto aus irgendeiner Westzeitschrift: Mick Jagger in seinem Schlafzimmer, in einem flauschigen Pullover und Leggins, ein bisschen weiblich, verschlafen, offenbar war er gerade aufgestanden, vielleicht, so stellte sich Alexander vor, würde er im nächsten Augenblick in eine sonnige, große Küche gehen, sich einen Kaffee brühen, falls das nicht jemand schon für ihn gemacht hatte, würde ein frisches Käsebrötchen und Weintrauben essen (oder wer weiß, was die da drüben aßen) und würde dann, während Alexander über den Katzenkopf robbte oder Trockenschießübungen machte oder sich in *Einzelsprüngen* über das Feld bewegte, ein bisschen auf der Gitarre klimpern und ein paar Einfälle notieren, oder sich in einer bizarren Limousine zum Studio kutschieren lassen, um einen neuen Song aufzunehmen, den er dann auf der nächsten Tournee der Weltöffentlichkeit präsentierte, einer Tournee, bei der er, Alexander, nicht dabei sein würde, so wie er auf keiner Rolling-Stones-Tournee je dabei gewesen war und auf keiner Rolling-Stones-Tournee je dabei sein würde, niemals, dachte Alexander, während er mit Stahlhelm und Teil eins und Teil zwei auf dem Katzenkopf stand und auf die roten Ohren seines Vordermanns starrte, niemals würde er die Rolling Stones *live* erleben, niemals würde er Paris oder Rom oder Mexiko sehen, niemals Woodstock, noch nicht einmal Westberlin mit seinen Nacktdemos und seinen Studentenrevolten, seiner freien Liebe und seiner Außerparlamentarischen Opposition, nichts davon, dachte Alexander, während jetzt irgendein Unterfeldwebel mit der Dienstvorschrift in der Hand erläuterte, welche Position vom Schützen beim Liegendschießen einzunehmen sei, nämlich *in sich gerade, schräg zum Ziel*, nichts davon würde er je sehen, nichts davon würde er miterleben, weil zwischen hier und dort, zwischen der einen Welt und der anderen, zwischen der kleinen, engen Welt, in der er sein Leben würde verbringen müssen, und der anderen, der großen, weiten Welt, in der das große, das wahre Leben stattfand – weil zwischen diesen Welten eine Grenze verlief, die er, Alexander Umnitzer, demnächst auch noch *bewachen* sollte.

Das war am siebenten Tag.

Am fünfundzwanzigsten Tag war Vereidigung. Die Zeremonie fand auf irgendeinem Platz außerhalb der Kaserne statt. Reden, Fahnen. Pauken, Trompeten. Dann legten sie den Eid ab, den sie im Politunterricht hatten auswendig lernen müssen. Ihre Vorgesetzten gingen durch die Reihen und prüften, ob jeder den Eid auch tatsächlich sprach.

Nach der Vereidigung hatten sie das erste Mal Ausgang. Christina und seine Eltern waren angereist. Seine Mutter weinte, als sie ihn in Uniform sah. Alexander beeilte sich, sie zu beruhigen: Ihm gehe es gut, es sei ja kein Krieg, und sogar das Essen sei annehmbar.

Christina nach fast einem Monat zu umarmen war sonderbar. Sie war kleiner, zarter, als er sie in Erinnerung hatte, umgeben von einer überwältigenden weiblichen Aura. Alexander sog die Luft ein, die sie durch ihre Bewegungen in Wallung brachte, fühlte sich ungelenk und lächerlich in seiner groben, schlechtsitzenden Uniform, mit seinem Topfschnitt und der albernen Mütze. Eine Sekunde lang glaubte er, das Erschrecken über seinen Anblick in Christinas Gesicht zu sehen, dann verfiel sie in eine unangebrachte Fröhlichkeit.

Sie gingen durch eine unbekannte Stadt, die Halberstadt hieß und in der es von Soldaten mit ihren Familien wimmelte. Die Restaurants waren überfüllt. Christina hatte die Idee, ein Stück auswärts ein Restaurant zu suchen, aber Alexanders Ausgang war – selbstverständlich – auf Halberstadt beschränkt. Also aßen sie in einem überfüllten Restaurant, wo es nur noch Letschosteak gab, Letschosteak. Irina aß nichts, sondern rauchte. Man sprach, während man auf das Essen wartete, über dieses und jenes; Kurt schrieb wieder an seinem Buch über Lenins Exil in der Schweiz, hoffte, nach dem Amtsantritt Honeckers, nun doch auf Veröffentlichung; Wilhelm war wieder einmal schwer erkrankt – Alexander ertappte sich bei dem Gedanken, dass er zu Wilhelms Beerdigung womöglich Sonderurlaub bekäme; Baba Nadja hatte sich entschlossen, in die DDR überzusiedeln, und da der bürokratische Vorgang Monate, wenn nicht Jahre in Anspruch nehmen würde, bangte man nun, ob die alte Frau die Wartezeit in Slawa noch überstehen werde. Dann fuhren Kurt und Irina ab, damit *die Kinder* noch ein bisschen unter sich sein konnten.

Sie hatten vier Stunden Zeit. Alexander beschloss, Christina die Kaserne zu zeigen. Sie gingen über den Berg, die Betonplattenstraße entlang, die direkt zum Panzerübungsgelände führte, und Alexander begann zu erzählen. Erzählte von Gewaltmärschen mit Sturmgepäck. Erzählte von Blasen an den Füßen, von Munitionskistengriffen, die in die Finger schnitten, von gefährlichen Übungsgranaten und von Radioaktivität, ja sogar, und fast mit Stolz, davon, wie in der Nachbarkompanie jemand ums Leben gekommen war, nachdem er, von den Ausbildern unbemerkt, in die Gasmaske erbrochen hatte, und spürte, während Christina seine Erzählung hin und wieder mit einem anerkennenden *Aha* oder einem bedauernden *Ach Gott* kommentierte, dass das alles irgendwie falsch war, und zwar nicht wegen der Übertreibungen, die ihm unterliefen, nicht wegen der kleinen Pointen, die er unwillkürlich zu setzen begann, sondern es war einfach das Falsche, es war nicht das, worum es ging.

Links, hinter hohen Bretterzäunen, tauchte die Russenkaserne auf, vergleichsweise bunt, orientalisch (der Zaun grün, die Gebäude gelb, die Bordsteine gekalkt, der rote Stern am Tor frisch gestrichen), und auf der rechten Seite, weit einsehbar hinter Stacheldrahtzaun: das Grenzausbildungsregiment (flach, grau, quadratisch). Alexander zählte stumm die Fenster, um Christina «sein» Zimmer zu zeigen, unterließ es dann aber. Was sagte der Anblick eines Fensters? Was sagte der Anblick eines Neubaublocks über die allgegenwärtige Idiotie, über das Gefühl des Eingesperrtseins, über die konkreten Kleinigkeiten, die einen Tag füllten und ausmachten: die ständige körperliche Nähe der Zimmergenossen, ihre Zoten abends vor dem Einschlafen, ihre Socken, die sie zum Ausdünsten über die Stiefel legten, oder das Anstehen an den Pissbecken am Morgen, zusammen mit einhundert

Mann, und die unfreiwillige Zeugenschaft beim Abschütteln und Abklopfen und Abmelken des letztes Tröpfchens.

Immerhin fand Christina den Anblick der Kaserne «nicht gerade erfreulich», vermutete allerdings, dass so ein «Neubauobjekt» doch auch Vorteile hätte, so zum Beispiel hinsichtlich von Sauberkeit und Hygiene.

Alexander schwieg. Er schwieg den ganzen Rückweg über, schwieg eisern, allerdings ohne dass Christina dies zu bemerken schien, nahm sich fest vor, kein einziges Wort mehr zu sagen – und fing dann in der Gaststätte, in der sie überflüssigerweise noch einen Kaffee tranken, doch wieder an zu reden. Redete und ärgerte sich, dass er nicht den Mund halten konnte, dass er jetzt doch von Socken und Pissbecken redete, verachtete sich dafür, war gleichzeitig sauer auf Christina, die, während er erzählte, schon auf die Uhr zu schauen begann und ihn schließlich – ein bisschen genervt, ein bisschen wohlmeinend – endgültig zum Schweigen brachte:

– Denk an deinen Vater, der hat wirklich Schlimmeres erlebt.

Er brachte Christina zum Bahnhof. Die Zeit war abgelaufen. Christina ging neben ihm mit ihrer Aura und ihrem Engelshaar, ihre Hand war kalt und ihr Schritt kurz, und Alexander hasste sie plötzlich. Und sehnte sich gleichzeitig nach ihr. Aber sie löste sich auf, sie verließ ihn, den Jammerlappen mit seinem Topfschnitt und seiner Uniform, er musste sie festhalten, drängte sie in einen Hauseingang, glaubte, sie müsse sich anstecken lassen von seiner Gier, glaubte, als sie sich sträubte, Gewalt anwenden zu müssen, versuchte sie umzudrehen, riss an ihren Strumpfhosen, aber Christina wehrte sich mit verblüffender Kraft, winselte seltsam, dann standen sie sich gegenüber, schnaufend beide, und Alexander wandte sich ab und ging.

Es war noch nicht neun Uhr. Alexander setzte sich wieder in die Kneipe, bestellte Bier, bestellte Korn, dann noch ein Bier, schaute der Kellnerin hinterher, betrachtete ihre von einem schwarzen Rock nur knapp bedeckten Oberschenkel, deren fleischige Innenseiten beim Gehen aneinanderrieben, wenn sie durch den Gastraum schritt (im Unterschied zu Christinas Oberschenkeln, zwischen denen ein fingerbreiter Hohlraum klaffte), und Alexander hätte, ohne nachzudenken, den kompletten monatlichen Sold eines Wehrpflichtigen in Höhe von 80 Mark plus 40 Mark Grenzzulage abzüglich der bereits fälligen Bier- und Kornrechnung hingelegt, um seine Hand zwischen die fleischigen Oberschenkel der Kellnerin des Restaurants *Harzfeuer* in Halberstadt legen zu dürfen. Er bestellte Bier, bevor er das vorherige ausgetrunken hatte, erkundigte sich nach dem Namen der Kellnerin, sie hieß Bärbel, erklärte ihr mit unklarer Hoffnung, dass er bis vierundzwanzig Uhr Ausgang habe. Sie lächelte, schüttelte ihr kastanienbraunes Haar aus dem Gesicht, räumte Aschenbecher ab, sammelte Gläser ein, brachte neue, volle Gläser, bewegte sich mit fischartiger Geschmeidigkeit zwischen den zumeist von Soldaten besetzten Tischen, verschwand, tauchte wieder auf, warf ihm, so schien es, kurze, vielsagende Blicke zu, entblößte beim Lächeln ihre Nagetierzähnchen und brachte ihm schließlich, anstatt eines weiteren Korns, die Rechnung, wies sein großzügiges Trinkgeld zurück und ermahnte ihn streng, dass er jetzt losmüsse, wenn er pünktlich in der Kaserne sein wolle.

Dann ging er die Betonstraße entlang, über sich einen mächtigen Sternenhimmel, der die Neigung hatte, immerzu einzustürzen, in sich ein Letschosteak, das die Neigung hatte, aus ihm herauszustürzen, sonst war ihm alles egal, er wunderte sich nur, dass er tatsächlich in Richtung Kaserne ging, dass er freiwillig dort wieder hineinging, falls er unterwegs nicht noch von einem Auto überfahren wurde, wozu es aber aus unbegreiflichen Gründen nicht kam. Als er im Bett lag, begann sich alles, obwohl in der Dunkelheit unsichtbar, um ihn zu drehen, das Letschosteak war nun nicht mehr aufzuhalten und landete, statt im Klo, in einem der zwanzig Waschbecken des Kompaniewaschraums. Jetzt tauchte der UvD auf und befahl Alexander, die Felddienstuniform anzulegen (äußerst schwierige Aufgabe), dann gingen sie zusammen über das Kasernengelände, Alexander erklärte dem UvD, dass er Christina liebte und dass sie einander «Bonny» nannten, nein, nicht Pony, sondern *Bonny*, wie es im Lied heißt, dann waren sie an der Wache, man nahm Alexander das Koppel ab, brachte ihn in einen kleinen Raum, in dem nichts weiter stand als eine Pritsche, auf deren Stahlfedergitter nicht einmal eine Matratze lag, und als Alexander am Sonntagmorgen um sechs aus dem Karzer geholt wurde, damit er das Waschbecken, in das er erbrochen hatte, reinigen konnte, bevor die Kompanie aufstand, trug er, wie er in einem der zwanzig Spiegel des Waschraums sah, den Abdruck der Stahlfedern in der rechten Gesichtshälfte.

Noch an diesem Sonntag schrieb er einen reuigen Brief an Christina. Christina jedoch, die ihm bisher täglich geschrieben hatte, schrieb ihm nicht, jedenfalls war am Dienstag und auch am Mittwoch kein Brief von ihr da. Am Donnerstag drohte Alexander ihr mit der Trennung und hätte die Drohung am Freitag zurückgenommen, wenn nicht der Gefechtsalarm dazwischengekommen wäre.

Zum ersten Mal händigte man ihnen nicht nur die Waffe aus, sondern auch zwei volle Magazine mit je dreißig Schuss Munition. Beim anschließenden Appell erklärte der Kompaniechef, ein kurzbeiniger Mann mit scharfer Stimme, dass sie im Grenzabschnitt Sowieso zur Hinterlandssicherung eingesetzt würden, da eine sogenannte Lage entstanden sei: Ein Soldat der Sowjetarmee sei mit einem Autobus Typ *Ikarus*, einer *Kalaschnikow* und sechzig Schuss Munition unterwegs, vermutlich in Richtung Staatsgrenze zwischen Stapelburg und dem Brocken.

Sie fuhren etwas mehr als eineinhalb Stunden, wurden dann, immer in Dreiergruppen, irgendwo im Wald ausgesetzt, Alexander zusammen mit Kalle Schmidt, dem die Hände zitterten, und Behringer, der schon mehrmals auf der Stube hatte verlauten lassen:

– Wenn die Arschlöcher mir wirklich an die Grenze lassen, hau ick ab!

Dann lagen sie an einer Weggabelung im Wald. Wo die Grenze war, wussten sie nicht genau. In der Ferne bellten Hunde. Bald war es so dunkel, dass sie einander nicht sahen. Im Wald krachte und quietschte es, allenthalben hörten sie Schritte, Kalle lud seine Waffe durch und forderte unsichtbare Gestalten auf, die aktuelle Parole zu nennen, und auch Alexander lud seine Waffe durch, sah Gespenster, wenn er lange genug auf den schwach sich abzeichnenden Weg starrte, und achtete auf jedes Wort, auf jedes Geräusch, das aus Behringers Richtung kam.

Nachmittags um vier waren sie abgesetzt worden. Gegen zwölf Uhr nachts hörten sie das typische Kreischen eines auf hohen Touren laufenden LO-Motors, der die Ablösung brachte: Acht Stunden, die normale Grenzschicht – das war, was ihnen bevorstand, wenn sie nach der Ausbildung in eine Grenzkompanie versetzt wurden, acht Stunden täglich, in wechselnder Schicht, ein Jahr lang. Alexander war es ein Rätsel, wie er das durchhalten sollte, er wusste nicht einmal, wie er *bis Weihnachten* durchhalten sollte, durchhalten, bis er Christina das nächste Mal wiedersah.

Die Idee kam ihm in dem Augenblick, als der Offiziersschüler vergaß, seine Waffe auf Sicherheit zu überprüfen. Bei den beiden anderen, Kalle Schmidt und Behringer, die vor ihm auf die Ladefläche gestiegen waren, hatte er die Kontrolle ordnungsgemäß durchgeführt, aber dann war der Lkw ein Stück zurückgerollt und hatte den Offiziersschüler beinahe umgeworfen, und während dieser den Fahrer zusammenschiss, war Alexander auf die Ladefläche gekrochen und hatte sich stumm zwischen die anderen gesetzt: mit einer schussbereiten Waffe zwischen den Knien. Nach dem Vorfall, so sah er voraus, würde man mühelos rekonstruieren, dass die Kontrolle infolge des Fahrerfehlers vergessen worden war; dass die Waffe noch nicht gesichert war, sondern noch immer auf *Einzelfeuer* stand, konnte er, Alexander, ohne weiteres übersehen haben; und denkbar war auch, dass er mit irgendeinem Teil seiner Ausrüstung am Abzug hängen blieb, dass die Waffe losging und an einer Stelle, die er sich in Ruhe aussuchen konnte, seinen linken Arm, den er «ganz zufällig» auf der Mündung der Kalaschnikow abgelegt hatte, durchschlug. Es waren nur Millimeter, die ihn vom Zustand dauernder Wehruntauglichkeit trennten, sein Daumen lag jetzt auf dem Abzug, es genügte eine Bodenwelle, es hätte die Einfahrt zur Kaserne genügt, nur war Alexander auf einmal nicht mehr sicher, ob der Sicherungshebel tatsächlich auf *Einzelfeuer* stand oder auf *Dauerfeuer*, sodass sich bei Betätigung des Abzugs möglicherweise gleich zwei oder drei Schüsse lösten – und dann war die Frage, was von seinem Arm übrig blieb.

Erst bei der Abgabe der Waffen wurde bemerkt, dass noch das volle Magazin in der obendrein durchgeladenen Waffe steckte, und als Alexander zum Kompaniechef beordert wurde, rechnete er mit einem Anschiss, war auf alles gefasst, sogar darauf, den Rest der Nacht mit dem Gesicht auf den Stahlfedern zu schlafen. Aber zu seiner Überraschung bat ihn der Kompaniechef, sich zu setzen, und der joviale Ton, in dem er zu sprechen begann, hätte Alexander beinahe verleitet zu korrigieren: *Stief*großvater – er hatte Wilhelm nie Großvater genannt, jedoch auch nicht *Stief*großvater, vielleicht unterließ er es deswegen, den Kompaniechef zu korrigieren, zum Glück: Die Mitteilung des Kompaniechefs lautete, sein Großvater, der Genosse Wilhelm Powileit, liege mit einer schweren Lungenentzündung im Krankenhaus, und sein Zustand sei so ernst, dass Alexander sich auf «das Schlimmste» gefasst machen müsse.

Alexander nickte, setzte ein Betroffenheitsgesicht auf, während er, innerlich jubelnd, den Urlaubsschein entgegennahm:

– Ich hoffe, Sie kommen noch rechtzeitig.

Am Morgen saß Alexander in der Bahn. Eine fröstelnde Müdigkeit umgab ihn, aber er mochte nicht schlafen. Er sah aus dem Fenster, die Landschaft kam ihm, trotz der spätherbstlichen Kargheit, bunt und üppig vor, überall war etwas zu sehen, Dörfer, Kühe, Bäume, Menschen, die gelassen eine Straße entlanggingen. Er war gerührt von der Freundlichkeit des Schaffners, also von der Tatsache, dass er ihn nicht anbrüllte, sondern einfach nur um seine Fahrkarte bat, von der Freundlichkeit der Fahrgäste, die es, und sei es nur aus Zerstreutheit, fertigbrachten, ihm den Vortritt zu lassen, die mit ihm sprachen, als wäre er ein völlig normaler Mensch.

Die Fahrt dauerte – mit zweimal Umsteigen – lange. Vom Hauptbahnhof Potsdam aus fuhr man noch einmal zwanzig

Minuten mit der Straßenbahn bis in die barocke Potsdamer Altstadt, deren Hauptachse (benannt nach Klement Gottwald, dem Mörder Slánskýs) jahrelang saniert worden war. Aber es genügte, wenige Schritte von der Hauptachse abzuweichen, und man befand sich in einer ganz normalen, das heißt verfallenden Straße mit ursprünglich hübschen, zweistöckigen Wohnhäusern, deren Fassaden nun grau und schwarz und vom aus löcherigen Dachrinnen tropfenden Regenwasser gescheckt waren. Hier und da konnte man im Putz, sofern vorhanden, sogar noch Einschüsse aus den letzten Kriegstagen erkennen.

Gutenbergstraße sechzehn. Klingel funktionierte nicht. Die Haustür war, wie so oft, abgeschlossen: Frau Pawlowski hatte Angst um ihre Katzen. Zum Glück tauchte sie, mit Katzen, gerade am Fenster auf, erkannte Alexander nach kurzer Prüfung, und obwohl sie ihn immer als Eindringling betrachtet hatte, gegen den Krieg zu führen war, erbarmte sie sich, nun da er in Uniform vor der Haustür stand, deutete in Richtung Dachgeschoss und formte hinter dem Fensterglas den leicht von den Lippen abzulesenden Satz:

– Ick saach Bescheid!

Einige Augenblicke später drehte sich der Schlüssel im Schloss, Christina erschien, ein bisschen zerzaust, mit hochgeschobenen Ärmeln und einer Schürze um den Hals.

– Ach, sagte sie, einfach nur: Ach. Und forderte ihn mit einer Kopfbewegung auf hereinzukommen.

Er trottete hinterher, schnupperte den wohlbekannten Hausflurgeruch (halb Schimmel, halb Katzenpisse), betrachtete andächtig das halbrunde Emaillebecken im oberen Flur, an dem sie ihr Wasser entnahmen, folgte Christina auf der krummen, knarrenden Treppe zum Dachboden, aus dem, vermittels zweier Lehmfachwerkwände, ein paar

Kubikmeter herausgetrennt worden waren: das Mansardenzimmer, Christinas Mansardenzimmer, aber auch *sein* Mansardenzimmer, seine «Heimatadresse», seit er vor fast einem Jahr hier eingezogen war (noch als Schüler und unter dem Protest seiner Eltern), und jetzt doch wieder Christinas Zimmer: Vom ersten Augenblick an fühlte er sich wie zu Besuch. Anstatt sich, wie er es sich vorgenommen hatte, als Erstes die Uniform vom Leib zu reißen und sie in die Ecke zu feuern, setzte er sich in einen der beiden Drehsessel, die einzigen Sitzgelegenheiten im Zimmer, und sah Christina zu, die mit hochgekrempelten Ärmeln und fest um die Taille geschnürter Schürze am Kühlschrank stand und Geschirr spülte, versuchte, ihre Stimmung zu erraten, beobachtete fasziniert, wie sie Teller abtropfen ließ und Tassen aufeinanderstapelte, wie sie, um frisches Spülwasser zu erwärmen, den hohen Aluminiumtopf füllte und den Tauchsieder einsteckte, und jede ihrer Bewegungen erschien ihm auf kaum zu ertragende Weise sinnlich.

– Willst du 'n Kaffee, fragte Christina.

Alexander wollte keinen Kaffee.

Nachdem er sich umgezogen hatte (er nahm es als gutes Zeichen, dass seine Klamotten noch immer hier, in der Gutenbergstraße, waren), fuhren sie mit der Bahn nach Neuendorf und statteten seinen Eltern einen Besuch ab. Irina, ein bisschen enttäuscht darüber, dass sie den Abend nicht bleiben, sondern noch auf den sogenannten *Berg* wollten (das heißt, Christina wollte auf den *Berg*, Alexander hätte sich lieber einen gemütlichen Abend mit Christina gemacht, nahm es aber wiederum als gutes Zeichen, dass sie unbedingt tanzen gehen wollte: Sie sitze, so sagte sie, schon seit zwei Monaten allein in der Bude) – Irina also improvisierte ein «kleines»

Abendbrot. Man aß zusammen, das heißt, eigentlich aß nur Alexander: Irina, obgleich sie sich immer beschwerte, dass sie nie etwas mitbekam, verschwand gleich wieder in der Küche, um nur hin und wieder, Zigaretten rauchend, hereinzurauschen und kryptische Kommentare abzugeben; Kurt war es zum Abendessen noch zu früh (du weißt doch, mein Magen!), und Christina stocherte ein bisschen in der Zwiebelsuppe, die Irina rasch gezaubert hatte – und nur Alexander, der außer einem Mortadellabrötchen nichts im Magen hatte, aß, stopfte geräucherte Schweinefilets und bulgarischen Käse in sich hinein, aß schließlich noch Christinas Zwiebelsuppe auf, während er dem Tischgespräch lauschte, das zwischen verschiedenen Themen mäanderte und, ausgehend vom allgegenwärtigen Mangel in der DDR, in diesem Falle dem Mangel an Zwiebeln, auf die Erdölkrise im Westen kam (wo, Gott sei Dank, auch nicht alles klappte) und von dort über den Jom-Kippur-Krieg und die ehemaligen Nazis in Nassers Armee zum «Krieg der Geschlechter» sprang (einem Film, der kürzlich im Westfernsehen gelaufen war), um dann doch wieder in die real existierende Welt zurückzuspringen, nämlich zu Christinas Bibliothek (wo man einen chilenischen Exilanten eingestellt hatte, der bei der Ermordung Victor Jaras dabei gewesen war) und schließlich, nach den unvermeidlichen Klagen über die Dummheit der Leser, zu irgendeinem politischen Handbuch, über das Christina und Kurt sich einvernehmlich amüsierten, weil der Name von Honeckers Vorgänger in der Neuauflage *vollständig eliminiert* worden war, nachdem er ursprünglich auf beinahe jeder Seite gestanden hatte. Wie bei George Orwell, bemerkte Christina, die gerade George Orwell las, und als sie das sagte, verzog sich ihr Mund oder, genauer gesagt, eine Seite ihres Mundes, und zwar so, dass der Mundwinkel (und

nur der Mundwinkel) zu einer fast beide Zahnreihen entblö-
ßenden Öffnung aufklaffte, was ihr einen ironischen, kalten
Ausdruck verlieh – wie immer, wenn sie über Bücher sprach,
die Alexander nicht kannte. Dann stellte man fest, dass man
sich bereits verquatscht hatte, Irina spendierte – *Ausnahme Weise* – ein Taxi, und erst als das Taxi schon da war, als
Christina und Alexander die Steintreppe hinabstiegen und
Irina und Kurt, einander umarmend, auf der Empore vor der
Haustür standen und ihnen mit dem jeweils äußeren, freien
Arm hinterherwinkten – da erst fiel ihnen Wilhelm ein, und
man verabredete, dass die Eltern sie, zusammen mit Oma
Charlotte, morgen gegen elf Uhr zum Besuch im Kranken-
haus abholen würden.

– Ach, und zieh doch die Uniform an, rief Kurt Alexander
noch hinterher.

Alexander blieb stehen.

– Uniform?

– Na ja, Wilhelm möchte das gern.

– Das ist doch nicht dein Ernst, sagte Alexander.

Er schaute Kurt an. Dann Irina. Dann Christina. Ein paar
Sekunden lang schwiegen alle. Dann sagte Alexander:

– Ihr glaubt doch nicht im Ernst, dass ich morgen die Uniform anziehe.

– Komm, so schlimm ist es nicht, sagte Christina.

– Ist vielleicht letzte Mal, sagte Irina.

– Ich versteh dich ja, sagte Kurt.

Aber er solle doch bedenken, dass er sonst (also ohne dass
Wilhelm starb) gar keinen Urlaub bekommen hätte. Und er
könne sich doch im Auto umziehen. Und die Omi habe persönlich an seinen Regimentskommandeur telegrafiert. Und,
Herrgott, bescheuert, ja, aber du weißt doch, wie Wilhelm
ist.

– Fahren wir jetzt oder machen wir Picknick, sagte der Taxifahrer.

Sie stiegen ein.

Vor dem *Berg* stand wie immer ein Pulk von Leuten, die allesamt keine Karten hatten. Eine Flasche Wodka ging um. Man wiegte sich zu der sich leicht überschlagenden, durch Fenster und Wände dringenden Musik, und gerade als Alexander und Christina ankamen, setzte das zweistimmige Gitarrenriff von *No One to Depend On* ein, traurig, schneidend, schön, ein Santana-Song, den die Delfine, wie es die Fans erwarteten, Takt für Takt, Ton für Ton, Seufzer für Seufzer nachspielten, so als stünde Carlos Santana selbst auf der Bühne, und genauso originalgetreu kamen *Fools* von Deep Purple und sogar *Hey, Joe* in der Fassung von Jimi Hendrix herüber, und in der ersten Pause öffnete sich die Tür, und der Türsteher stellte sich auf die Zehenspitzen und vollzog mit unbewegtem Gesicht das Ritual, das schlicht darin bestand, dass er seinen Zeigefinger über der Menge kreisen ließ und mit einem knappen *Du, Du und Du* drei oder vier Glückliche bestimmte – ein Auswahlverfahren, das jeder *Berg*-Besucher kannte und akzeptierte, auch wenn – oder gerade weil? – die Kriterien verschwommen blieben.

Christina hatte bei diesem Verfahren nie Schwierigkeiten gehabt. Sie erfüllte offenbar alle Voraussetzungen, um den Zeigefinger des Türstehers auf sich zu lenken: ihre hellblonden Haare, ihre wasserblauen Augen, der schicke, rauchblaue Ledermantel, der, wie auch das knallkurze Acrylkleid, das sie unter dem nun absichtlich geöffneten Mantel trug, von ihrer im Westen lebenden Schwester stammte (beides unmittelbare Konsequenzen des Grundlagenvertrages zwischen der DDR und der BRD) – Christina kam sofort dran und zog

Alexander hinter sich her, der auf diese Weise noch immer ganz selbstverständlich mit durchgeschlüpft war.

Aber dieses Mal schob der Türsteher den Arm zwischen ihn und Christina und sagte:

– Stopp.

– Der gehört zu mir, sagte Christina.

Aber Alexander, statt die – vielleicht ja wohlwollende – Entscheidung des Türstehers abzuwarten, drehte sich um und ging.

Nun, nachdem er *wieder mal alles versaut* hatte, bestand Christina darauf, wenigstens noch ins Café Hertz zu gehen und ein Glas Wein zu trinken. Tatsächlich bekamen sie einen Platz, allerdings den blödesten, im Gang gegenüber der Kuchentheke, wo sie bei grellem Licht eine Flasche Rosenthaler Kadarka tranken, während Christina aus der Ferne alte Bekannte grüßte und hin und wieder jemand an ihren Tisch trat, sich über Alexanders Haarschnitt mokierte oder sich höflich oder hämisch oder mitfühlend nach seinem Befinden erkundigte, bevor er von einem genervten Kellner aufgefordert wurde, aus dem Gang zu treten – und zu alledem machte Alexander ein irgendwie passables Gesicht, versuchte Haltung zu wahren, sich nicht zu beklagen, nicht wütend zu werden, nicht eifersüchtig (oder es wenigstens nicht zu zeigen) und keinesfalls von der Uniformfrage anzufangen – denn jetzt gab es nur noch ein Ziel, das er unter keinen Umständen gefährden wollte.

Auf dem Heimweg gelang es ihm sogar, so etwas wie gute Laune vorzutäuschen, er erinnerte Christina daran, wie sie das erste Mal – damals, im Kellermann-Haus – tanzen gewesen waren, wie er sie danach nach Hause und sie ihn zur Straßenbahn und er sie wieder nach Hause und sie ihn wieder zur Straßenbahn gebracht hatte, und Christina ließ es zu, dass er seine Hand um ihre Hüfte legte, wie damals, er spürte die Bewegung ihrer Hüften, glaubte sogar, die aufregend grobe Textur des Acrylkleides unter dem Mantel zu ertasten, und stellte sich, während die Luft, die er einatmete, immer zäher wurde, alles Mögliche vor, Szenen am Kühlschrank, mit hochgeschobenem Kleid oder, weniger eilig, bei Plattenspielermusik und gedämpfter Beleuchtung – aber als sie nach Hause kamen, war der Dauerbrandofen seit Stunden aus, die Zimmertemperatur war annähernd auf Außentemperatur gesunken, Christina zog sich rasch und ohne Umstände aus und verkroch sich unter der Bettdecke, Alexander legte sich daneben, kam sich so unbeholfen vor wie beim ersten Mal, versuchte mechanisch und mit zunehmender Verzweiflung Christina zu erwärmen, drang schließlich in sie ein und hatte, kaum dass er in sie eingedrungen war, einen ergiebigen, aber flachen Erguss.

Am Morgen unternahm er einen zweiten Versuch, noch schlaftrunken und mit dem Nachgeschmack von Alkohol und Zigaretten im Mund; sie rieben sich aneinander, ohne sich anzusehen, und brachten es, immerhin, mehr oder weniger zusammen zu Ende.

Alexander heizte den Dauerbrandofen an, stieg zwei Treppen zur Toilette hinab, brachte auf dem Rückweg gleich Wasser mit und ging, während Christina Frühstück machte, noch einmal los, um Brötchen von Bäcker Braune zu holen. Sie löffelten ihre Frühstückseier, tranken, obwohl sie sich noch kein einziges Mal bei ihren Kosenamen genannt hatten, Kaffee aus ihren «Bonny-Tassen», und Alexander fragte Christina, ob sie ihn noch liebte.

Statt zu antworten, fragte sie ihn, ob *er sie* noch liebte. Und dabei verzog sie den Mund, so wie sie ihn verzog, wenn sie von Büchern redete, die er nicht gelesen hatte, und Alexander kam der Gedanke, dass Christina vielleicht gar nicht so schön war, wie er immer geglaubt hatte. Dachte es – und erschrak noch nicht einmal darüber.

Um elf zog er, ohne ein Wort zu verlieren, die Uniform an, und sie stellten sich zusammen vor die Haustür. Kurt und Irina kamen in ihrem neuen Lada, in dessen Fond Oma Charlotte saß.

– Mein Junge, sagte die Omi.

– Na, siehst du, sagte Kurt.

– Er sieht aus wie deutsche Soldat, sagte Irina und wischte sich, bevor sie Gas gab, eine Träne aus dem Auge.

Es roch nach fabrikneuem Kunstleder.

Die Borduhr des Lada 1300 zeigte vier Minuten nach elf.

Es war der 2. Dezember 1973.

Alexander hatte noch fünfhundertunddreizehn Tage zu dienen.

2001

Er hat gut geschlafen. Er will es Marion mitteilen – sie hatte wieder mal recht, denkt er, ohne ganz genau zu wissen, womit, aber wahrscheinlich schläft sie noch, er will sie nicht wecken. Er dreht sich noch einmal auf die Seite, zu Marion hin, zufrieden, dass sie da ist. Nur ist, als er die Augen öffnet, die andere Seite des riesigen Doppelbettes leer.

Er zieht das unberührte Kissen an sich, zerknautscht es.

Immerhin hat er nicht geschwitzt diese Nacht, er hat kein Fieber, er leidet nicht unter Schmerzen oder Übelkeit; in einem Internetcafé hat er inzwischen die Symptome studiert, allesamt ziemlich unklar, *unspezifisch*, wie sie es nennen, doch eines lässt sich nicht leugnen: dass die Lymphknoten, nach denen seine rechte Hand jetzt tastet, noch immer geschwollen sind.

Er nimmt die Ohropax aus den Ohren. Steckt sie, einer dummen Anwandlung folgend, unter das unberührte, jetzt zerknautschte Kissen. Steht auf.

Prüft, ob die Hunde tatsächlich noch da sind (positiv).

Putzt sich die Zähne – neuerdings mit Mineralwasser, seit er im Internet gelesen hat, dass Non-Hodgkin-Lymphome mit einer höheren Anfälligkeit für Infekte verbunden sind. Und dann, wie ein Morgengebet, passiert auch der Text über die Lebenserwartung, den er im Internet gefunden hat, fast wörtlich sein halbwaches Bewusstsein:

Bezogen auf alle Non-Hodgkin-Lymphome, beträgt die durchschnittliche Fünfjahres-Überlebenszeit für Männer derzeit 62 Prozent, für Frauen 66 Prozent. Bei diesen Zahlen handelt es sich um Durchschnittswerte. Darin enthalten sind sehr viele Patienten, die zehn Jahre und länger überlebt haben. Aus den Durchschnittswerten auf die individuelle Überlebenszeit Rückschlüsse ziehen zu wollen hat deshalb keinen Sinn. Die Chancen auf ein möglichst langes Überleben steigen, wenn Patienten für eine gesunde Lebensweise sorgen.

Alexander fährt mit dem Fahrstuhl fünf Stockwerke abwärts. Neuerdings frühstückt er im Hotel. Statt fetter, unübersichtlicher Pampe im Café gegenüber rührt er sich ein Müsli zusammen, es gibt hier Joghurt und Früchte und mehrere Sorten Getreideflocken, wenngleich allesamt geröstet oder kandiert. Es gibt sogar Vollkornbrot, beinahe wie in einem Hotel in Europa. Alexander tut sich von allem auf, entschlossen, keine Appetitlosigkeit zu dulden.

Er setzt sich ans große Fenster. Nach einer Weile kommen die beiden Schweizerinnen – er hat sie im Hotel kennengelernt. Er weiß nicht genau, ob er wünscht, dass sie sich zu ihm setzen, aber die Frage ist schon entschieden, bevor er sich darüber klargeworden ist. Drei Tage einer flüchtigen, obendrein perspektivlosen Bekanntschaft reichen offenbar aus, um Verpflichtungen erwachsen zu lassen.

Übrigens ist nichts gegen die beiden einzuwenden. Sie heißen Kati und Nadja. Sie sind noch nicht dreißig. Sie tragen Flip-Flops. Und reisen gerade um die Welt. Sie waren, wie sich herausgestellt hat, schon zwei Monate in Afrika, dann in Brasilien, Argentinien, Feuerland, Chile, Peru, Ecuador und noch irgendwo. Jetzt sind sie eine Woche in Mexico City, *De-Effe*, wie sie fachkundig sagen, irgendwo unterwegs haben sie auch einen Sprachkurs gemacht. Von DF aus fahren sie mit dem Bus nach Oaxaca, von dort weiter nach San Cristóbal de las Casas oder Palenque (die Reihenfolge weiß er nicht mehr genau), jedenfalls: Wenn sie mit Mexiko fertig sind, werden sie nach Sydney fliegen, um mit dem Van den Südosten – oder war es der Nordwesten? – Australiens «unsicher zu machen», wie sie sagen, dann nach Neuseeland, um die Kiwis kennenzulernen, und schließlich nach Bangkok, von wo aus sie, falls sie nicht – einer Empfehlung ihres *Backpackers* folgend – noch einen Abstecher ins Mekong-Delta machen, nach Europa zurückkehren wollen.

Sie haben einen *Round-the-world-Backpacker,* wo alles drinsteht. Anhand dessen planen sie jeden Morgen die bevorstehende Tour. Gestern haben sie den Chapultepec-Park und das Anthropologische Museum besichtigt, und Alexander hat sich überreden lassen, sich ihnen anzuschließen, weil, wie der *Backpacker* zu berichten weiß, das Anthropologische Museum in Mexico City zu den besten Museen der Welt gehört, aber vielleicht auch, weil er sich von den Frauen angezogen fühlt – und abgestoßen: beides.

Es gibt, wie gesagt, nichts gegen die beiden einzuwenden. Kati, die jetzt als Erste an seinen Tisch kommt, ist eine nette, intelligente Person, jeder hier im Hotel würde sie wahrscheinlich als schön bezeichnen, und tatsächlich wäre es nicht überzeugend, ausgerechnet das strahlend weiße, ein wenig zu viel Zahnfleisch entblößende Lächeln als Gegenbeweis anführen zu wollen oder die ölig glänzenden, sauber enthaarten und, Herrgott, ein wenig gekrümmten Schienbeine, die unter ihrem braunen Glockenrock hervorschauen.

– Hello, sagt Kati und setzt sich zu seiner Linken an den quadratischen, weißgedeckten Tisch.

Sie spricht laut und reißt im Moment, als sie Alexander

begrüßt, die Augen auf. Im krausen, frischgewaschenen schwarzen Haar trägt sie einen weißen, ihre Stirn umschließenden Reif – wie ein Hygieneartikel, der das Frühstück vor Haaren bewahren soll. Das Sonnenöl, das sie reichlich benutzt, ist noch nicht ganz eingezogen, und an dem hauchfeinen Schorf an der Nasenwurzel sieht man, dass sie die Stelle zwischen den gezupften Augenbrauen einzucremen vergessen hat.

– Und, wohin soll es heute gehen?, fragt Alexander, befürchtet aber sogleich, seine Frage könnte nahelegen, er wolle sie auch heute begleiten.

– Wahrscheinlich zu Frida Kahlo, sagt Kati. Warst du schon da?

– Nee, sagt Alexander und versucht, desinteressiert zu wirken.

– Und Trotzki ist ja auch gleich da irgendwo in der Nähe, sagt Kati.

Jetzt kommt Nadja an den Tisch. Nadja ist etwas kleiner, überhaupt etwas «weniger» als ihre Freundin, hat weniger weiße, aber dafür wahrscheinlich echte Zähne und eine weniger eindeutige Haarfarbe. Dafür trägt sie ein pinkfarbenes, tief ausgeschnittenes Top mit einer unübersichtlichen, an Bondage erinnernden Trägerkonstruktion. Aber trotz dieser Auffälligkeiten verschwimmt sie irgendwie, ihre Bewegungen sind schleichend, sie schlüpft lautlos zwischen Stuhl und Tischplatte, der Gruß, der aus ihrem Mund herausweht, ist kaum mehr als ein Lufthauch, und ihr Blick huscht über Alexander hinweg – man weiß nicht, ob ignorant oder verstohlen. Irgendwie wundert es ihn, dass Nadja Kommunikationswissenschaft studiert. Außerdem studiert sie Germanistik, Psychologie, Indologie und ein bisschen Gesang (genau hat er das nicht verstanden), während Kati «nur» Jura, Politik und BWL-Touristik studiert, genauer gesagt: studiert hat.

– Was meinst du, fahren wir heute zu Frida Kahlo?, fragt Kati in Richtung Nadja.

Nadja zupft an ihrem ständig verrutschenden Trägersystem, während ihr so etwas wie ein Schulterzucken unterläuft.

– Trotzki, erklärt Kati, ist auch gleich da in der Nähe.

– Trotzki? Nadja zieht die Oberlippe bis unter die Nase.

Kati fällt etwas ein:

– Trotzki war doch auch Kommunist. Wie deine Großmutter.

Unglücklicherweise hat Alexander den beiden von Charlotte erzählt. Die Tatsache, dass seine Großeltern Kommunisten waren, hat Kati mit einem tonlosen «Oh» quittiert, als habe sie versehentlich eine besetzte Toilette betreten. Jetzt findet sie es jedoch interessant:

– Vielleicht kannten die sich ja?

– Kaum, sagt Alexander.

Er könnte jetzt von Wilhelm erzählen. Von den Spekulationen um Wilhelms Geheimdiensttätigkeit, die Wilhelm immer dementierte, gleichzeitig aber zu schüren verstand, indem er, wenn es zum Beispiel um Trotzki ging, ein Gesicht machte, als ob es irgendetwas zu verheimlichen gäbe, wenngleich er wahrscheinlich erst kurz vor Trotzkis Ermordung, falls nicht überhaupt erst danach, in Mexiko eingetroffen war. Aber auch darüber gab es keine gesicherten Angaben. Er könnte auch erzählen, dass er, Alexander, im Haus seiner Großeltern einmal einem leibhaftigen Trotzki-Attentäter begegnet sei – und komischerweise stimmte dies tatsächlich, auch wenn er erst zwanzig Jahre nach dem DDR-Besuch jenes mexikanischen Malers, Alfaro Siqueiros, erfahren hat, dass dieser nicht einfach wegen seiner «engagierten Kunst» und seines «Einsatzes für die Sache der Arbeiterklasse» in Mexiko im Gefängnis saß, sondern weil er versucht hatte, Leo Trotzki mit einer Maschinenpistole umzubringen, wobei er sein Opfer unbegreiflicherweise verfehlte, obgleich er mitten in dessen Schlafzimmer stand.

Das könnte er sagen, sagt es aber nicht. Er holt sich noch etwas Toast und Kaffee und jetzt doch ein Frühstücksei. Spürt, als er wieder am Tisch ankommt, dass die beiden über ihren Tagesablauf entschieden haben – und fragt nicht danach. Fragt nicht und wird nicht gefragt. Ist jetzt doch ein bisschen gekränkt. Und ärgert sich darüber.

Eine Stunde später sitzt er in der Metro. Nach seiner Zeitrechnung ist es Sonntag, aber von sonntäglicher Ruhe ist nichts zu spüren: Die Metro scheint noch voller zu sein als sonst, die Leute sind aufgekratzt, manche tragen bunte Kostüme und mexikanische Flaggen. Ist das üblich, sonntags in Mexiko? Er muss einmal umsteigen nach *Indios Verdes*. Hier, am Rande eines riesigen Bus-Terminals, steht ein klappriger Bus mit einer wegen ihrer Größe sicherheitstechnisch bedenklichen Nationalflagge hinter der Frontscheibe und einem handgemalten Schild: *Teotihuacán*.

Der Fahrer wartet, bis der Bus voll ist. Dann, schon während der Fahrt, geht ein junger Mann durch den Gang und kassiert, ohne Fahrscheine auszugeben, von jedem Fahrgast dreißig Pesos.

Der Bus fährt durch Vorstädte oder Vor-Vorstädte, mit denen verglichen der Stadtteil, in dem die Jungs ihm das Geld abgenommen haben, wohlhabend genannt werden muss: Ameisenhügel, graue Schachteln, nebeneinander aufgestapelt. Zwischen dem Wohngebiet und der Ausfallstraße: Stacheldraht. Er versteht nicht, ob die Menschen am

Hineingehen oder am Hinausgehen gehindert werden sollen.

Es ist weiter, als er es sich vorgestellt hat. Was hat er sich vorgestellt? Der Bus rollt jetzt durch eine steppenartige Landschaft. Zivilisationsmüll. Kakteen, in denen sich bunte Plastiktüten verfangen haben.

Er erinnert sich an ein Foto, winzig klein und schwarzweiß: seine Großmutter vor der Sonnenpyramide von Teotihuacán. Eigentlich ist fast nichts zu erkennen. Eine Kaktee, glaubt er, war mit im Bild. Seine Großmutter, glaubt er, stand daneben, in heller Kleidung, weitem Rock, die Bluse bis oben zugeknöpft, sehr artig, zivilisiert, ein bisschen wie die weiße Frau in *King Kong*, und hinter ihr, schwarz, silhouettenhaft: die Pyramide. Damals, als seine Großmutter ihm von der verlassenen Stadt erzählte, in deren Mitte die Pyramide steht, hat er sich, so glaubt er, die Stadt so vorgestellt wie morgens den Weg zum Kindergarten: leere Straßen, Dunkelheit, die Gaslaternen leuchten noch, und der schmächtige Mann, der morgens und abends mit dem Fahrrad durch Neuendorf fährt und mit einem langen, hakenbewehrten Stab die Gaslaternen entzündet oder löscht, steht auf geheimnisvolle Weise mit jenem kleinen, hässlichen Gott in Verbindung, der sich auf der Höhe der Pyramide ins Feuer stürzt, um als neue Sonne über der Erde aufzuerstehen.

Jetzt ist er froh, dass er allein unterwegs ist. Das Museum gestern hat ihn beengt. Offenbar, denkt er, verträgt er keine Museen, selbst nicht die besten der Welt: Vielleicht ist es Zeit, das zuzugeben? Die Fülle erdrückt ihn, die Vielzahl, die Menge. Er weiß nicht, ob er die Geduld der beiden Schweizerinnen bewundern soll. Auch er hatte sich, ihrem Vorbild folgend, einen Audioführer geliehen, hatte eine Zeitlang versucht, den Informationen und Anweisungen zu folgen, und das Gerät dann entnervt abgeschaltet, um zwei Stunden in einem Zustand vollkommener Haltlosigkeit zwischen Massen von Ausstellungsstücken und Besuchern umherzuirren. Noch nicht einmal der aztekische Kalenderstein, den er von Wilhelms silbernen Manschettenknöpfen her kannte und der plötzlich riesenhaft und steinern vor ihm auftauchte, konnte ihn aus seinem Zustand erwecken.

Danach verbrachten sie eine Stunde im Chapultepec-Park. Alexander setzte sich auf eine Bank, und die beiden Frauen, die im Museum immerzu und in einer Art, die ihn wütend gemacht hatte, miteinander getuschelt und sich über irgendetwas amüsiert hatten, legten sich auf die Wiese und schliefen sofort ein. Später, als sie in einem Café saßen, suchte Alexander eine Gelegenheit, das Gespräch noch einmal auf das Museum zu lenken, nur um den beiden, aber vor allem sich selbst, zu beweisen, dass nichts von dem dort Gesehenen und Gehörten bei ihnen hängengeblieben war, dass sie alles, davon war er überzeugt, innerhalb von zwanzig Minuten wie einen Rausch aus sich herausgeschlafen hatten – aber die Frage, die ihm einfiel, nämlich ob die Azteken an eine Art Paradies geglaubt hätten, konnten die Frauen dann doch einigermaßen beantworten: Die Azteken, so war im Audioführer gesagt worden, glaubten durchaus an ein Paradies, und Einlass in dieses Paradies erlangten die im Kampf Gefallenen, die auf dem Altar Geopferten und – waren es Kinder, wie Kati meinte? Oder, wie Nadja sich zu erinnern glaubte, im Kindbett gestorbene Frauen?

An der Paradiesfrage hatte sich ein Gespräch über die Gemeinsamkeiten und Unterschiede von Jenseitsvorstellungen und schließlich von Religionen überhaupt entsponnen, wobei sich herausstellte, dass Kati und Nadja nicht nur über fast alle Religionen der Welt irgendwie ein bisschen Bescheid wussten, sondern sogar mehrere selbst praktizierten oder praktiziert hatten: Kati hatte wochenlang in einem Ashram gelebt, besuchte in der Schweiz regelmäßig eine tibetische Buddhismus-Schule, führte aber auch ein Bildchen der Jungfrau Maria in ihrer Reisetasche mit; Nadja verehrte, wie Kati, den Dalai-Lama, hatte sich auf Haiti mit Voodoo-Zauber beschäftigt, besuchte im Übrigen Tantra-Kurse, glaubte an die Heilkraft von Bergkristallen und hielt es, wie auch Kati, nicht für vollkommen unmöglich, in Wirklichkeit Botschafterin einer außerirdischen Zivilisation zu sein.

Erstaunlich, wie leicht ihnen das alles über die Lippen ging, wie mühelos und selbstverständlich sie das alles zusammenbrachten, wie luftig, wie schwerelos diese neue Weltreligion war, wie ein rasch hingeworfenes Aquarell, denkt Alexander und erinnert sich, während er im Bus nach Teotihuacán sitzt, an seine eigene, schwierige, verrückte, gewaltsame Begegnung mit *ebenjenem*, damals, in diesem Winter, dem Jahrhundertwinter, als alles zerbrach und die Vögel – buchstäblich – vom Himmel fielen. Er versucht sich zu erinnern: an den Moment, als *es* – ja, was eigentlich? – ihn berührte oder sich ihm zuwandte oder sich zu erkennen gab? Er weiß es nicht mehr. Der Moment entzieht sich der Erinnerung, er erinnert sich nur an das Davor und an das Danach, er erinnert sich, wie er tagelang (tagelang?) auf den Dielen irgendeiner Abrissbude gelegen und ohnmächtig verfolgt hatte, wie der Schmerz ihn inwendig ausfraß; an Dunkelheit erinnert er sich; an seine wundgelegenen Hüftknochen – und er erinnert sich an das Danach, an ein Gefühl der Erlösung, der Einsicht, er erinnert sich daran, wie er eines Morgens mit dem lauwarmen Aschekasten in der Hand in den Hinterhof trat, wie er dort stand und aufschaute und wie er es sah: dort oben, im schwarzen Geäst einer Hinterhofpappel.

Körperchemie? Heller Wahnsinn? Oder der Moment der Erleuchtung? Tagelang war er danach mit dem Lächeln eines Verzückten durch die Straßen gegangen, jede rostige Laterne war ihm wie ein Wunderwerk erschienen, der bloße Anblick der gelben Bahnen, die auf der Hochstrecke über der Schönhauser ratterten, hatte Glücksgefühle ausgelöst, und in den Augen der Kinder, die ihm, dem Lächelnden, ungehemmt ins Gesicht schauten, hatte er es mehr als einmal gesehen: das, wofür ihm, dem atheistisch Erzogenen, kein Wort zur Verfügung stand.

Besteht seine Sünde im Hochmut? Besteht sie darin, dass er tatsächlich geglaubt hat, nun ein für alle Mal und gegen alles gefeit zu sein? Oder besteht sie darin, dies alles irgendwann verdrängt und verleugnet zu haben? Ist es Reue, was ihm abverlangt wird? Soll er lernen, die Botschaft endlich anzuerkennen? Den Namen zu nennen, der den beiden Schweizerinnen so leicht über die Lippen geht?

Auf dem Parkplatz vor der Stadt Teotihuacán stehen mehr Autos und Autobusse, als Alexander erwartet, mehr, als er befürchtet hat. Schubweise spazieren die Ankommenden an den Souvenirläden vorbei zum Eingang. Eintrittskarten werden gekauft. Es ist heiß und staubig. Langsam zieht die Touristenkarawane die *Straße der Toten* entlang – die Hauptverkehrsachse der einstigen Stadt. Eine Straße mit Stufen: Die Azteken kannten kein Rad. Infolgedessen verkehrt auf der breiten, glattgepflasterten Magistrale bis heute nichts, was Räder hat. Selbst die Souvenirverkäufer, die links und rechts in der prallen Sonne stehen, tragen ihre spärliche Ware hierher, bieten sie auf leichten Klapptischen an, behängen sich damit oder befördern sie in kleinen Bauchläden.

Einer der Verkäufer spricht Alexander an, begleitet ihn

ein paar Schritte. Der Mann ist klein, nicht mehr jung. Seine Fingernägel sind schwarz wie die kleinen Obsidian-Schildkröten, die er verkauft. Obsidian – das Gestein, aus dem einst die Messer der Priester gemacht waren, die den Geopferten bei lebendigem Leibe das Herz aus den Rippen schnitten. Alexander nimmt die Schildkröte in die Hand, nicht um sie zu betrachten, eher um zu erfahren, wie sich Obsidian anfühlt. Der Mann redet auf ihn ein, versichert, die Schildkröte mit eigenen Händen hergestellt zu haben, setzt den Preis herab – von fünfzig auf vierzig Pesos: vier Dollar. Alexander kauft die Schildkröte.

Dann steht er vor der Sonnenpyramide, ziemlich genau an dem Punkt, wo seine Großmutter vor sechzig Jahren gestanden haben muss, und fragt sich, was er eigentlich erwartet hat. Ist er tatsächlich so dumm gewesen, zu hoffen, dort oben, ganz auf dem Gipfel, wäre es leer? Dort könnte man, auch nur einen Augenblick, mit den Steinen allein sein? Er erinnert sich nicht. Er steht da, starrt auf die Pyramide. Seine Hand umschließt den Panzer der Schildkröte wie den Knauf eines Messers. Dann, bevor die Verzweiflung ihn überwältigt, stürmt er los. Abwechselnd tauchen vor seinen Augen die braunen Wanderschuhe auf, einer staubig, einer geputzt ... zweihundertachtundvierzig Stufen glaubt er im *Backpacker* gelesen zu haben, die drittgrößte Pyramide der Welt. Er zählt nur den geputzten Schuh. Er muss es schaffen, ohne abzusetzen, wenigstens das. Aber die Stufen, die dieses Indianervolk gemauert hat, verstoßen eindeutig gegen die Deutsche Industrienorm. Er spürt, dass er es zu schnell angeht. Er weiß, was in seinem Körper passiert: Irgendwann steigt die Lactatkonzentration in der Muskulatur. Der Schmerz in den Oberschenkeln nimmt zu, bei gleichzeitiger Ermüdung. Eine Zeitlang kämpft er dagegen an, als könnte er die Körperchemie überlisten. Er wird langsamer. Sein Herz dröhnt bis in den Kopf hinein. Das Lungenvolumen scheint nicht mehr auszureichen. Er hat sechsundneunzig geputzte Schuhe gezählt. Als der Husten einsetzt, gibt er auf, muss sich setzen.

Den Kopf in die Hände gestützt, betrachtet er die porösen grauen Gesteinsquader, aus denen die Treppe gemauert ist. Links und rechts steigen die Leute vorbei, die er eben überholt hat. Frauen in Flip-Flops. Eine Frau in Plateauschuhen, eine andere sogar in roten High Heels. Dann wieder Flip-Flops, zwei Paar, die bedrohlich auf ihn zusteuern: ein Paar schwarz, ein Paar pink ...

Zuerst bleibt Schwarz stehen, sorgfältig enthaarte Schienbeine, ölig glänzend, ein wenig gekrümmt.

– Du hast ja eine Wahnsinnskondition, sagt Kati.

– Ich denke, ihr wolltet zu Trotzki, sagt Alexander.

– Die Stadt ist zu voll, sagt Kati. Heute ist Nationalfeiertag.

Beide, sogar Nadja, scheinen nun doch erfreut zu sein über die zufällige Begegnung. Offenbar rechnen sie damit, dass Alexander sie nach oben begleitet, und sind verblüfft, fast gekränkt und dann sogar ein wenig besorgt, als er nicht mitkommen will.

– Ist dir nicht gut, hast ein Problem?

– Nein, sagt Alexander. Ich warte hier.

Er bleibt auf den Stufen sitzen, sieht zu. Sieht zu, wie Leute an ihm vorbeisteigen: Leute in Basecaps, Leute in frischgekauften Sombreros, Leute in kurzen Hosen. Leute mit Rucksäcken und Fotoapparaten, fette Leute in grellen T-Shirts, Leute auf allen vieren, schwitzende Leute, Leute mit Kindern, die kleine mexikanische Fähnchen tragen (Nationalfeiertag), Männer mit Goldkettchen, ein älterer Herr mit einem Wanderstock, Leute, die laut amerikanisch sprechen, Leute, über die sich einfach nichts sagen lässt, blasse junge Männer mit Dreitagebärten, kakaobraune Männer in blumigen Hemden, eine Frau mit Schal, ein junger Mann mit Rastalocken und einer Ananas, eine Gruppe japanischer Männer in Anzügen, schlanke Mädchen in knappen Shirts, bei denen ein Stück Bauch herausguckt, dicke Mädchen in knappen Shirts, bei denen ein Stück Bauch herausguckt, sie alle steigen, wanken, kriechen, klettern, marschieren, trippeln, kraxeln hinauf zu dem *Ort, wo man Gott wird*, Teotihuacán, und kommen wieder herunter: äußerlich unverändert.

– Und wie war's, fragt Alexander.

– Wahnsinn, sagt Kati. Der Blick.

Sie steigen gemeinsam ab. Sie gehen die *Straße der Toten* noch bis zum Ende. Nadja liest aus dem *Backpacker* vor (in Kurzform und auf Englisch ist es die Geschichte vom Gott, der sich opfert, um als Sonne der fünften Welt wiederaufzuerstehen) und kauft sich in einem der großen Souvenirläden am Ausgang eine schwarze, grausig aussehende Obsidian-Maske, die sie an haitianische Voodoo-Masken erinnert.

Kati kauft sich eine Halskette aus Obsidian, passend zu ihren dunklen Haaren.

Auch Schildkröten aus Obsidian werden angeboten. Unauffällig, ohne dass die Frauen es sehen, stellt Alexander seine Schildkröte zu den anderen: den Hunderten, die hier auf den Verkaufstischen herumstehen.

Sie kosten fünfundzwanzig Pesos.

1976

Wenn Irina den Ursprung jener Aprikosen hätte erklären sollen, die sie am Vormittag des Weihnachtstages in Würfel schnitt, um sie, zusammen mit anderen Früchten, zur Füllung ihrer Klostergans zu verarbeiten, so hätte sie mit der Geschichte vom Fuß beginnen müssen.

Schon oft hatte Kurt diese Geschichte erzählt – Irina wusste kaum noch, wann sie sie zum ersten Mal gehört hatte –, die Geschichte davon, wie der Ast eines fallenden Baumes Kurt im Herbst 1943 den Fuß zerschlug und wie der junge Leutnant Sobakin ihm das Leben gerettet hatte, indem er dafür sorgte, dass Kurt, ohnehin am Ende seiner Kraft, nicht auf die Krankenstation kam (wo die Brotrationen noch knapper waren), sondern eine Zeitlang als Nachtwächter an den rund um die Uhr beheizten Teeröfen arbeiten konnte – eine Beschäftigung, die zudem noch lukrativ war, weil ganz in der Nähe ein Kartoffelfeld lag. Später, nachdem Kurts Strafe in «ewige Verbannung» umgewandelt worden war, spielten er und Sobakin, inzwischen Hauptmann, in einem Büro der Lagerverwaltung Schach, führten, wie Kurt berichtete, ungewöhnlich freimütige Diskussionen über Gerechtigkeit und Sozialismus, befreundeten sich – und entzweiten sich wieder, als sich beide in dieselbe Frau, nämlich in sie, Irina Petrowna, verliebten. Damals war sie Zeichnerin im Projektierungsbüro gewesen.

Nach dem Umzug in die DDR verloren sie Sobakin aus den Augen. Er verwandelte sich in eine anekdotische Figur, eine Figur aus einer fernen, abgeschnittenen, unwirklicher werdenden Welt – bis Kurt an einem heißen Tag dieses Jahres gegen halb vier nachmittags einen Anruf aus dem Ministerium für Staatssicherheit bekam und von einem aufgeregten Anrufer gefragt wurde, ob er derjenige Kurt Umnitzer sei, der von 1941 bis 1956 in Slawa, Nord-Ural, gelebt habe: Ein sowjetischer General wolle ihn sprechen.

Sobakin hatte ungefähr einhundert Kilo zugenommen, erdrückte Irina beinahe vor Freude über das Wiedersehen, war glücklich wie ein Kind über Kurts wissenschaftliche Karriere (habe er Kurt nicht immer schon *umniza* – russisch so viel wie «Schlaukopf» – genannt?), soff, wie selbstverständlich im falschen, nämlich in Kurts Sessel sitzend, eine Flasche Wodka aus, erzählte eine Menge Wunderliches über den kommenden Weltkrieg, den er für eine ausgemachte Sache hielt, und schlug beim Abschied versehentlich eine tellergroße Beule in das Dach des fast noch ganz neuen Lada.

Sei es wegen dieser Beule im Dach des fast noch ganz neuen Lada, sei es wegen der Frage der Gerechtigkeit und des Sozialismus oder aus irgendeinem anderen Grund – zwei Monate später brachte der Postbote ein großes Paket in den Fuchsbau, schwer wie ein Ziegelstein, das nichts anderes enthielt als schwarzen russischen Kaviar.

Den geringsten Teil dieses Kaviars verzehrten Kurt und Irina selbst (ihr Kaviarappetit hielt sich in Grenzen, denn obwohl es in Slawa kaum ausreichend Lebensmittel gegeben hatte, war dort, ausgerechnet im Sommer nach Stalins Tod, ein ganzer Güterwaggon schwarzen Kaviars angekommen, «auf Zuteilung», wie es hieß, und Kurt und Irina hatten sich derart an Kaviar überfressen, dass Irina eine Art anaphylaktischen Schock erlitt und danach monatelang in der Angst lebte, das Kind, das sie unmittelbar nach Stalins Tod gezeugt hatten, durch übermäßigen Kaviarverzehr geschädigt zu haben) – den geringsten Teil also verzehrten sie selbst; einen größeren Teil boten sie – typischerweise nach ausschweifenden Partys – Freunden zum Sektfrühstück an; der größte Teil des Sobakin'schen Kaviars jedoch ging als Schmier- und Zahlungsmittel in den undurchsichtigen Kreislauf der unter Ladentischen und in Hinterzimmern gehandelten Waren ein.

In der Galerie am Stern erstand Irina gegen Zuzahlung von Kaviar mehrere Stücke der begehrten Waldenburg-Keramik, Ofenbrand mit bräunlichen Flugascheresten, die sie wiederum als Schmiermittel beim Erwerb von Dachfenstern verwendete; einen Teil der Dachfenster, die sie selbst nicht benötigte, brachte sie mit dem Pkw-Anhänger nach Finsterwalde und tauschte sie dort gegen etwas breitere Dachfenster (100 cm) ein, welche alsbald Fischer Eberling aus Großzicker auf Rügen abholte und dafür eine Kiste Aal hinterließ, den er – natürlich illegal – in einer hinter der Garage versteckten Kammer geräuchert hatte.

Zwei dieser Aale verspeiste Nadjeshda Iwanowna, die erst kürzlich in der DDR eingetroffen war und ihre Anspruchslosigkeit unter Beweis stellen wollte (Esst ihr mal das gute Brot, für mich sind die Schlangen gut genug); drei Aale hob Irina für Sascha auf, der sie allerdings, wie er sagte, «aus Respekt vor dem Lebenswillen dieser Tiere» nicht essen wollte (früher hatte er immer Aal gegessen!); drei Räucheraale bekam der Fleischer, der Irina die berühmten «blinden Pakete» packte, deren Inhalt (aus Rumpsteaks, geräucherten Schweinefilets oder gekochtem Schinken bestehend) den anderen Kunden nicht offenbart werden durfte; drei bekam der Autoschlosser; einen der Buchhändler; und zwei schließlich eine ehemalige Kollegin, aus deren väterlichem Kleingarten jene getrockneten Aprikosen stammten, außerdem Quitten und dickschalige Winterbirnen, die Irina schälte und würfelte und zusammen mit den schon eingeweichten Aprikosen sowie halbierten Feigen aus dem Russenmagazin, Rosinen (die sie anstelle von Weintrauben benutzte), Esskastanien (die sie eigenhändig auf den Caputher Hügeln gesammelt hatte) und etwas strunkigen, deshalb feingeschnittenen Kuba-Orangen (die sie schlicht und einfach im Laden gekauft hatte!) in eine Pfanne gab, in reichlich Butter andünstete, mit armenischem Kognak ablöschte und als Füllung in ihre Weihnachtsgans stopfte, die sie nach einem dreihundert Jahre alten Rezept zubereitete und die, weil das Rezept angeblich von burgundischen Mönchen stammte, *Burgundische Klostergans* hieß.

Obwohl die Gans gut fünf Kilo wog, überfiel Irina, als sie das ausgenommene, gewaschene, gesalzene, angestochene und gefüllte Tier in den Ofen schob, die schreckliche Frage, ob es für alle reichen würde. Sie rechnete die Personen zusammen, es waren sieben: Außer Charlotte und Wilhelm war in diesem Jahr noch ihre Mutter dabei; und Sascha kam mit seiner Neuen.

Irina beschloss, auch die Innereien zu braten: Herz, Magen, Leber. Gewöhnlich briet sie die Innereien erst am nächsten Tag und verzehrte sie zusammen mit den aufgewärmten Resten der Gans im Laufe der Weihnachtsfeiertage – ein Hochgenuss! Irina liebte die bissfesten Magenwände und den süßlichen Lebergeschmack, wohingegen Kurt Innereien verabscheute, ebenso das Abnagen von Knochen; und auch Aufgewärmtes schätzte er nicht, wenngleich er es nicht zugab. Aber sie kannte ihn: Er aß nicht gern an zwei Tagen das Gleiche.

Irina schnitt die Innereien in Portionshäppchen, würzte sie kräftig mit Pfeffer, warf sie in eine Pfanne mit heißem Kokosfett und ließ sie auf kleiner Flamme brutzeln, während sie den Bratenfond vorbereitete, das Eigentliche, Wichtigste an der Klostergans: ein Gemisch aus Kognak, Honig und Portwein, das der Gans eine süße, halb aus Honig, halb aus Fruchtzucker bestehende, pechschwarze Kruste verlieh. – Nicht schlecht, wie die Mönche in diesem Burgund gelebt hatten. Wo war eigentlich Burgund?

Abgesehen von der burgundischen Gans war die Küche am Weihnachtstag deutsch. Außer Rotkohl und Grünkohl gab es noch Thüringer Klöße (die komplizierteste aller Kloßvarianten), Kartoffeln für Kurt, der keine Klöße aß, außerdem einen deftigen Rettichsalat als Vorspeise, rote Grütze als Nachspeise und selbstgebackenen Weihnachtsstollen zum anschließenden Kaffee – und das alles im Überfluss, denn nichts verabscheute Irina mehr als die Frage, *ob es reichen würde*. Ihre ganze Kindheit hindurch hatte sie sich diese Frage gestellt. Ihre ganze Kindheit hindurch hatte sie nach Brot angestanden; ihre ganze Kindheit hindurch hatte sie halbverfaulte Kartoffeln gegessen (denn immer wurden die halbverfaulten Kartoffeln *zuerst* gegessen, sodass man schließlich *immer nur* halbverfaulte Kartoffeln aß); ihre ganze Kindheit hindurch hatte sie bei Winterbeginn auf die ersten Starkfröste gewartet, weil das magere Schwein, das Oma Marfa das Jahr über mit Abfällen fütterte, in der Regel erst – dann aber in aller Eile – geschlachtet wurde, wenn ihm bei Außentemperaturen von minus fünfzig Grad in dem aus dünnen Brettern zusammengezimmerten Stall die Klauen erfroren waren.

Armes Schwein, dachte Irina.

Sie zupfte die äußeren Blätter des Rotkohlkopfs ab, nahm

das große Messer, teilte, sich entschlossen auf den Messerrücken stützend, den Kopf in zwei Hälften und empfand noch einmal, einen Atemzug lang, Genugtuung darüber, dass sie alldem tatsächlich entronnen war: sie, Irina Petrowna, das Kind mit den schwarzen Locken, für die sie gehänselt wurde, weil sie verrieten, von *was für einem* sie gezeugt worden war.

Die Tür des Zimmers von Nadjeshda Iwanowna öffnete sich mit einem langgezogenen Krächzen. Ihre Mutter erschien in der Küche:

– Pomotsch tebje?

Ob sie helfen solle. Aber Irina brauchte keine Hilfe, im Gegenteil, es störte sie, wenn ihre Mutter ihr in die Töpfe guckte.

– Die Innereien lass für mich übrig, sagte Nadjeshda Iwanowna in einem Tonfall, der einem Befehl nahekam.

– Mama, sagte Irina, du brauchst hier bei uns keine Reste zu essen, begreif das doch mal.

Nadjeshda Iwanowna zog ab, ihre Tür krächzte – man musste endlich einmal dem Tischler Bescheid sagen, dachte Irina, denn es lag, das wusste sie, nicht einfach am Öl, sondern daran, dass das untere Scharnier am Türrahmen schrammte.

Sie nahm die Innereien vom Herd, würzte sie noch einmal mit Paprika (Paprika immer zum Schluss, sonst verlor er sein Aroma!), schwitzte dann den feingeschnittenen Rotkohl an, gab geriebenen Apfel dazu, ein bisschen Salz und eine Prise Zucker, legte die mit Nelken gespickte Zwiebel in den Topf, löschte alles mit Rotwein ab und ergänzte es mit heißem Wasser. Dann goss sie sich ein Bier ein – zum Kochen trank sie am liebsten Bier – und naschte schon mal ein wenig von den noch etwas zu heißen, aber köstlichen Innereien … Nein, es war nicht etwa so, dass sie ihrer Mutter die Innereien nicht gönnte. Die Sache war die, dass ihre Mutter es als ein *Opfer* ansah, die Innereien zu essen – und Irina war nicht bereit, dieses Opfer anzunehmen. *Auch du isst heute Weihnachtsgans*, dachte sie – und ertappte sich bei der Vorstellung, wie sie ihrer Mutter mit Gewalt ein Stück Gänsefleisch hineinstopfte …

Kurt erschien, im Arbeitshemd – als sei das Dekorieren des Weihnachtsbaums *Arbeit*. Sie solle mal gucken kommen.

Kurt dekorierte den Weihnachtsbaum seit drei Jahren. Eigentlich hatte er den Weihnachtsbaum abschaffen wollen, nachdem Sascha ausgezogen war, aber Irina hatte auf Wahrung der Traditionen bestanden. Das wäre ja noch schöner! Was wäre Weihnachten ohne Weihnachtsbaum? Der Weihnachtsbaum und die Klostergans gehörten einfach zu Weihnachten, und auch wenn Irina ein bisschen vor dem alljährlichen Besuch der Schwiegereltern graute, auch wenn sie schon jetzt die bemüht einvernehmliche Atmosphäre spürte, die jedes Jahr an der Festtagstafel aufkam: die gestelzten Gespräche, das umständliche Öffnen der Geschenke, die vorgetäuschte Freude bei allen (außer bei Wilhelm, der jedes Jahr aufs schärfste gegen das Beschenktwerden protestierte und jedes Jahr doch wieder eine Flasche *Stolitschnaja* und eine Dose Eberswalder Würstchen bekam, die er am Ende halb widerwillig, halb gönnerhaft einsteckte oder, genauer, von Charlotte einstecken ließ) – auch wenn das alles im Grunde peinlich und anstrengend und bis zu einem gewissen Grad idiotisch war, bestand Irina auf der Einhaltung des Rituals, ja, mochte es in gewisser Weise sogar, und sei es bloß wegen der Erleichterung, die eintrat, nachdem die Schwiegereltern gegangen waren, wegen dieser Stunde, wenn Kurt das Fenster öffnete und man sich erhitzt und erschöpft und vollgefressen in die Sitzecke fallen ließ, eine Zigarette rauchte und einen Kognak nahm und sich gemeinsam über Charlotte und Wilhelm amüsierte.

– Ist er nicht zu kitschig, fragte Kurt.

– Ein bisschen schief, sagte Irina.

– Ja, aber findest du nicht, dass ein bisschen zu viel dran ist?

– Ach was, sagte Irina und betrachtete mit schiefem Kopf den schiefen Baum, dessen Äste dick mit Watte und Lametta belegt und mit bunten Kugeln behängt waren, so wie es sich gehörte, und obgleich der Baum, den Kurt ausgesucht hatte, im Grunde ein Schreckgespenst war: Sobald es dunkelte und die elektrischen Kerzen leuchteten, würde es nicht weiter auffallen.

– Die Lametta, sagte Irina, musst du noch machen ein bisschen nicht so klumpisch.

– Jawoll, sagte Kurt, die Lametta nicht so klumpisch.

– Was war jetzt wieder falsch?

– Nichts, sagte Kurt und lächelte, was bei ihm immer ein wenig spitzbübisch, ja fast – gab es das Wort? – halunkisch aussah, weil sein Auge, das blinde, einen Tick aus der Bahn rutschte. Um nichts in der Welt hätte sie damals, als er ihr das erste Mal in verschlissenen Hosen und Wattejacke gegenüberstand, geglaubt, dass dieser Halunke einmal ihr Mann werden würde.

Irina wusch den Grünkohl und blanchierte ihn kurz, damit er grün blieb. Sie musste mehr Geduld haben mit ihrer Mutter, dachte sie, während sie noch ein wenig von den Innereien naschte. Es war sinnlos, ihrer Mutter zu zürnen, das Leben in

Slawa hatte Nadjeshda Iwanowna störrisch gemacht, und im Grunde war es ein Wunder, dass sie noch lebte. Irina dachte an ihre letzte Reise dorthin, nach Slawa, vor wenigen Wochen, um Nadjeshda Iwanowna abzuholen: Slawa – Ruhm –, was für ein Name für einen Ort, in dem hauptsächlich Verbannte und entlassene Schwerverbrecher wohnten! Nichts hatte sich dort geändert. Noch immer dieselben Schotterstraßen, dieselben Schlaglöcher, die ein Auto zum Umkippen bringen konnten; dieselbe Grobheit, derselbe Schlendrian; dieselben Betrunkenen, die vor dem Laden auf dem Holztrottoir saßen und Irina wegen ihrer Kleidung anpöbelten.

Im März hatte man Petja Schyschkin beraubt, ihren letzten entfernten Verwandten: Nachts, bei sechsundvierzig Grad Kälte, hatte man ihn ausgezogen bis auf die Unterhosen, und Petja, natürlich betrunken, hatte vergeblich an den umstehenden Häusern geklopft und war auf dem Weg nach Hause erfroren.

Das war Slawa. Das war ihre Heimat.

Und es kam ihr, während sie den Grünkohl über der Spüle abtropfen ließ, wie ein böser Traum vor, dass sie tatsächlich einmal verblendet genug gewesen war, möglichst bald für diese Heimat sterben zu wollen: *Für die Heimat, für Stalin! Hurra!*

Irina steckte den Fleischwolf zusammen und begann den Grünkohl durchzudrehen, als Kurt die Ankunft der Kinder meldete.

Sie wischte sich die Hände an der Schürze ab und ging in den Flur. Kurt hatte bereits die Haustür geöffnet. Zuerst erschien Sascha. In seinem Lammfellmantel sah er aus wie ein russischer Fürst, fand Irina, sein Gesicht vornehm blass, die schwarzen Locken hatten nach der Armee Zeit gehabt nachzuwachsen – jene Zigeunerlocken, die Irina bei sich selbst so lange als Makel empfunden hatte und die sie erst als Vorzug begriff, als es zu spät war und ihr Haar zu ergrauen begann. Sascha blieb in der Tür stehen, wartete einen Augenblick und schob dann vor sich her und ins Haus hinein – *die Neue*.

Was Irina bisher über die Neue wusste, war wenig: dass sie Melitta hieß (wie die Filtertüten im Westfernsehen) und dass sie, wie Sascha auch, an der Humboldt-Universität studierte. Und dass sie *die Frau fürs Leben* war, wie Sascha schon nach drei Monaten herausgefunden haben wollte. Vielleicht deshalb, vielleicht aber auch wegen der Filtertütenwerbung hatte sie sich irgendwas vorgestellt, sie merkte es in dem Augenblick, als sie die Neue sah, aber so unklar ihre Vorstellung auch gewesen war – es war nicht das gewesen, was sie sich vorgestellt hatte.

Die Frau, die Irina ihre übrigens nicht besonders gepflegte Hand reichte, war klein und unscheinbar, ihre Haare waren schmutzig blond, ihre Lippen fahl, und das Einzige, was an diesem Wesen hervorstach, war ein Paar aufmerksamer grüner Augen.

– Schuhe ausziehen?, fragte die Neue.

– Bei uns zieht man die Schuhe nicht aus, sagte Irina mit unverhohlener Missbilligung, denn sie fand es entsetzlich, wenn man von den Leuten verlangte, die Schuhe auszuziehen. Das war kleinlich und provinziell, und wenn jemand von ihr, von Irina, verlangte, die Schuhe, die sie sorgfältig und zu ihrer Garderobe passend ausgewählt hatte, auszuziehen und auf Strümpfen oder in geliehenen Hauspantoffeln durch eine fremde Wohnung zu gehen, dann zog sie die Konsequenz und betrat diese Wohnung nie wieder.

Allerdings waren die flachen, gurkenähnlichen Schuhe, die die Neue trug, ohnehin kaum von Hauspantoffeln zu unterscheiden.

– Bei uns zieht man die Schuhe nicht aus, wiederholte Irina.

Aber die Neue, übereifrig, tat es trotzdem: Draußen sei so ein Dreckswetter. Jetzt überlegte sogar Sascha, ob er seine Schuhe ausziehen solle.

– Nu eschtschjo by, zischte Irina: Das fehlte noch.

Sascha schaute zur Neuen, zu Irina. Zuckte mit den Schultern. Behielt seine Schuhe an.

Die Neue hatte Blümchen für Irina mitgebracht, ein paar dürre, mitleidserregende Chrysanthemen, aber immerhin. Irina bedankte sich artig, nahm, während die anderen sich noch im Flur zu schaffen machten, stillschweigend ihre ausladenden Astern vom Esstisch und holte eine neue Vase. Als sie mit den Chrysanthemen ins Zimmer kam, referierte Kurt bereits über seinen Weihnachtsbaum. Während er über seine Arbeit so gut wie niemals sprach, pflegte er buchstäblich über jeden Nagel, den er in die Wand schlug, ausufernde Vorträge zu halten.

Sascha fand den Weihnachtsbaum «vollkommen okay», während die Neue den Baum ungläubig anstarrte.

Kurt schlug vor, darauf anzustoßen, dass man sich endlich kennenlerne, er fragte die Kinder, was sie trinken wollten, aber die Neue wollte «einfach ein Glas Wasser». Kurt sagte:

– Mit Wasser stößt man nicht an.

Die beiden jungen Leute warfen einander einen Blick zu, bevor sie sich, fast im Chor, für «einen Schluck Rotwein» entschieden.

– Auf Weihnachten, sagte Kurt.

– Auf den Heiligen Geist, sagte Sascha.

– Danke für Ihre Einladung, sagte die Neue.

Und Irina sagte:

– Prost, ich bin Irina, und in diesem Hause wird sich ge-
duzt.

Irina arbeitete stets bei offener Küchentür. Wenn nicht
gerade das Fett in der Pfanne zischte oder eine Maschine
ging, hörte sie die Stimmen aus dem Zimmer, meist die der
Männer, zweimal Umnitzer – da kam so schnell keiner zu
Wort, immer hatten sie sich etwas zu sagen, immer redeten
sie sofort und laut aufeinander ein, hatten drängende Neuig-
keiten auszutauschen, in diesem Fall, wie auch anders, über
das Biermann-Konzert in Köln, während Irina, der dieser
Biermann-Rummel allmählich zum Halse heraushing, den
Grünkohl durch den Wolf drehte und über die Kleidung der
Neuen nachdachte: über den langen braunen Cordrock, die
braunen Wollstrumpfhosen – und was trug sie da eigentlich
obenherum? Irgendetwas Unförmiges, Unfarbenes. Und
wieso, wenn sie schon kurze Beine hatte, trug sie nicht wenigstens hohe Schuhe? Gefiel Sascha das? War das der Ge-
schmack der neuen Generation? Irina dünstete Zwiebeln in
Butter an, gab den Grünkohl dazu, füllte den Topf mit Blan-
chierwasser auf und machte sich an die Klöße.

Noch nie, dachte Irina, während sie rohe Kartoffeln zu
reiben begann – für echte Thüringer Klöße brauchte man sowohl rohe als auch gekochte Kartoffeln (halb und halb oder,
genauer gesagt, ein bisschen mehr rohe als gekochte) –, noch
nie hatte sie einen Mann gekannt, der dicke Wollstrumpfhosen und Erdfarben bevorzugte. Männer bevorzugten doch
ganz andere Farben! Männer waren scharf auf komplizierte
Dessous, nicht auf Wollstrumpfhosen! Oder war Sascha anders? Anders als Kurt? Der auch mit fünfundfünfzig noch
nicht zur Ruhe kam, immer noch nach anderen Weibern
schaute ...

Sie nahm einen Schluck Bier, aber das Bier schmeckte plötzlich schal. Irina kippte den Rest in den Ausguss und holte sich ihr Rotweinglas aus dem Zimmer. Es war gerade von Christa Wolf die Rede, großartiges Buch, warf Irina ein, obwohl sie das Buch noch gar nicht zu Ende gelesen hatte, aber sie hatte so viele Diskussionen darüber gehört, dass sie schon zu vergessen begann, wie sehr sie der umständliche Stil zermürbt hatte. Warum schrieb diese Frau so?, hatte sich Irina beim Lesen gefragt. Worunter litt sie, wo sie doch alles hatte, sogar einen Mann, der ihr – so hatte sie reden hören – den Haushalt besorgte.

– Großartiges Buch, sagte Irina, nahm zwei Züge von Saschas Zigarette, ging wieder in die Küche und machte sich an die Arbeit.

Sie drückte die Flüssigkeit aus der geriebenen Kartoffelmasse, gab diese in eine Schüssel und brühte sie mit heißer Milch ab. Dann schnitt sie ein paar daumenbreite Weißbrotwürfel und briet sie knusprig. Währenddessen begann sie den Rettich in grobe Späne zu raspeln – langsam wurden ihr vom Reiben die Finger steif. Ohnehin hatte sie sich die Hände beim Umbau des Hauses ruiniert, beim Schleppen von Steinen, beim Abladen von Zement – unglaublich, was in so ein Haus an Zement hineinging. Sie nahm einen Schluck Wein, schüttelte ihre Hände aus, und gerade als sie wieder die Reibe zur Hand nahm, erschien die Neue in der Küche: Ob sie helfen könne.

Aber Irina war so gut wie fertig, bloß die gekochten Kartoffeln für die Kloßmasse mussten noch gerieben werden – das ging allerdings leicht, und im Übrigen hatte sie nur eine Reibe.

– Oh, es gibt Klöße!

– Thüringer Klöße, erklärte Irina.

– Ich liebe Klöße, sagte die Neue und strahlte Irina an.

Nein, so hässlich war sie nicht. Ihr Gesicht war im Grunde ganz hübsch. Und wenn man genau hinschaute, entdeckte man unter dem Unfarbenen-Unförmigen sogar so etwas wie einen Busen. Man musste einfach mal mit ihr reden: sich so zu verunstalten!

Erst als die Neue die Küche wieder verlassen hatte, gab Irina an Rotkohl und Grünkohl noch je einen Esslöffel Butter – und an den Grünkohl zusätzlich einen Löffel Senf: das Geheimnis des Grünkohls. Man musste nicht alles verraten.

Pünktlich um zwei Uhr klingelte es: Charlotte und Wilhelm standen vor der Tür – mit ihren Dederon-Einkaufstaschen. Was würde wohl dieses Mal darin enthalten sein? Eine abwaschbare Tischdecke? Irgendein Kuba-Kalender?

Wilhelm trat ein, wie immer wortkarg und steif; Charlotte wie immer redselig und aufgekratzt und voll des Lobes für alles, was Irina tat. Es war wirklich seltsam: Je älter sie wurde, desto mehr lobte sie Irina, und zwar auf eine übertriebene, ja lächerliche Weise; schon beim Eintreten lobte sie die Gerüche, die aus der Küche drangen, schwor, noch mit einem Arm im Waschbärpelzmantel, den Kurt ihr abnahm, den ganzen Tag noch nichts gegessen zu haben als ein Frühstücksei (als tue sie Irina einen Gefallen, indem sie hungerte), fragte (bereits zum zweiten oder dritten Mal), ob die – in Wirklichkeit nicht ganz echte – Jugendstilgarderobe, die Irina weiß angestrichen hatte, neu sei, und lobte das selbst mitten im Winter noch lichte Haus, um schließlich in das immer wiederkehrende Lamento darüber zu verfallen, wie dunkel es bei ihr im Haus sei – Unterton: Ihr wohnt in einem Palast, und ich muss in einem Erdloch hausen!

Dramatische Wendung, als sie die Neue begrüßte. Theatralisch, bedeutungsvoll:

– Wir haben schon viel von Ihnen gehört!

– Ich nicht, sagte Wilhelm.

Charlotte lachte, wie sie immer über Wilhelms Witze lachte, genauer gesagt, wie sie über seine Grobheiten lachte: als handle es sich um einen Scherz. Aber wahrscheinlich sagte Wilhelm einfach die Wahrheit: Was konnte Charlotte denn schon über die Neue gehört haben!

Auch Nadjeshda Iwanowna kam jetzt aus ihrem Zimmer. Charlotte breitete die Arme aus: Nadjeshda Iwanowna! Dabei hatten sich die beiden nur ein einziges Mal im Leben gesehen, nämlich als Nadjeshda Iwanowna vor vier Jahren besuchsweise hier gewesen war. Aber auch Nadjeshda Iwanowna breitete nun die Arme aus und packte Charlotte mit ihren knorrigen Sägewerks- und Kartoffelerntehänden, drückte ihr links und rechts und wieder links einen Kuss auf, ein Missverständnis natürlich, man sah regelrecht, wie der Naphthalingeruch, der in Nadjeshda Iwanownas Kleidung hing, Charlotte den Atem verschlug, rasch entwand sie sich der Umarmung, schluckte, fasste sich wieder und brachte in zwar nicht ganz akzentfreiem, aber mehr oder weniger korrektem Russisch ein paar Begrüßungsfloskeln zustande – während Wilhelm gerade mal ein *Dobry djenj* hinbekam, jedoch schon nicht mehr verstand, was Nadjeshda Iwanowna entgegnete:

– *Posdrawljaju s roshdestwom* – gratuliere zu Weihnachten.

Und Wilhelm sagte:

– Garosch, garosch!

Was wiederum Nadjeshda Iwanowna nicht verstand; offenbar hatte Wilhelm sagen wollen: *gut, gut*, indes klang, was er sagte, eher wie: *Erbse, Erbse*.

Nadjeshda Iwanownas «Gratulation zu Weihnachten» war insofern pikant, als Wilhelm Weihnachten grundsätzlich ablehnte. Weihnachten, so Wilhelm, sei ein religiöses Fest, und Religion sei vom Klassenfeind und diene dazu, die Gehirne der Arbeiterklasse zu vernebeln, solches Zeug, und deshalb konnte Wilhelm das weihnachtliche Brimborium nicht mit seinem Gewissen vereinbaren und nahm, wie immer, mit dem Rücken zum Weihnachtsbaum Platz.

Charlotte dagegen war *entzückt* über den Weihnachtsbaum und verdrehte, zum Zeichen, dass sie nicht mit Wilhelm einverstanden war, hinter seinem Rücken die Augen; sie war *entzückt* über die Tischdekoration, war *entzückt* über die schönen Blumen (gemeint waren die Chrysanthemen); sie war überhaupt von allem *entzückt* und genehmigte sich, zu aller Überraschung, ein kleines Likörchen: Das habe sie sich, so erklärte Charlotte, auch mal verdient. Sie habe ja derartig *geschuftet* in letzter Zeit, sie sei ja *vollkommen überarbeitet*, am Rande des *Zusammenbruchs* ...

Irina verkrümelte sich in die Küche.

Zwischen den Umnitzer-Stimmen vernahm sie jetzt hin und wieder Charlottes Flötentöne. Herrgott nochmal, auch das hatte sie überlebt, dachte Irina, während sie die Extrakartoffeln für Kurt schälte, auch diesem Elend war sie entronnen, und vielleicht war es ja das, was sie an Weihnachten liebte: dass sie nachher die Tür hinter Charlotte schließen konnte, ihre eigene Tür, die Tür ihres eigenen Hauses. Wie hatte sie damals, als sie frisch aus Russland kam, Charlottes Haus bewundert! Und jetzt bewunderte Charlotte ihr Haus. Und manchmal, wenn Irina durch die Räume ging und ihr Werk betrachtete, war sie, ehrlich gesagt, selbst erstaunt, wie gut ihr das alles gelungen war; dass beinahe jede der tausend Entscheidungen, die bei so einem Umbau getroffen werden mussten – und die sie alle allein traf, weil Kurt stets für die einfachste, billigste, unaufwendigste Lösung plädierte –, dass jede dieser Entscheidungen am Ende richtig gewesen war: die Wände, die sie weggenommen, die sie gesetzt hatte, die weiß Gott aufwendige Vergrößerung des Wintergartens, der Entwurf des Anbaus, in dem neuerdings Nadjeshda Iwanowna wohnte, die Größe der Badewanne, die Höhe der Fliesen, die Lage der Wasseranschlüsse oder der Heizkörper, der Steckdosen, der Lichtschalter, der Platz für den Herd – alles, alles war am Ende vernünftig und richtig gewesen, nur den nutzlosen Ofen, den sie nie heizten, hätte sie, entgegen Kurts Rat, herausnehmen sollen (Kurts Weltuntergangsphantasien: Wer weiß, kommen schlechte Zeiten, dann braucht man den Ofen nochmal). Und den Dachboden hätte sie gleich mit ausbauen sollen, statt, auf Kurts Drängen, erst einmal eine Pause zu machen: Man kam so schlecht wieder rein.

Irina wusch die geschälten, aber ungeteilten Kartoffeln (auf ungeteilte Kartoffeln legte sie Wert!), goss das Waschwasser ab, salzte die Kartoffeln und schwenkte sie bei geschlossenem Topf, um das Salz zu verteilen. Dann goss sie vorsichtig eine Tasse Wasser hinzu, wobei sie den Topf schräg hielt, um das Salz nicht wieder abzuspülen. Nur eine Tasse! Kartoffeln, wenn sie nach Kartoffeln schmecken sollten, gehörten gedünstet, nicht gekocht.

Sie setzte das Kloßwasser auf und begann die anderen, schon gekochten und abgekühlten Kartoffeln für den Kloßteig zu reiben, als die Kinder eintraten.

– Wir decken den Tisch, sagte die Neue.

– Wir decken den Tisch, sagte Sascha.

– Ihr wisst doch gar nicht, wo das Geschirr steht.

– Ich weiß es, sagte Sascha.

– Alexander deckt den Tisch, sagte die Neue, und ich kann ja die Klöße formen.

– Das mach ich selbst, sagte Irina.

Aber Sascha kramte schon im Besteckkasten, nahm natürlich das falsche Besteck, und als Irina ihm das richtige in die Hand drückte, formte die Neue – mit ihren nicht sonderlich gepflegten Fingernägeln – bereits die Klöße.

– Aber die Weißbrotwürfel müssen noch rein, sagte Irina.

– Ich weiß, sagte die Neue. Meine Oma kommt doch aus Thüringen!

Irina widmete sich notgedrungen ihrem Rettichsalat, häckselte Walnüsse, vermischte alles mit süßer Sahne, schmeckte es ab.

– Ist schon Salz im Kloßwasser, fragte die Neue.

Herrje, das hätte sie beinahe vergessen. Und die Gans übergießen, verdammt, sie war vollkommen aus dem Rhythmus!

Rasch nahm sie die Topflappen, zog die Gans aus der Röhre und kippte die Kasserolle an, um den brodelnden Bratensaft aus der Tiefe zu schöpfen.

– Die ist ja ganz schwarz, sagte die Neue.

– Das ist Klostergans, erwiderte Irina.

Tranchiert wurde am Tisch, die Verteilung erfolgte gemäß der jeweils anfallenden Teile: zuerst die Keulen – eine bekam Sascha, so weit war die Sache klar. Die zweite Keule bot sie der Neuen an. Kurt und die beiden älteren Herrschaften aßen sowieso lieber Brustfleisch.

Die Neue schaute zu Sascha: Ob er denn nichts gesagt habe?

– Ach ja, sagte Sascha, Melitta ist Vegetarierin.

– Wie – Vegetarierin?

– Mama, sie isst kein Fleisch.

– Aber das ist doch Geflügel, sagte Irina.

– Ein kleines Stückchen probier ich mal, sagte die Neue.
Aber nicht gleich die Keule.

Irinas Blick machte die Runde – und fiel auf Nadjeshda
Iwanowna: *Auch du wirst heute Weihnachtsgans essen.*

– Reich mal den Teller, sagte sie.

Nadjeshda Iwanowna reichte den Teller. Irina gabelte
die Keule auf, aber an der Gabel blieb nur ein Stück Kruste
hängen. Sie tat Nadjeshda Iwanowna die Kruste auf, um im
zweiten Versuch die Keule nachzulegen – aber in diesem Augenblick zog Nadjeshda Iwanowna den Teller weg.

– Ich habe schon genug!

Die Keule plumpste aufs Tischtuch.

– Nu tschjort poderi!

Fluchen konnte Irina noch immer nur russisch.

Nadjeshda Iwanowna bekreuzigte sich. Irina knallte ihr
die Keule auf den Teller.

Ein paar Augenblicke herrschte ungewohntes Schweigen
am Tisch, bis Charlotte, die sich offenbar durch den Vorfall
an die Existenz von Nadjeshda Iwanowna erinnert fühlte, zu
plaudern begann, in einer Tonart, so betont harmlos, dass es
Irina schon fast beleidigte:

– Nadjeshda Iwanowna, kak nrawitsja wam u nas – wie
gefällt es Ihnen bei uns?

– Aber ich war doch schon hier, sagte Nadjeshda Iwanowna.

– Ja, sagte Charlotte, aber jetzt wohnen Sie hier, jetzt haben Sie Ihr eigenes Zimmer.

– Schönes Zimmer, sagte Nadjeshda Iwanowna, alles gut.
Nur den Fernseher hätten wir lieber in Moskau kaufen sollen.

– Aber Mama, mischte Irina sich ein, ich habe dir doch einen Fernseher gekauft! Du hast doch einen Fernseher!

– Ja, sagte Nadjeshda Iwanowna. Aber es wär doch besser gewesen, wir hätten ihn in Moskau gekauft.

– Ein Unsinn, sagte Irina. Als ob wir nicht schon genug Gepäck gehabt hätten! Und überhaupt, der Fernseher, den ich dir gekauft habe, ist doch viel besser als alles, was wir in Moskau gekriegt hätten.

– Ja, aber hätten wir ihn in Moskau gekauft, sagte Nadjeshda Iwanowna, hätte er Russisch gesprochen.

Alle lachten, Wilhelm sogar zweimal: einmal, als alle lachten, und einmal, als Sascha ihm den Dialog übersetzte. Dann sagte er:

– Aber grundsätzlich gibt es auch in der Sowjetunion sehr gute Fernseher.

Wieder trat Schweigen ein.

Dann sagte die Neue:

– Also, ich muss mal sagen: Es schmeckt wahnsinnig toll. Ich hab noch nie so guten Grünkohl gegessen!

– Vorzüglich, sagte Charlotte, die angeblich schon den ganzen Tag hungerte, sich aber dennoch nur Mäuseportionen auftun ließ.

– Also ich kann das Fleisch nicht kauen, sagte Wilhelm.

Und Kurt sagte:

– Das Fleisch ist vorzüglich. Nur die Kartoffeln sind, ehrlich gesagt, nicht hundertprozentig durch.

Dann friss Klöße, dachte Irina, sagte aber nichts. Würgte den Ärger hinunter. Das war es eben: Hätte sie selber den Tisch gedeckt, wäre alles genau auf den Punkt. Aber wenn andere in ihrer Küche herumpfuschten ...

Sie kostete ein Stück Gans (sie hatte sich bisher kein Fleisch aufgetan, weil sie von den Innereien schon satt war) – und tatsächlich: Die Gans hätte noch zarter sein können.

Den Rettichsalat aß keiner.

Immerhin hatte sie mit der roten Grütze Erfolg.

Abräumen:

– Gebt die Teller her und bleibt sitzen, ordnete Irina an, so bestimmt, dass auch die Neue nicht aufzustehen wagte.

Nadjeshda Iwanowna säbelte noch immer, und zwar vergeblich, an ihrer Keule herum: Sie wurde nicht kleiner. Wilhelm hatte die Als-wir-damals-in-Moskau-waren-Platte aufgelegt.

Irina brachte die Trümmer ihrer Gans in die Küche.

Räumte Rotkohl und Grünkohl ab.

Auch von den Klößen war mehr als die Hälfte übrig.

Sie setzte sich auf den einzigen Küchenstuhl, steckte sich eine Zigarette an.

Ein Bild kam ihr in den Sinn: Oma Marfa, Mutter Nadjeshda und sie – drei Gestalten, stumm über einen Kessel gebeugt, in dem, zwischen Kraut, graue Schweinefleischstreifen schwammen.

Wieso war man Vegetarier? War die Frau krank? Oder hatte sie Mitleid mit den Tieren?

Sascha kam in die Küche:

– Na, komm schon, wir rauchen eine zusammen.

Er nahm eine «Club» aus ihrer Schachtel, Irina hielt ihm das Feuerzeug hin.

– Bist du traurig, Mama?

– Nein, warum?

Sie rauchten schweigend ein paar Züge. Irina kam der Verdacht, die Neue hätte Sascha geschickt.

– Warum ist sie denn Vegetarierin?

– Sie ist ja nicht richtig Vegetarierin, sie isst auch manchmal Fleisch.

– Aber man braucht doch Fleisch, sagte Irina. Der Mensch braucht doch Fleisch!

– Mama, du kannst doch einen Menschen nicht deswegen ablehnen.

– Aber ich lehne sie doch nicht ab, ich frage bloß!

Sie rauchten.

– Ein nettes Mädchen, sagte Irina.

– Ja, ist sie, sagte Sascha.

Sie rauchten.

– Für mich ist das Wichtigste, dass du glücklich bist, sagte Irina.

Draußen fielen ein paar vereinzelte Schneeflocken. Fielen in den von der Dämmerung schon geschwärzten Garten, verschwanden.

Sascha drückte seine Zigarette aus.

– Soll ich was helfen?

– Ach, Sascha. Geh mal rein, ich koch jetzt Kaffee.

Sascha nahm Irina an den Schultern, zog sie hoch und drückte sie.

– Ach, Saschenka, sagte Irina.

Schön war es, einen so großen Sohn zu haben – der immer noch roch wie ein Kleinkind.

Irina setzte Kaffeewasser auf, füllte die Reste in kleinere Schüsseln, ließ die Klöße in der großen Schüssel, weil sie keine passende fand. Stellte die geschlossene Kasserolle mit den Resten der etwas zu festen Gans in die Speisekammer. Stapelte neben der Spüle das benutzte Geschirr.

Vielleicht war Sascha ja wirklich anders?

Allmählich, dachte Irina, während sie den Stollen mit zerlassener Butter übergoss und mit Puderzucker bestäubte, allmählich wurde es anstrengend, Kurts Wünschen zu entsprechen. Ständig seine prüfenden Blicke zu ertragen. Ständig dem Vergleich mit jüngeren Frauen ausgesetzt zu sein: Ja, sie wurde älter, verdammt, sie ging auf die fünfzig zu – und offiziell war sie sogar schon darüber hinaus. Um zwei Jahre hatte sie die Behörden damals betrogen. Hatte die Sieben in ihrem Geburtsjahr in eine Fünf umgefälscht, um in den Krieg zu dürfen. Und auch wenn sie stets ihren wahren Geburtstag feierte und bei allen Freunden stets ihr wahres Alter angab – ihr «Ausweisalter» begleitete sie ständig wie eine fortwährende Drohung, die sich, und das war das Verheerende, immer – und immer schneller! – erfüllte. Kaum stand ihr Ausweisalter im Raum, war ihr wahres Alter auch schon nachgerückt, es war eine Zeitvernichtungsmaschine, dachte Irina, es war, als müsste sie schneller altern als andere: *Für die Heimat, für Stalin! Hurra!*

Beim Kaffeetrinken gab es noch eine Überraschung, nämlich dass die Neue *Psychologie* studierte. Nicht Geschichte wie Sascha.

– So etwas gibt es bei uns, staunte Charlotte.

– Tsychologie, sagte Wilhelm, das ist doch ist eine Tseudowissenschaft.

– Afterwissenschaft, verbesserte Kurt. Dem Genossen Stalin zufolge ist es eine Afterwissenschaft.

– Was ist denn eine Afterwissenschaft, fragte die Neue.

– Na, die Wissenschaft vom After, sagte Sascha.

– Also ich finde das sehr interessant, flötete Charlotte. Nein, im Ernst, Kinder, sehr interessant. Ich bin überzeugt, es gibt einen Zusammenhang zwischen Körper und, wie sagt man jetzt ...

– Psyche, sagte die Neue.

Ihr Blick blieb, obwohl sie lächelte, stechend.

Dann stand Kurt auf und sagte:

– So, Kinder, jetzt werde ich mal eine Weihnachtsmusik auflegen.

Das war das Zeichen. Die Geschenke waren bereits an den Sitzplatz des jeweiligen Adressaten gestellt worden, nur Charlotte behielt ihre Gaben immer im Dederon-Beutel und übergab sie direkt – ein Regelverstoß, über den Irina sich jedes Mal ärgerte. Nun begannen alle mit ihrem Geschenkpapier zu rascheln, knoteten umständlich Bänder auf, falteten auseinander, strichen glatt – und Irina kam der Gedanke, ob die Neue anhand des Geschenkpapiers, das sie verwendet hatte, auf ihre «Psyche» zu schließen versuchte. Wer weiß? Psychologie – wie war das für Sascha? Fühlte man sich nicht ständig beobachtet, irgendwie?

Wilhelm, als Einziger, saß unbewegt da, ohne sich um seine Geschenke zu kümmern. Nadjeshda Iwanowna sprang auf und holte rasch noch die Socken, die sie für Sascha und Kurt gestrickt hatte. Charlotte war *entzückt* über das Reisenecessaire, das sie sich gewünscht hatte – wozu eigentlich? Die Neue prüfte ihr Parfüm, als wäre es eine Bombe (das nächste Mal – wenn es ein nächstes Mal gab – bekam sie eine Baumwollstrumpfhose); Kurt hatte eine Tabakspfeife bekommen und freute sich demonstrativ (das heißt, er verfiel kurz in das Gebaren eines Sechsjährigen, steckte die Pfeife in den Mund, zog sich die Socken über die Hände und erdichtete, über die Weihnachtsmusik hinweg, einen Gesang, in welchem sich «Pfeifen» auf «tut mich die Kälte nicht kneifen»

265

reimte); Alexander probierte seinen Rasierapparat aus (sein eigentliches Geschenk, den mongolischen Lammfellmantel, hatte Irina ihm schon vorher geschickt, damit es jetzt nicht so unausgewogen aussah); und Nadjeshda Iwanowna, die ein geblümtes Wolltuch und – da sie in der Nacht fror, weil sie es gewohnt war, auf dem Ofen zu schlafen – ein Heizkissen bekam, fragte zehn Mal, ob das nicht alles zu teuer sei, bis Irina sie leise anfauchte.

Auch Irina hatte ihr Geschenk schon bekommen. Kurt hatte ihr ein Kleid und ein Paar passende Schuhe geschenkt, natürlich nicht wirklich, sondern in Form eines Kuverts mit Geld – Kurt war ja kaum in der Lage, eine Packung Knäckebrot allein zu kaufen, geschweige denn Damenkleidung –, aber Irina war es zufrieden. Mehr erwartete sie nicht. Von Sascha, der gerade mal zweihundert Mark Stipendium bekam (und eigentlich von Kurts – und von ihren – Zuschüssen lebte), wollte sie nichts und hatte ihm sogar verboten, ihr etwas zu schenken; ihre Mutter hatte ihr noch nie irgendetwas zu Weihnachten geschenkt; einzig von Oma Marfa hatte sie einmal eine Puppe bekommen, selbst gefertigt aus Lappen und Stroh und von den anderen Kindern wegen ihrer Kopierstiftaugen verspottet – sie hieß Katja, und noch heute kamen Irina beim Gedanken an diese Puppe die Tränen. Und Charlottes Tischdecken warf sie sowieso – nach einer gewissen Anstandsfrist – auf den Müll.

Jedoch, was Charlotte dieses Mal aus ihrem Dederon-Beutel zog, war keine Tischdecke. Auch kein Kalender. Sondern: DAS BUCH. Seit einem halben Jahr redete Charlotte von nichts anderem als von *ihrem Buch*, welches übrigens gar nicht *ihr* Buch war, denn sie hatte lediglich ein *Geleitwort* geschrieben, tat aber so, als sei dieses *Geleitwort* das Wichtigste an dem Buch, als könnte das Buch ohne ihr *Geleitwort*

266

kein Mensch lesen! Kurz, dieses *Geleitwort* war jetzt endlich erschienen, samt Buch, und Charlotte schenkte jedem ein – natürlich signiertes! – Exemplar. Alexander bekam eins, die Neue bekam eins (es wurde noch nachsigniert, weil Charlotte, wie sich herausstellte, den Namen nicht wusste), und Kurt und Irina bekamen zusammen eins. – Nur dass Charlotte ihnen vor einer Woche schon eins geschenkt hatte.

Irina sah Kurt an. Kurt schaute zurück – halunkisch.

Und dann, endlich, nachdem Charlotte ihren Dederon-Beutel mit Gegengeschenken gefüllt, nachdem Wilhelm seinen Hut und Charlotte ihre Handtasche gefunden, nachdem Charlotte noch einmal beteuert hatte, wie *entzückend* alles gewesen sei, nachdem man die beiden bis zum Treppenabsatz begleitet und ihnen hinterhergewunken und ihnen noch rasch den vergessenen Regenschirm nachgetragen hatte – dann endlich schloss sich die Tür, und Irina, ob sie wollte oder nicht, verfiel in ein lautloses, hysterisches, aber doch befreiendes Lachen. Konnte auch nicht aufhören zu lachen, als Kurt sie tröstend in den Arm nahm, musste sich losmachen, weil ihr Körper sich vor Lachen krümmte. Hörte dann doch auf zu lachen, als es plötzlich verbrannt roch und Sascha im Wohnzimmer fluchte. Sah, wie Sascha beim Ausklopfen des Weihnachtsgestecks eine Tasse zerschlug – und fing wieder an zu lachen, als Sascha ihr einen angekokelten Plüschhasen vor die Nase hielt: *Hast du nicht mal ausgepackt, Mama.* Sie lachte Tränen, und es dauerte lange, bis sie sich beruhigt hatte.

– So, jetzt brauche ich einen Kognak.

Kurt öffnete das Fenster, der Rauch verzog sich. Alle waren erhitzt, hatten rote Köpfe. Man ließ sich in der Sitzecke nieder, machte es sich bequem. Noch immer wurde Irina von nachbebenartigen Lachkrämpfen geschüttelt.

– Na, das war ja wieder was, sagte Sascha.

– Die werden alt, sagte Kurt.

Er stand noch einmal auf, holte den Kognak aus seinem großen Alkoholfach in der schwedischen Wand, goss Irina ein, goss sich selbst ein. Auch Sascha wollte nun einen Kognak.

– Na, komm schon, Melitta. Trink einen Kognak mit uns, sagte Irina.

Aber Melitta wollte keinen Kognak. Sondern lieber Wasser. Und jetzt, da sie gerade angefangen hatte, die Neue ein bisschen ins Herz zu schließen, war Irina beleidigt. Was war das für ein Benehmen! Oder war sie auch noch Antialkoholikerin? Vegetarierin *und* Antialkoholikerin!

– Gut, dann trinken wir eben allein, sagte Irina.

Die beiden jungen Leute warfen einander einen Blick zu – und da kapierte Irina plötzlich.

Da kapierte sie, dass diese Frau, diese unscheinbare Frau mit den kurzen Beinen und den stechenden Augen, mit ihren nicht sonderlich gepflegten Fingernägeln und ihrer Unfrisur – dass diese Frau im Begriff war, sie, Irina Petrowna, wahres Alter: noch keine fünfzig, zur Oma zu machen.

– Das darf doch nicht wahr sein, sagte Irina.

– Mutter, sagte Sascha, du tust ja gerade so, als sei das ein Unglück.

– Was ist denn passiert, fragte Kurt.

1. OKTOBER 1989

Es gefiel ihm nicht: Muddel vor dem Badezimmerspiegel, Augenbrauen zupfend. Er beobachtete schon seit einer Weile, wie sie sich aufmotzte, normalerweise lief sie den ganzen Tag im karierten Hemd rum (am liebsten von Jürgen – solange es Jürgen noch gegeben hatte), und jetzt: Stöckelschuhe auf einmal, er hatte gar nicht gewusst, dass sie so was hatte, Stöckelschuhe, die Beinhaare hatte sie sich auch schon weggemacht mit diesem Wachszeug (Quäldinge), jetzt rupfte sie sich die Augenbrauen aus, weit vorgebeugt über das Waschbecken, man sah, wie sich unter dem Rock der Schlüpfer abzeichnete, grausam, man sah wirklich *alles*, so wollte sie da also hingehen, zu dem Geburtstag, bei dem, wie er wusste – und sie natürlich auch –, sein Vater sein würde. Nur, es gab auch etwas, das sie nicht wusste.

Hätte er es ihr sagen sollen? Sie hatte ihn nicht danach gefragt, nur irgendwie hintenrum, aber er hatte schon gewusst, worauf sie hinauswollte: *Hat er denn gekocht für euch beide*, solche Fragen. *Wart ihr beide im Kino?* Ja, wir waren im Kino – aber *zu dritt.* Hatte er nicht gesagt. *Mit seiner Neuen.* Hatte er nicht gesagt. *Mit seiner Tussi.*

– Geh dich mal umziehen, sagte Muddel.

Markus rührte sich nicht, sah zu, wie sie anfing, sich die Wimpern zu tuschen, wie sie die Augen verdrehte, bis nur noch Weißes zu sehen war, wie sie, wenn ihr die Tränen kamen, mit den Augen klimperte, bis sie wieder was sah, und er wunderte sich, wie routiniert sie das alles machte, wie gekonnt sie sich jetzt die Lippen anmalte, wie sie danach – mit haargenau denselben Grimassen wie die Tussi – die Lippen aufeinanderpresste und diese Schnute machte, wie sie das Gel auf den Fingerspitzen verteilte und in die frisch gewaschenen Haare strich, wie sie am Ende alles ein bisschen verzottelte und in den Spiegel guckte, so schräg von unten, mit genau diesem Tussi-Blick – und obwohl er sich darüber wunderte, dass Muddel diese Dinge beherrschte, obwohl es ihm sogar ein kleines bisschen imponierte, mochte er nicht daran denken, wie sich die beiden heute nachmittag auf dem Geburtstag begegnen würden: die Tussi und Muddel.

– Zieh dir doch mal dein Hemd an, sagte Muddel, wir verpassen den Bus.

– Ich zieh kein Hemd an, sagte Markus.

– Na gut, sage Muddel, dann geh ich eben allein.

Sie betupfte die gezupften Stellen mit einem Wattebausch; Markus wandte sich ab und verdrückte sich in sein Zimmer.

Der kürzeste Weg führte über den Innenhof, wo zwischen hohen Stockrosen Muddels Ausstellungsstücke standen. Sein Zimmer lag im mittleren Teil des Vierseitenhofs, der eigentlich nur drei Seiten hatte, direkt über der Werkstatt, manchmal hörte er abends noch die Töpferscheibe grummeln. Er nahm die zwölf Stufen in fünf geübten Sätzen und knallte sich aufs Bett: aufs untere Bett, es war ein Doppelstockbett, Jürgen hatte es noch gebaut, damit Markus und Frickel zusammen übernachten konnten, aber Frickel war weg, Frickel war mit seinen Eltern im Westen, und seitdem Frickel weg war, war es öde geworden in Großkrienitz. Die besten Mädchen der Klasse wohnten in Schulzendorf, da brauchte man ein Moped. Wenn er vierzehn war, bekam er vielleicht eins, falls sie Geld hatten, sagte Muddel, aber jetzt mussten sie erst mal für einen Feuerbrandofen sparen, dann, sagte Muddel, würden sie richtig Geld verdienen. Allerdings hatte sie das schon öfter gesagt, richtig Geld verdienen, und jetzt hatte Jürgen das Auto mitgenommen, und das kotzte ihn auch an: die Zuckelei immer. Großkrienitz lag wirklich am Arsch der Welt, und bis Neuendorf musste man zweimal umsteigen.

Er horchte, ob Muddels Schritte schon auf der Stiege zu hören waren. Was, wenn sie tatsächlich allein losging?

Was ihn wankelmütig machte, war der Gedanke an die Dinge, die es im Haus seiner Urgroßeltern zu besichtigen gab. Nur zu gut erinnerte er sich an die große Muschel im Flur, an die Kobrahaut im Wintergarten (die seine Urgroß-mutter fälschlicherweise für eine Klapperschlage hielt), an die Säge des Sägefischs (eigentlich eines Sägerochens), an den ausgestopften Katzenhai und besonders natürlich an den nicht ganz ausgewachsenen Schwarzleguan in Wilhelms Regal – ein bisschen war es wie im Naturkundemuseum in Berlin: Anfassen durfte man auch nichts.

Ansonsten waren seine Urgroßeltern komische Leute. Irgendwann, es war lange her, hatten sie gegen Hitler ge-kämpft, illegal, Nazizeit – hatten sie in der Schule gehabt, Wilhelm war sogar mal in seiner Klasse gewesen und hatte von Karl Liebknecht erzählt, wie sie zusammen auf dem Bal-kon gesessen und die DDR gegründet hatten oder so ähnlich, verstanden hatte es keiner, aber gewundert hatten sie sich doch, was für einen berühmten Urgroßvater er hatte, sogar Frickel. Ansonsten war er schon ziemlich komisch. *Ombre*, sagte er immer, *Ombre*, was soll der Scheiß, und die Uromi sagte *Pipi machen* statt pinkeln, behandelte ihn wie einen Dreijährigen, aber wunderte sich, wenn er die Hauptstadt von *Honduras* nicht kannte: He, Mann, was ist denn *Honduras*? Eine Motorradmarke?

Jetzt waren Schritte zu hören, er hatte es geahnt: dass es eine leere Drohung gewesen war.

– Markus, es ist sein Neunzigster. Vielleicht ist es sein letzter.

– Mir doch egal, sagte Markus und pustete den Traumfänger an, der über ihm am Lattenrost des oberen Bettes hing.

– Das macht mich ein bisschen traurig, dass du so redest, sagte Muddel.

– Ich hab überhaupt kein Geschenk, schrie Markus.

– Ach, ist doch egal, sagte Muddel.

– Das ist überhaupt nicht egal.

Muddel überlegte einen Augenblick und hatte, wie immer, sofort eine Lösung:

– Schenk ihm doch eins von deinen Schildkrötenbildern!

Großkrienitz, Dorfkern hieß die Haltestelle. Ihr Hof lag am Dorfrand, sogar etwas außerhalb. Er ging drei Meter hinter Muddel: Sicherheitsabstand, damit sie sich nicht bei ihm einhakte.

Sie gingen über die toten Gleise, vorbei an der ehemaligen Feuerwehrgarage, wo jetzt irgendwas von der LPG lagerte, vorbei an der Baustelle, wo immer, jedes Wochenende, der Betonmischer röhrte, ohne dass jemals irgendeine Veränderung sichtbar wurde, vorbei an dem von Enten zugeschissenen Dorfteich, vorbei am Konsum, wo sie sich, Frickel und er, manchmal nach der Schule ein Stangeneis gekauft hatten, vorbei an den niedrigen alten Großkrienitzer Häusern, die man für tot hätte halten können, wenn sich nicht hin und wieder im Fenster die Gardinen bewegt hätten. Natürlich war ihm egal, was die Dorf-Iddis dachten, trotzdem war er ganz froh, dass Muddel jetzt wenigstens einen Parka über ihren Klamotten trug, auch wenn der Parka kaum bis über den Rock reichte. Weiter unterhalb blitzten im Sekundentakt ihre gemusterten Waden auf, und man sah und hörte die Stöckelschuhe auf dem stark ramponierten Gehweg von Großkriewitz.

Falls es ihm gelang, dachte Markus, bis zur Bushaltestelle auf keine Fuge zu treten, dann fiel der Bus aus. Hier fiel öfter ein Bus aus, auf der Strecke verkehrten noch die alten Ikarus-Busse mit Heckmotor, und wenn dieser Bus ausfiel, war die Sache erledigt, denn sonntags fuhr der nächste erst in zwei Stunden. Allerdings durfte man auch auf keine gesprungene Gehwegplatte treten, der Sprung galt als Fuge, und das war nicht so leicht. Muddel beschleunigte den Schritt, und Markus musste sich ziemlich konzentrieren.

Schon von weitem hörte er das Probengeklimper, das aus der Kirche kam, er brauchte nicht aufzuschauen, um zu wissen, wen Muddel grüßte.

– Nanu, rief Klaus. Wohin soll es denn gehen?

Klaus war der Pfarrer.

– Du, wir müssen zum Bus, rief Muddel. Meine Mutter hat heute Geburtstag!

Markus schaute erstaunt auf, eine Sekunde nur, aber schon war's passiert.

– Verdammter Mist, sagte Markus.

– Aber ihr kommt doch heute abend zur Friedensandacht, sagte Klaus.

– Mal sehen, ob wir's schaffen, sagte Muddel.

– Das ist aber schade, rief Klaus ihnen hinterher. Gerade heute!

Der Bus fuhr ein, als sie die Haltestelle erreichten.

Der Heckmotor klirrte leise beim Anfahren. Der alte

Ikarus beschleunigte träge. Draußen die Bilder, die er jeden Morgen sah, das Stoppelfeld, die Kiefern, die silbrigen Silagetürme im Hintergrund (von denen Frickel immer behauptet hatte, es seien in Wirklichkeit Abschussrampen für russische Atomraketen).

Irgendwie hatte er das Gefühl, seiner Mutter Rückendeckung geben zu müssen.

– Ich geh nicht mehr zu meinem Vater, verkündete er.

– Was ist denn jetzt los, sagte Muddel.

Kurz erwog er die Nebenwirkungen dieser Variante: den Wegfall von Berlin, Kino, Naturkundemuseum – allerdings fand das alles so selten statt, dass es ihm plötzlich (und zwar besonders angesichts der Tatsache, dass er irgendwann, bald, groß genug war, allein nach Berlin zu fahren) gar nicht so unmöglich erschien, auf die Gnade des Hin-und-wieder-von-seinem-Vater-abgeholt-Werdens zu verzichten.

– Der Arsch, sagte Markus.

– Bitte, Markus!

– Der Arsch, wiederholte Markus.

– Markus, ich möchte nicht, dass du über deinen Vater so redest.

Der Bus hielt kurz, eine Omi stieg ein, setzte sich in die erste Reihe. Als der Bus wieder anfuhr, sagte Muddel:

– Ich war mit deinem Vater verheiratet, und wir haben dich zusammen bekommen, weil wir uns geliebt haben. Und die Tatsache, dass wir uns getrennt haben, hat mit dir nichts zu tun. Dein Vater hat *mich* verlassen, nicht *dich*. Okay?

– Scheiße Pisse mit Kotze, sagte Markus.

Irgendwie machte es ihn erst recht wütend, wenn Muddel seinen Vater verteidigte. Er hatte sie beide verlassen – auch ihn! Er hatte seiner Mutter Dinge angetan. Zwar war er noch zu klein gewesen, um sich zu erinnern, behauptete Muddel, aber ein bisschen erinnerte er sich trotzdem daran: an das Verlassenwerden. An den Horror. An Quäldinge. Er erinnerte sich an Muddels Wimmern, leise, damit er nicht hörte, was sein Vater im Nebenzimmer mit ihr machte, es hatte irgendwie zu tun mit An-den-Haaren-Ziehen, mit Über-den-Fußboden-Schleifen, *Frauen abschleppen*, hatte Muddel einmal gesagt, obwohl ihm natürlich inzwischen klar war, dass dies etwas anderes bedeutete – aber an das Wimmern im Nebenzimmer erinnerte er sich genau, und wie er dalag, starr vor Angst, und dass er immer krank gewesen war als Kind, das kam alles davon, vom Verlassenwerden, Muddel musste es schließlich wissen, als Psychologin, auch der Traum von den Fischköpfen, manchmal mitten am Tag, bevor Muddel ihm einen Traumfänger geschenkt hatte.

Die LPG kam in Sicht, ein verwahrlostes Gelände: überall verrostete Maschinen im hohen Gras. Dann das Schweine-KZ, ein Bauwerk aus rohen Betonplatten, das ihm immer einfiel, wenn sie in der Schule das Lied singen mussten:

Unsre Heimat, das sind nicht nur die Städte und Dörfer ...

– Warum hast du eigentlich gesagt, dass *deine Mutter* Geburtstag hat?

– Ach, einfach nur so, sagte Muddel.

Aber er wusste, dass es nicht einfach nur so war. Es war Muddel peinlich vor Klaus, dass sie zu Wilhelms Geburtstag ging, irgendwie vertrug sich das nicht: Klaus – Kirche und Wilhelm – Partei. Nur: Klaus kannte Wilhelm ja gar nicht (und ihre Mutter auch nicht), sodass die Ausrede vollkommen überflüssig war. Aber anstatt Muddel darauf hinzuweisen, fragte er:

– Ist Klaus eigentlich gegen die DDR?

– Klaus ist nicht gegen die DDR, sagte Muddel. Klaus ist für eine bessere DDR, mit mehr Demokratie.

– Und warum ist er dann Pfarrer?

– Warum denn nicht, sagte Muddel. Jeder kann sich einsetzen für mehr Demokratie. Als Pfarrer kann er zum Beispiel Friedensandachten organisieren.

Markus hatte keine Lust, das Thema fortzusetzen, er spürte schon, wie Muddel ihn wieder überzeugen wollte, aber er fand die Friedensandachten einfach grausam, dieses Alle-an-den-Händen-fassen-und-zusammen-Singen, das ganze Getue, und hinterher pennten alle bei ihnen auf dem Grundstück, soffen sich einen an und pissten in die Tomaten: für eine bessere DDR. Wie das gehen sollte, blieb sowieso ein Rätsel.

In der Ferne sah man jetzt Westberlin: die weißen Schachtelneubauten, die aussahen wie Zukunft. Dort wohnte Frickel.

– Warum stellen wir eigentlich keinen Ausreiseantrag, fragte er.

– Wenn wir heute einen Ausreiseantrag stellen würden, sagte Muddel, dann würde er – und auch nur vielleicht – genehmigt werden, wenn du achtzehn bist. Oder zwanzig.

– Oder wir hauen ab, sagte Markus.

– Nicht so laut, sagte Muddel.

Die Lösung kam ihm auf einmal genial vor. Dann waren sie alles los: Großkrienitz, die Töpferei. Und sein Vater guckte dumm aus der Wäsche.

– Und wie willst du das machen, fragte Muddel.

– Na, wie alle – über Ungarn.

– So einfach ist das nicht, Muddel sprach leise, als hätte sie die Omi vorn im Bus unter Stasi-Verdacht: Da brauchst du ein Visum für Ungarn, aber das kriegst du nicht mehr, und dann überleg mal: Wenn wir rübergehen, siehst du auch deine Freunde nie wieder.

– Doch, Frickel.

– Gut, Frickel. Und die anderen?

– Lars ist sowieso schon drüben.

– Und Oma und Opa? Und dein Vater?

– Der Arsch, sagte Markus.

– Markus, sagte Muddel, ist etwas zwischen euch vorgefallen? Möchtest du darüber sprechen?

– Scheiße Pisse mit Kotze, sagte Markus und sah zu, wie die weißen Schachtelhäuser langsam vorbeiglitten.

Als er eine gute Stunde später vor dem Haus seiner Urgroßeltern stand, erinnerte er sich auch wieder an die Messingtürklopfer an der Haustür. Sie hatten die Form von chinesischen Drachen, aber ihre aufgerissenen Mäuler sahen auf einmal aus wie die Fischköpfe in seinem Traum. Zum Glück – gewissermaßen zur Entkräftung des Bösen – klebte unter den Fischköpfen ein kleiner Zettel: *Nicht klopfen!*, und Markus erinnerte sich jetzt, dass im Haus überall kleine Zettel geklebt hatten: *Nur für Gäste* oder *Schalter außer Betrieb* oder *Schlüssel innen stecken lassen*, sogar *Achtung Keller* stand an einer Tür, als könnte man in dem großen Haus manchmal vergessen, wo es zum Keller ging.

Noch bevor sie den Klingelknopf drückten, öffnete sich die Tür, und ein Mann im blauen Anzug und mit dicken, wurstähnlichen Falten auf der Stirn stand ihnen gegenüber.

– Genossin ... äh ..., sagte der Mann.

Offensichtlich hatte er keine Ahnung, wen er vor sich hatte, tat aber so, als falle ihm bloß der Name nicht ein.

– Umnitzer, sagte Muddel und zeigte auf Markus: Der Urenkel.

– Der Urenkel, rief der Mann.

Er ergriff Markus' Hand und schüttelte sie.

– Donnerwetter, sagte der Mann. Donnerwetter!

Das Seltsame war, dass die Wurstfalten auf seiner Stirn unverändert blieben, auch wenn er lachte. Zu Muddel sagte er:

– Genossin, ich habe den Auftrag, Ihnen das Blumenpapier abzunehmen.

Muddel gab ihm das Blumenpapier, ohne die Anrede zu korrigieren.

In der Diele leuchtete die große Muschel, ganz so, wie er es in Erinnerung hatte, nur dass ihm der Raum noch dunkler erschien als beim letzten Mal. Einige Sekunden standen sie verloren herum, dann tauchte, dicht vor ihnen, die Urgroßmutter auf wie ein Geist. Sie schaute sie fragend an, und schon befürchtete Markus, von ihr nicht erkannt zu werden, als sie sagte:

– Wunderbar, dass ihr kommt. Ich bin ja so glücklich!

Eine Frau huschte vorbei und nahm Muddel den Mantel ab.

– Wenn am Hintereingang kein Platz mehr ist, bringst du den Mantel in den Keller, rief die Urgroßmutter der Frau mit durchdringender Stimme hinterher. Dann wandte sie sich wieder ihnen zu.

– Grauenhaft, sagte sie.

Markus hatte keine Ahnung, was sie meinte.

– Ich bin am Ende, sagte die Urgroßmutter, ich bin wirklich am Ende.

Sie schlug die Hände vors Gesicht, verharrte einige Augenblicke in dieser Haltung, bis es Markus unbehaglich zu werden begann. Plötzlich sagte sie:

– Kein Wort! Ist das klar?

Ihre Stimme klang wieder durchdringend und scharf.

– Kein Wort über Ungarn! Kein Wort über irgendwas! Das muss hundertprozentig klappen! Ist das klar?

– Alles klar, sagte Muddel.

Die Urgroßmutter beugte sich vor, flüsterte jetzt beinahe:

– Er verträgt das nicht mehr.

– In Ordnung, sagte Muddel.

– Wunderbar, flötete die Urgroßmutter und strich Markus übers Haar. Du bist aber groß geworden!

– Er ist jetzt zwölf, sagte Muddel.

Die Urgroßmutter nickte.

– Melitta, nicht wahr, du bist Melitta?

– Ja, sagte Muddel. Genau.

Noch einmal strich die Urgroßmutter Markus übers Haar, schaute ihn lächelnd an, um dann, wiederum abrupt, fast ein bisschen irrsinnig, die Tonart zu wechseln:

– Vamos, sagte sie. Hundertprozentig! Ich verlasse mich auf euch.

Gleich beim Betreten des Raums musste er wieder an das Naturkundemuseum denken, so ausstellungshaft war alles, so irgendwie prähistorisch, und es roch auch so: staubig und streng und nach großem Ernst; ringsum standen, wie eh und je, schwarze, verglaste Regale, und schräg durch die große Schiebetür, welche die beiden Räume zu einer regelrechten Halle verband, sah man den Wintergarten, in dem, wie ihm jetzt einfiel, der Hauptteil der Schätze lagerte.

In der Mitte des Raums war eine aus verschiedenen (und verschieden hohen) Tischen zusammengestückelte Tafel aufgebaut, daran saßen schon eine Menge Leute. Sein Vater war nicht dabei. Auch Oma Irina konnte er auf den ersten Blick nicht finden; es waren zumeist alte, uralte Leute, die hier am Tisch saßen und diskutierten, eine Saurierversammlung mit Kaffee und Kuchen, dachte Markus, aber so aufgeregt durcheinanderkrächzend, als hätte man sie gerade alle aus ihrer prähistorischen Starre erweckt, damit sie alles, was sie in Millionen Jahren zu sagen versäumt hatten, heute nachholten.

Nur einer hockte abseits der großen Tafel, ganz links in der Ecke, im Schatten des durch die Terrassentür einfallenden Lichts: ein Saurier, der die Wiederauferstehung nicht ganz geschafft hatte – tatsächlich erinnerte die ineinandergeschobene Knochengestalt mit ihren bis zu den Ohren aufragenden Knien, den über die Seitenlehnen hängenden Flügelarmen und der riesigen langen Schnabelnase an den fossilen Abdruck jenes ausgestorbenen Reptils, das Markus immer am meisten fasziniert hatte: Pterodactylus, Flugsaurier.

– Markus, sagte die Urgroßmutter zu dem Pterodactylus. Dein Urenkel.

– Gratuliere zum Geburtstag, murmelte Markus und hielt seinem Urgroßvater das Bild hin.

Der Pterodactylus hielt den Kopf schief, die Schnabelnase kreiste.

– Er hört nix mehr, flüsterte die Urgroßmutter.

– Ein Leguan, krächzte der Pterodactylus.

– Eine Wasserschildkröte, sagte Markus laut – auf eine weitere Präzisierung (dass es sich nämlich um das Abbild einer echten Karettschildkröte handelte) verzichtete er.

– Er sieht auch nix mehr, flüsterte die Urgroßmutter.

– Markus interessiert sich für Tiere, sagte Muddel.

Der Pterodactylus saß einen Augenblick reglos. Dann sagte er:

– Wenn ich tot bin, Markus, dann erbst du den Leguan dort im Regal.

– Cool, sagte Markus.

Dass ihm jemand etwas «vererbte», war ihm noch nie passiert, und er war nicht sicher, ob man sich dafür zu bedanken hatte, ob man sich überhaupt freuen durfte. Das hieße ja, sich auf Wilhelms Tod freuen. Aber Wilhelm sagte plötzlich:

– Oder nimm ihn am besten gleich mit.

– Jetzt gleich?

– Nimm mit, sagte Wilhelm, mit mir geht es sowieso nicht mehr lange.

– Aber erst allen guten Tag sagen, rief Muddel ihm hinterher.

Markus ging artig von einem zum anderen und ließ das immer wiederkehrende *Der Urenkel, der Urenkel!* über sich ergehen, peinlich, klar, aber irgendwie fühlte er sich auch geschmeichelt.

– Die Jugend, flötete eine blondierte alte Frau.

– Da sdrawstwujet, brüllte ein dicker, schwitzender Mann, dessen Gesicht schon ganz rot war vom vielen Reden.

Alle hoben ihr Glas und tranken auf die Jugend.

Opa Kurt drückte ihn sogar – nicht gerade üblich, normalerweise gehörte Opa Kurt eher zu denen, die unnötigen Körperkontakt mieden, was Markus durchaus zu schätzen wusste; überhaupt mochte er seinen Opa, und es tat ihm immer ein bisschen leid, wie Opa sich, wenn er hin und wieder bei seinen Großeltern zu Besuch war, mühte, ihm irgendwelche Spiele beizubringen, *aus denen man etwas fürs Leben lernte.* So war Opa Kurt: gutmütig, aber anstrengend.

– Wo ist denn Oma Ira, fragte Markus.

– Oma geht es nicht gut, sagte Opa Kurt.

– Ist sie krank?

– Ja, sagte Opa Kurt. So muss man es sagen.

Zum Schluss kam Baba Nadja dran. Ihm grauste ein bisschen vor ihrem Händedruck. Baba Nadja wohnte drüben bei Oma Irina, und wenn man dort zu Besuch war, musste man immer in ihr Zimmer und guten Tag sagen, und dort stank es gewaltig, ein bestimmter, leicht süßlicher Geruch, der einen regelrecht würgen ließ, sodass man versuchte, sofort wieder zu entkommen, sobald man seine Pflicht erfüllt hatte, aber da war die Falle schon zugeschnappt – Hände wie Kneifzangen, die alte Frau, sie packte einen, quasselte einen voll mit ihrem Russisch und zog einen, während die Atemluft knapp zu werden begann, aufs Bett, und ihre Zangenpfoten öffneten sich nicht eher, als bis man eine von ihren ekligen Pralinen gekostet hatte.

Sie meinte es gut, das war klar, und Markus ließ sich nichts anmerken, als er ihr jetzt die Hand reichte, unwillkürlich atmete er durch den Mund und setzte ein irgendwie freundliches Gesicht auf, entschlossen, den Schwall unverständlicher Laute über sich ergehen zu lassen – aber zu seiner Verblüffung sagte Baba Nadja nur ein einziges, zwar falsch (nämlich auf der letzten Silbe) betontes, doch verständliches Wort:

– Affidersin, sagte sie.

Auf Wiedersehen, sagte Markus erleichtert und machte sich auf den Weg.

Zuerst besichtigte er den Leguan, der nun sein Eigentum war: ein prächtiges Exemplar, ganz unbeschädigt, abgesehen von einer fehlenden Kralle. Der Schuppenkamm war ein bisschen verstaubt, und er freute sich schon darauf, ihn zu Hause mit einem feinen Pinsel säubern zu dürfen. Ob er den Leguan gleich in Sicherheit bringen sollte, wer weiß, vielleicht hatte Wilhelm nachher schon wieder alles vergessen – aber wohin? Und es gab ja auch Zeugen für die Schenkung. Er beschloss, seine Besichtigung fortzusetzen, Muddels stumme Aufforderung, sich mit an die Kaffeetafel zu setzen, ignorierend.

Wilhelms Zimmer war weniger interessant als der Wintergarten, abgesehen von dem Leguan und abgesehen vielleicht von dem großen Sombrero und dem Lasso und dem bestickten Ledergurt (mit Revolvertasche!), die in einer zugemauerten Türnische hingen. Dennoch nahm sich Markus die Zeit, alles noch einmal gründlich zu prüfen: das Silberzeug, Schalen und Aschenbecher, aber auch Sachen aus Gold oder aus blauem Kristall, wahrscheinlich sehr wertvoll, die sorgfältig drapiert in extra Abteilungen zwischen den Büchern herumstanden. Es gab auch eine russische Abteilung, darin eine von diesen ineinanderzuschachtelnden Holzpuppen, bemalte Holzlöffel und so ein gläsernes Ding, wo es schneite, wenn man es schüttelte, und mittendrin in dem Ding, winzig: der Kreml. Und Lenin, als Gipskopf, mit angeschlagenem Ohr.

Interessanter waren die Fotos, die in kleinen Stehrahmen auf der halbhohen Vitrine standen: Wilhelm auf einem prähistorischen Motorrad, in Uniform (?) und mit Lederkappe und Brille (nur an der Nase erkannte man ihn), daneben, in einem Beiwagen, ein Mann im Anzug: Karl Liebknecht vielleicht. Doch das Foto war schlecht, und einen Bart hatten damals wohl alle.

Ein Foto von einem Schiff: War es das, auf dem seine Urgroßeltern aus Mexiko zurückgekommen, oder das, mit dem sie hingefahren waren? Wie waren sie eigentlich damals aus Deutschland entkommen?

Außerdem das Foto einer jungen, schönen Frau mit schwarzen, glänzenden Augen, und nur an der Art und Weise, wie sie noch heute die Haare trug, erkannte man, dass es sich um dieselbe Person handelte, die jetzt hereinflatterte und zischend ihre Gäste ermahnte.

– Bitte, Kinder, ich bitte euch!

Und schon klingelte es wieder. Die Urgroßmutter verschwand im Flur, das Palaver der Saurier, das nach der Ermahnung für einen Moment abgeschwollen war, nahm wieder an Lautstärke zu, man redete, trotz Verbots, über die *politische Lage* und über Ungarn und das ganze Zeug, und Markus registrierte erstaunt, dass die Saurier dieselbe Meinung vertraten wie Pfarrer Klaus in Großkrienitz:

– Mähr Demogradie, schrie der dicke Mann mit dem roten Gesicht, selbstvorständlich prauchen wir mähr Demogradie!

Aber schon ging die Urgroßmutter dazwischen und klatschte in die Hände:

– Genossen, rief die Urgroßmutter, Genossen, ich bitte um Ruhe!

Ein Mann im braunen Anzug war eingetreten. Er sah aus wie sein Schuldirektor Brietzke und hielt eine rote Mappe in der Hand, jemand ließ ein Glas klingen, eine Rede anscheinend, jetzt kam der offizielle Teil, dachte Markus. Wo blieb eigentlich sein Vater?

– Liebe Genossen, lieber, verehrter Genosse Powileit, begann der Schuldirektor, und sein Tonfall war schon bei diesen ersten Worten so ermüdend, so typisch Rede, dass Markus überlegte, ob er, die letzte Unruhe nutzend, noch rasch versuchen sollte, in den Wintergarten zu entkommen, aber zu spät, ihm blieb nichts übrig, als abzuwarten. Er stand jetzt am Fenster, vor Wilhelms Schreibtisch – auch museumsreif, samt den altertümlichen Utensilien, die darauf lagen: Brieföffner (gleich mehrere), Holzstifte (rot), eine große Lupe –, und erinnerte sich, während der Schuldirektor Wilhelms Lebenslauf ausbreitete, dass auch Wilhelm damals, als er in seiner Klasse gewesen war, vom «Kap-Putsch» erzählt hatte und dass er dabei verwundet worden war, und obwohl er gar nicht wusste, wie es dort aussah, hatte Markus seinen Urgroßvater schon damals am *Kap Hoorn* gesehen, mit Sombrero und gezücktem Trommelrevolver zum Angriff reitend und – peng! – vom Pferd fallend. So war es garantiert nicht gewesen, dachte Markus, vielleicht hieß einfach ihr Anführer «Kap»? Vielleicht war das der Mann im Beiwagen? Fuhren sie gerade zum Putsch? Oder war das Foto aus der Nazizeit, als Wilhelm, wie der Schuldirektor jetzt berichtete, *illegal tätig* gewesen war, und Wilhelm hatte sich als SA-Mann verkleidet? Später, sagte der Schuldirektor, musste Wilhelm aus Deutschland fliehen – nur *wie* er geflohen war, das verriet der Schuldirektor nicht, und Markus fragte sich abermals, ob es denn keine Grenze gegeben hatte in Deutschland? Wurde sie nicht bewacht? Und wo war eigentlich während der ganzen Zeit Urgroßmutter Charlotte?

– ... dir, lieber Genosse Powileit, den Vaterländischen Verdienstorden in Gold zu verleihen, hörte Markus den Schuldirektor sagen. Das hörte sich bombastisch an, Vaterländischer Verdienstorden, ein bisschen nach Kaiser und Krieg, und auch noch in Gold, alle klatschten jetzt, der Schuldirektor ging auf Wilhelm zu, den Vaterländischen Verdienstorden in der Hand, aber Wilhelm stand nicht mal auf, sondern hob nur die Hand und sagte:

– Ich hab genug Blech im Karton.

Alle lachten, nur die Urgroßmutter schüttelte den Kopf, dann steckte der Schuldirektor Wilhelm den Orden an, und alle klatschten wieder und standen auf und wussten auf einmal nicht, wie sie aufhören sollten zu klatschen, und klatschten immer noch, als die Urgroßmutter endlich mit schriller Stimme dazwischenrief:

Das Buffet ist eröffnet!

Das Buffet stand im Nebenzimmer. Markus angelte sich rasch ein Würstchen und marschierte in Richtung Wintergarten. Schon hatte er den typischen Geruch in der Nase, schon spürte er an den Fingerspitzen die schmirgelige Rauheit des Katzenhais, dessen Haut, wie die Haut aller Haifische, aus winzigen, sich ständig regenerierenden Zähnen bestand, er hatte sogar schon, vorsorglich, darauf zu achten begonnen, das Würstchen in der einen, der rechten Hand zu behalten, damit die Linke für die Berührung mit dem Katzenhai sauber blieb – als er feststellte, dass der Wintergarten verschlossen war. An der Schiebetür klebte, wie ein Siegel über die Ritze zwischen den Flügeln hinweg, ein Zettel: *Nicht betreten!* Markus lugte durch die Glasscheibe. Es war alles, wie er es in Erinnerung hatte, dort die Kobrahaut und die Säge, der Katzenhai zwischen den Blättern des Gummibaums, nur der kleine Springbrunnen war außer Betrieb, und wenn man sich ganz herüberlehnte, sah man, dass das Parkett vor der Tür, die auf die Terrasse hinausführte, von einem Wasserschaden aufgequollen war, ja dass sogar Bretter fehlten. Schade, dachte Markus, nicht um den Fußboden, sondern um die schönen Sachen, die ihm plötzlich ziemlich vernachlässigt und verwaist vorkamen – und er fragte sich, einmal auf den Gedanken gebracht, ob er die Kobrahaut und die Sägerochensäge und den Katzenhai nicht auch *erben* könnte, doch wahrscheinlich war, wenn die Urgroßmutter starb, erst einmal Opa Kurt dran, und wenn Opa Kurt starb, sein Vater – eine lange, zu lange Folge, und die einzige Hoffnung bestand wohl darin, dies oder jenes vorzeitig geschenkt zu bekommen: Vielleicht war mit seinem Vater ja zu verhandeln? Wo blieb der eigentlich? Markus schaute sich um, aber natürlich war sein Vater nicht da. Immer wenn man ihn brauchte, war er nicht da: jetzt, zum Beispiel, um die durchgeknallte Urgroßmutter zu fragen, ob man mal in den Wintergarten durfte. Zum Kotzen, einen Vater zu haben, der nie da war. Andere Väter waren da, nur er, Markus Umnitzer, hatte so einen Scheißvater, der immer nicht da war. Der Arsch.

Er ging zurück zum kalten Buffet, holte sich noch ein Würstchen. Muddel saß drüben im anderen Zimmer neben Opa Kurt, und da sie es nicht unbedingt gern sah, wenn er Würstchen aß, drückte er sich noch ein bisschen im «Buffet-Zimmer» herum, betrachtete gelangweilt die überall herumstehende und herumhängende Indianerkunst, von der die Urgroßmutter immer schwärmte, und schaute, als es wieder klingelte, unauffällig nach, ob sein Vater endlich gekommen war. Und als er sein Würstchen aufgegessen hatte und der Arsch noch immer nicht gekommen war, entschloss er sich, die Urgroßmutter selbst zu fragen, ob ausnahmsweise eine Besichtigung des Wintergartens möglich war – aber als er sich die Finger an der Hose abgewischt hatte und sich nach seiner Urgroßmutter umsah, wurde es im anderen Zimmer plötzlich still, und einen Augenblick später war eine Stimme zu hören, eine leise, hohe Singstimme, fast zu hoch für einen Mann und fast zu rein für ein so gut wie ausgestorbenes Exemplar, doch die Stimme gehörte tatsächlich Wilhelm, der in seiner dunklen Ecke saß, mit geschlossenen Augen, und *sang*, einfach so vor sich hin sang, irgendeinen gerade ausgedachten Blödsinnstext, konnte man glauben: war es aber nicht, sondern irgendwas mit Lenin und Stalin, jemand versuchte sogar mitzusingen, konnte aber den Text nicht richtig, und Wilhelm sang allein zu Ende, solo, der Pterodactylus, kaum mehr als ein Haufen Knochen, den Orden an der Brust wie ein Olympiasieger.

Wieder klatschten alle. Wilhelm winkte ab, doch es half nichts, die Leute klatschten, als wäre das sonst wie toll gewesen. Nur die Urgroßmutter zog ein Gesicht: Wilhelm war ihr peinlich, man sah es, und Markus überlegte noch, ob es der richtige Moment war, sie nach dem Wintergarten zu fragen, als – kaum zu glauben – der Nächste anfing zu singen. Besser gesagt *die* Nächste. Baba Nadja war es, die sich plötzlich im Takt hin und her zu wiegen begann und mit tiefer, rauer Stimme russische Laute hervorbrachte, welche sofort die allgemeine Aufmerksamkeit auf sich zogen, Psst-psst, hieß es, sogar Urgroßmutter wurde niedergepsst, man warf Baba Nadja aufmunternde Blicke zu, schon fingen die ersten Köpfe an, sich im Takt zu wiegen, und nachdem Baba Nadja zum zweiten oder dritten Mal bei einer Art Refrain angekommen war, in dem das wohl einzige Wort vorkam, was alle verstanden, nämlich *Wodka, Wodka,* fingen die Ersten an mitzusingen, immer an der Stelle *Wodka, Wodka,* während Baba Nadja ernst und stur eine Strophe nach der anderen ableierte, bis schließlich alle, am lautesten der Dicke mit dem Pavianarschgesicht, mitbrüllten: *Wodka, Wodka,* und sogar in die Hände klatschten bei *Wodka, Wodka.* Unglaublich, was hier abging. Die Saurier-Party. Da verpasste sein Vater was, dachte Markus und schaute sich um, ob er nicht doch inzwischen gekommen war, aber statt seines Vaters sah er inmitten all dieser überschnappenden Fröhlichkeit, zwischen den gackernden, zähnebleckenden und betrunkenen Gesichtern ein ernstes, ein abwesendes, ein von alldem vollkommen unberührtes Gesicht, ganz schmal und ganz schief und von kleinen, entzündeten Schmerzstellen unter den Augenbrauen gezeichnet.

Im selben Augenblick klirrte irgendetwas im Nebenzimmer, jemand schrie auf – und Markus hatte Mühe, sich gegen die plötzlich durch die Schiebetür strömenden Menschen vorzuarbeiten zu seiner Mutter.

– Was ist denn passiert, fragte er.

– Wir gehen, sagte Muddel.

– Warum denn jetzt schon?

– Das erklär ich dir draußen, sagte Melitta.

Sie gingen, ohne sich von den Urgroßeltern zu verabschieden.

Den Leguan nahm er mit.

In der Nacht träumte er wieder von abgeschnittenen Fischköpfen.

1979

Selbst der Schnee, mit dessen Räumung die Leute seit Tagen schon wieder nicht hinterherkamen, konnte die Gegend nicht ansehnlicher machen. Die hohen Mietshäuser links und rechts sahen erbärmlich aus. Die Stuckfassaden waren vom Rauch der Kohleöfen geschwärzt, wo nicht nacktes Mauerwerk bleckte. Die Balkone sahen aus, als könnten sie einem jeden Moment auf den Kopf fallen.

Ruinen schaffen ohne Waffen, der Witz fiel ihm ein: die Losung der Kommunalen Wohnungsverwaltung.

Drüben, im Wedding, waren schicke Neubauten zu sehen. Was dachten die Westberliner, wenn sie über die Mauer hinweg in dieses Elend schauten?

Haus Nummer 16 schien unbewohnt zu sein. Falsche Adresse? Die Tür stand offen. Kurt passierte einen ruinösen Hausflur. An der Decke die Reste von Blumenreliefs. Dornröschenschlaf.

Uralte Schilder: Hausieren verboten. Ball spielen verboten. Fahrräder abstellen verboten.

Seitenflügel rechts. Abgerissene, aufgebrochene Briefkästen. Die Tür stand sperrangelweit offen, ließ sich nicht schließen, weil eine dicke Eisschicht auf dem Fußboden die Schwelle blockierte: Rohrbruch, dachte Kurt, das Wort dieses Winters. Überall waren nach dem großen Temperatursturz zum Jahreswechsel die Rohre gebrochen.

Kurt balancierte über den vereisten Boden, stieg zwei Treppen hinauf, klopfte an der Tür rechts. Hoffte, dass niemand öffnete. Dann konnte er sagen, er habe es versucht. Nur, was hatte er davon? Irina würde die Polizei anrufen oder, noch schlimmer, selber hierherkommen – Gott bewahre. Wenn Irina *das* sah, war es aus.

Geräusche. Schritte. Die Tür öffnete sich, Sascha erschien. Er trug einen grässlichen, auffällig geflickten blauen Pullover. Seine Haare waren kurz geschoren wie bei einem Sträfling. Er war mager geworden, sein Gesicht hatte einen merkwürdig wächsernen Glanz, und sein Blick war – irgendwie irr.

– Komm rein, sagte Sascha und machte eine Geste, als würde er ihn in einen Palast bitten.

Kurt betrat eine leere Wohnung. Er nahm kaum Einzelheiten wahr – es gab kaum Einzelheiten. Ein brutal kahler Flur. Eine Küche ohne ein einziges Möbel, alle Küchenutensilien standen auf einer alten Kochmaschine herum. Das Zimmer: blanke Dielen von roter Fußbodenfarbe. Eine nackte Birne an der Decke. Ein Schrank. Eine Matratze. Eine blau angestrichene Schulbank, auf der eine Schreibmaschine stand.

Sascha wies auf den einzigen Stuhl im Zimmer.

– Setz dich, sagte er. Willst du 'n Tee?

Kurt blieb stehen, schaute sich um.

Ein voller Aschenbecher stand auf dem Fensterbrett. Auf dem Fußboden lagen Bücher.

– Ich bin noch nicht vollständig eingerichtet, sagte Sascha.

– Aha, sagte Kurt.

Er schaute an den Eisblumen vorbei auf die Pappel im Hinterhof, die ihre schwarzen Äste dem Himmel entgegenstreckte.

– Hast du hier eine Zuweisung oder so was?

Sascha lachte, schüttelte den Kopf.

– Und wie kommst du hier rein? Woher hast du den Schlüssel?

– Ich hab ein neues Schloss eingesetzt.

– Du willst sagen, du bist hier eingebrochen.

– Vater, die Bude steht leer. Da kümmert sich kein Mensch drum.

Kurt betrachtete den großen braunen Kachelofen. Hinter der spaltbreit geöffneten gusseisernen Tür loderte ein Flämmchen. Neben dem Ofen stand ein Pappkarton mit Kohlen. Vorschriftswidrig, dachte Kurt. Laut sagte er:

– Na schön, gehen wir essen.

Inzwischen war es dunkel geworden. Nur die Hälfte der alten, von vor dem Krieg stammenden Laternen funktionierte noch. Ein Müllcontainer qualmte.

– Schön hier, sagte Kurt.

– Ja, sagte Sascha, die beste Gegend Berlins.

Sie gingen hintereinander, weil nur ein schmaler, ausgetretener Pfad im Schnee begehbar war. Sascha voran. Er trug eine abgewetzte, viel zu dünne Militärjacke: Parka, sagte man wohl.

– Wo ist eigentlich dein Lammfellmantel, fragte Kurt.

– Ist noch bei Melitta.

– Noch bei Melitta, murmelte Kurt.

– Wie bitte, fragte Sascha.

– Nichts, sagte Kurt.

Endlich traten sie auf die Schönhauser hinaus. Jetzt gingen sie nebeneinander.

– Deine Mutter macht sich Sorgen, begann Kurt.

Sascha zuckte mit den Schultern:

– Mir geht es gut.

– Das freut mich, sagte Kurt. Dann kannst du mich ja mal darüber aufklären, was eigentlich los ist.

– Was soll los sein. Ich bin da, ich existiere. Das Leben ist wunderbar.

– Melitta sagt, du willst dich scheiden lassen.

– Ihr wart bei Melitta?

– Melitta war bei uns.

– Wie schön, sagte Sascha.

– Darf Melitta uns nicht mehr besuchen?

– Aber bitte! Ich freue mich, wenn ihr euch plötzlich so gut versteht.

– Melitta ist die Mutter unseres Enkels, sagte Kurt. Und das haben nicht wir uns ausgesucht. Das war deine Entscheidung. Du wolltest heiraten. Du wolltest ein Kind. Wir haben dir damals abgeraten ...

– Richtig, sagte Sascha, ihr habt uns geraten, das Kind zu töten.

– Wir haben dir abgeraten, Hals über Kopf zu heiraten, eine Frau, die du kaum kennst. Wir haben dir abgeraten, ein Kind in die Welt zu setzen mit zweiundzwanzig ...

– Okay, sagte Sascha, du hattest recht, wenn du das hören willst. Gratuliere, du hattest recht. Bist du jetzt zufrieden?

An der Ecke Gleimstraße war die Gaststätte Vineta. An der Tür hing ein handgemaltes Schild: «Wegen technischer Probleme geschlossen».

Auch das Restaurant auf der anderen Straßenseite war geschlossen: «Montag Ruhetag».

Sie gingen weiter Richtung Stadtzentrum. Der Verkehr kam in Wellen. Kurt wartete eine Pause ab, um nicht schreien zu müssen. Dann versuchte er es noch einmal:

– Es geht nicht darum, wer recht hat oder hatte. Ich mache dir keine Vorhaltungen. Aber du hast nun einmal geheiratet, du hast einen Sohn in die Welt gesetzt, und nun hast du eine gewisse Verantwortung. Du kannst nicht gleich alles hinschmeißen und wegrennen, weil es mal ein Problem gibt. Das ist nun mal so in einer Ehe, dass es auch mal Probleme gibt.

– Es geht nicht um Eheprobleme, sagte Sascha.

– Aha, sagte Kurt. Worum geht es dann?

Sascha schwieg.

– Entschuldige, aber ich finde, wir, als deine Eltern, haben eine gewisses Recht, zu erfahren, was los ist. Du verschwindest einfach für Wochen, du meldest dich nicht ... Kannst du dir wirklich nicht vorstellen, was bei uns zu Hause los ist? Baba Nadja weint den ganzen Tag. Deine Mutter ist vollkommen erledigt. Ich weiß nicht, um wie viele Jahre sie in diesen letzten Wochen gealtert ist –

– Bitte mach mich jetzt nicht noch verantwortlich für das Alter meiner Mutter, sagte Sascha.

Kurt wollte etwas einwenden, aber Sascha ließ ihn nicht zu Wort kommen, wurde plötzlich laut:

– Ich kann mein Leben nicht nach dem Seelenfrieden meiner Mutter ausrichten, so leid es mir tut. Ich habe ein Recht auf mein eigenes Leben, ich habe ein Recht auf Eheprobleme, ich habe ein Recht auf Schmerzen ...

– Ich denke, du hast keine Eheprobleme?

Sascha schwieg.

– Gibt es eine andere Frau?

– Ich denke, Melitta hat euch alles erzählt.

– Melitta hat uns gar nichts erzählt.

– Nein, es gibt keine andere Frau, sagte Sascha.

– Was dann?

Sascha lachte.

– Vielleicht hat Melitta ja einen anderen Mann? Das ist ja auch eine Möglichkeit! – Hier gibt es Broiler.

Sie standen vor der Goldbroilergaststätte Ecke Milastraße. Kurt hatte weder Lust auf Broiler, noch hatte er Lust auf Neonlicht und Tische aus Sprelacart, aber vor allem hatte er keine Lust, in der Kälte anzustehen: Die Schlange ging bis vor die Tür.

– Was ist denn noch in der Nähe?

– Da drüben ist das Wiener Café, sagte Sascha.

– Gibt es da was zu essen?

– Torte.

– Hier muss es doch irgendwo was zu essen geben, sagte Kurt.

– Balkan-Grill, sagte Sascha und zeigte in Richtung Alex.

Sie gingen weiter.

Der Wind blies heftig. Eine U-Bahn rasselte vorbei – hier fuhr die U-Bahn oben, als Hochbahn, während die S-Bahn unter der Straße kreuzte: Verkehrte Welt, dachte Kurt.

Er versuchte, den Gedanken, dass Melitta Sascha betrog, in seine eigenen Vorstellungen einzuordnen. Dass Sascha Melitta betrog, hätte ihn kaum überrascht. Aber umgekehrt? Das war erstaunlich, und wenn er ehrlich war, empfand Kurt ein kleines bisschen, ja, Genugtuung: moderne Ehe! Gleichberechtigung! Da war er, Kurt, mit seiner traditionellen Ehe doch weiter.

Laut sagte er:

– Ich verstehe natürlich, dass dich das schmerzt.

– Das ist schön, sagte Sascha.

– Das versteh ich, sagte Kurt, auch wenn du's nicht glaubst, ich hab ja auch ein bisschen Lebenserfahrung. Was ich nicht verstehe: Warum wohnst du in dieser Bruchbude?

– Soll ich im Tierpark wohnen?

– Ich würde gern wissen, warum du nicht deine Wohnung bewohnst.

– Das habe ich doch gesagt. Weil Melitta dort wohnt, mit ihrem ...

Sascha wedelte mit der Hand durch die Luft.

– Wie – der *wohnt* dort?

Sascha schwieg.

– Aber du kannst dem doch nicht einfach die Wohnung überlassen.

– Vater, die Wohnung bekommt sowieso Melitta zugesprochen.

– Aber du verlierst doch dein Anrecht.

– Worum geht es jetzt? Um die Wohnung?

– Entschuldige, sagte Kurt. Ein bisschen geht es auch um die Wohnung. Deine Mutter hat euch diese Wohnung besorgt, hat mit dir noch Tapeten geklebt, weil Melitta schwanger war. Und du schmeißt das alles hin, und deine Mutter kann dir die nächste Wohnung besorgen.

– Siehst du, genau das ist es! Sascha blieb stehen, schrie jetzt fast: Genau das ist es!

– Ja, sagte Kurt. Genau das ist es.

Sascha winkte ab und ging weiter.

– Du bist wirklich dermaßen unvernünftig, rief Kurt hinterher.

Sascha ging weiter.

– Und eins sage ich dir: Wenn das rauskommt, dass du dort eingebrochen bist ... Das ist *kriminell*, ist dir das klar? Dann ist dein Studium beendet.

– Mein Studium ist sowieso beendet, sagte Sascha und betrat die Gaststätte Balkan-Grill.

Kurt folgte ihm – notgedrungen.

Im Restaurant, gleich hinter der Tür, warteten bereits mehrere Personen auf einen Platz. Kurt und Sascha reihten sich ein, warteten ebenfalls. Tatsächlich war die Gaststätte voll besetzt. Ein fetter, dunkelhaariger Kellner, den Kurt für einen Bulgaren zu halten bereit war, rannte hin und her, verbreitete Hektik. Er trug einen schwarzen Anzug und ein nicht mehr ganz frisches Hemd. Sein Bauch quoll über den Hosenbund. Sein Kopf schien vor Anstrengung geschwollen.

– Zwee ma Schoppskaa, zwee ma Keebap/Reis, schrie er in breitem Berlinerisch in die Küche.

Er war der Einzige, der sich erlaubte, Lärm zu machen. Die Gäste sprachen gedämpft und meldeten sich scheu, wenn sie eine Bestellung nachzutragen hatten. Kurt musste plötzlich an das Parteilehrjahr heute nachmittag denken, eine dämliche Pflichtveranstaltung, die, obwohl sie Parteilehr*jahr* hieß, einmal im Monat durchgeführt wurde. Thema heute: *Theorie und Praxis der weiteren Gestaltung der entwickelten sozialistischen Gesellschaft.*

– Wie lange warten Sie schon, fragte Sascha das Paar, das vorn in der Reihe stand.

Es waren zwei Personen mittleren Alters. Sie warfen einander einen Blick zu, bevor sie sich – anscheinend telepathisch – auf eine Antwort verständigten, die der Mann aussprach, die die Frau jedoch lippensynchron mitbuchstabierte:

– Treißisch Minuden.

Beide nickten bekräftigend.

– Is ja allet zu, ergänzte ein anderer Mann. Wejen de Energiekrise! Man wundert sich, det überhaupt noch wat uff hat.

Das Paar nickte.

– Kenn' Se den, flüsterte der andere Mann – offenbar von so viel Zustimmung ermuntert: Wat sin' die vier Hauptfeinde des Sozialismus?

Das Paar wechselte Blicke.

– Frühjah, Somma, Herbst und Winta, sagte der Mann und kicherte in sich hinein.

Das Paar wechselte Blicke.

Sascha lachte.

Kurt kannte den Witz schon: Günther hatte ihn vor der Parteiversammlung erzählt.

Sie verließen das Lokal nach fünfzehn Minuten. Wenigstens hatten sie sich ein bisschen aufgewärmt.

– Da drüben ist Stockinger, sagte Sascha. Ist aber teuer.

– Herrgott, sagte Kurt.

Sie wechselten auf die andere Seite der Schönhauser. Tatsächlich hatte Stockinger geöffnet. Obendrein gab es noch freie Tische. Allerdings stand ein Schild an der Tür:

SIE WERDEN PLATZIERT.

Nach einer gewissen Zeit erschien ein Kellner mit Fliege.

– Zwei Personen, sagte Sascha.

Der Kellner musterte ihn von oben bis unten: seine geflickte Jacke, seine ausgewaschenen Jeans, seine verschrammten, dreckigen Wanderschuhe.

– Leider ist zurzeit alles reserviert, sagte der Kellner.

– Aber da steht doch gar kein Schild auf dem Tisch, sagte Sascha.

– Ich sagte, es ist leider alles reserviert, versuchen Sie es doch drüben im Balkan-Grill.

Sascha marschierte an dem Kellner vorbei ins Restaurant.

– Sascha, lass doch, sagte Kurt.

Der Kellner ging Sascha hinterher, versuchte ihn, am Arm festzuhalten.

– Bitte fassen Sie mich nicht an, sagte Sascha.

– Bitte verlassen Sie das Restaurant, sagte der Kellner.

Sascha setzte sich an einen freien Tisch, winkte Kurt zu:

– Komm!

Ein zweiter Kellner kam, kurz darauf ein dritter. Kurt verließ das Restaurant und wartete draußen. Nach einer Weile kam auch Sascha heraus.

– Was soll denn das, warum bist du nicht reingekommen?

– Du, ich hab keine Lust auf Skandal, sagte Kurt. Wir suchen was anderes.

– Hier kommt nichts mehr. Das Peking ist schwul. Und die U-Bahn-Quelle hat höchstens Bockwurst.

Sie gingen weiter Richtung Alex, jetzt auf der linken Seite der Schönhauser Allee. Kurt wartete eine Weile ab, bevor er die Frage stellte, die ihn seit fünfundzwanzig Minuten beschäftigte:

– Was heißt denn eigentlich, dein Studium ist bereits beendet?

– Das heißt, ich studiere nicht mehr.

– Hast du deine Diplomarbeit fertig?

– Ich schreibe meine Diplomarbeit nicht fertig.

– Sag mal, drehst du jetzt vollkommen durch?

Sascha schwieg.

– Du kannst doch nicht hinschmeißen, so kurz vorm Schluss. Was willst du denn machen ohne Diplom? Auf'n Bau gehen oder was?

– Weiß ich nicht, sagte Sascha. Aber ich weiß, was ich *nicht* will: Ich will nicht mein Leben lang lügen müssen.

– So ein Quatsch, sagte Kurt. Willst du sagen, ich lüge mein Leben lang?

Sascha schwieg.

– Du hast dir das Studium selbst ausgesucht, sagte Kurt.

Niemand hat dich gezwungen, Geschichte zu studieren, im Gegenteil ...

– Du hast mir abgeraten, ich weiß. Du hast mir immer abgeraten! Von allem! Ich kann froh sein, dass du mir nicht abgeraten hast, zu existieren.

– Jetzt red keinen Blödsinn, sagte Kurt.

Aber der Gedanke schien Sascha zu amüsieren.

– Ich existiere aber, rief er. Ich existiere!

Kurt blieb stehen. Er versuchte, seine Stimme so unaufgeregt wie möglich klingen zu lassen.

– Ich bitte dich, hör ein einziges Mal in deinem Leben auf meinen Rat. Du bist augenblicklich in einem labilen Zustand. Du solltest in einem solchen Zustand keine Entscheidung treffen.

– Ich bin vollkommen klar im Kopf, sagte Sascha. Ich war noch nie so klar im Kopf wie jetzt.

Sein Atem dampfte. Er schaute Kurt an. Da war er wieder: der irre Blick.

– Gut, sagte Kurt. Mach, was du willst. Aber dann ...

– Was dann, sagte Sascha.

Kurt fiel nichts anderes ein als:

– Dann ist der Ofen aus.

– Oho, sagte Sascha. Oho!

– Du bist ja verrückt, sagte Kurt.

Seine Worte gingen im Lärm des anrollenden Autoverkehrs unter, und Kurt sagte es noch einmal, schrie es noch einmal:

– Du bist einfach verrückt!

– Du, schrie Sascha und zeigte mit dem Finger auf Kurt, du rätst mir ab, Geschichte zu studieren, und bist selber Historiker! Wer ist hier verrückt?

– Ah, schrie Kurt. Jetzt machst du mir noch Vorschriften,

wie ich zu leben habe? Das ist wirklich der Gipfel. Wenn du mein Leben gelebt hättest, wärst du tot!

– Ach, jetzt kommt das, sagte Sascha plötzlich ganz ruhig.

– Ja, jetzt kommt das, schrie Kurt. Und obwohl der Verkehrslärm wieder abgeklungen war, schrie er weiter: Lebt wie die Made im Speck! Deine Mutter besorgt dir die Wohnung! Dein Vater bezahlt deine Autoversicherung ...

Sascha zog einen Schlüssel von seinem Bund ab und hielt ihn Kurt vor die Nase.

– Hier hast du den Autoschlüssel.

– Mensch, anderswo hungern die Leute, schrie Kurt.

Sascha warf den Schlüssel hin, drehte sich um und ging weiter.

– Ja, schrie Kurt, anderswo hungern die Leute.

Der Wind pfiff.

Eine Frau kam Kurt entgegen, machte einen großen Bogen um ihn.

Wieder fuhr eine U-Bahn vorbei, jetzt Richtung Alex. Die Leute im Innern saßen reglos – wie Pappfiguren. So rollte die Bahn allmählich von der Hochbahnstrecke herab und verschwand in der Erde. Samt Pappfiguren. Zur Hölle, dachte Kurt, ohne zu wissen, was genau er damit meinte.

Der Autoschlüssel, den Sascha ihm vor die Füße geworfen hatte, war im Schnee verschwunden. Kurt setzte die Brille auf. Der Schnee war schmutzig, vergilbt, Kurt scheute sich, mit der Hand hineinzugreifen. Er stocherte mit dem Fuß nach dem Schlüssel, fand ihn aber nicht. Schließlich tastete er doch mit den Händen danach – aber der Schlüssel war weg: zur Hölle.

Kurt ging weiter. Ging seinem Sohn hinterher. Er ging zügig, aber rannte nicht. Von der Stelle an, wo die U-Bahnen

unter der Erde verschwanden, verwandelte sich die Schönhauser in ein kahles Gelände. Keine Kneipen mehr. Keine
Schaufenster. Keine Menschen. Nur da vorn, fünfzig, sechzig Meter vor Kurt, eine dürre, kahlgeschorene Gestalt: sein
Sohn.

Drehte sich nicht um, ging einfach.

Links tauchte der jüdische Friedhof auf: die lange Mauer,
hinter der das Friedhofsgelände lag, das Kurt noch nie betreten hatte und auch nie hatte betreten wollen. Wenn er ehrlich war, verabscheute er Friedhöfe. Seltsam nur, dass man
hier nie jemanden ein oder aus gehen sah. Seltsam auch, dass
die U-Bahn hier so dicht neben dem Friedhof verkehrte: dass
sie ihre Passagiere schon einmal probehalber unter die Erde
brachte – gewissermaßen auf Augenhöhe mit den Toten.

Was Kurt jetzt einfiel: Melitta hatte erzählt, dass Sascha
neuerdings in der Bibel las. Dass er sogar irgendwie, so hatte
Melitta behauptet, an Gott glaube ...

War es das – der Irrsinn in seinen Augen?

Gegenüber erkannte Kurt die seltsamen, ruinösen Arkaden, über deren Ursprung und Sinn er vollkommen im Un-
klaren war, nur dass sich dahinter, irgendwo über den Hof,
die Druckerei des *Neuen Deutschland* befand, wusste er, und
die Tatsache, dass dort hin und wieder Gedanken von ihm
durch eine Druckerpresse gingen, erfreute ihn irgendwie,
auch wenn seine Artikel im *ND*, um die er meist anlässlich irgendwelcher historischer Jubiläen gebeten wurde, bestimmt
nicht zu seinen wissenschaftlichen Glanzstücken gehörten.

Lies erst mal so viel, wie ich geschrieben habe.

Obwohl, Quatsch. Zweiter Versuch:

Lies erst mal, was ich geschrieben habe, bevor du darüber
urteilst.

Einprägen. Bei Gelegenheit benutzen.

Die Ampel an der Wilhelm-Pieck-Straße wechselte auf Rot – Sascha wartete. Erstaunlich, dass er sich noch an die Verkehrsregeln hielt.

Während der Ampelphase hatte Kurt aufgeschlossen. Nebeneinander gingen sie über die Straße. Einen Augenblick überlegte Kurt, ob er das Thema «Gott» ansprechen sollte – aber wozu? Und wie? Sollte er Sascha allen Ernstes fragen, ob er an Gott glaube? Schon das Wort klang, wenn man tatsächlich Gott meinte, nach Irrsinn.

Sie passierten die Volksbühne. «Der Idiot» wurde gespielt.

Schweigend gingen sie weiter. Am Alex wurde noch immer gebaut. Der Wind klirrte in den Gerüsten. Die Bügel von Kurts Brille waren so kalt, dass ihm die Schläfen schmerzten. Er nahm die Brille ab, schob den Schal vor die Nase und wunderte sich, wie er das damals ausgehalten hatte: fünfunddreißig Grad minus – das war die Temperatur, bis zu der man sie zum Arbeiten hinausgeschickt hatte in die Taiga.

Bei Wind nur bis dreißig.

Sie passierten den Schacht zwischen dem großen Hotel und dem Warenhaus und gingen dann, ohne dass Kurt hätte sagen können, warum und wohin, quer über die Fläche, wo der Wind sie in Wirbeln und Stößen attackierte und ihnen Tränen in die Augen trieb. Kurt versuchte, die Augen mit der Hand zu schützen, stemmte sich gegen die Böen, wankte auf unebenem eisigem Grund blindlings voran und hätte nicht sagen können, ob sein Sohn noch immer neben ihm ging, drehte sich nicht nach ihm um, hörte nichts, spürte den stumpfen Schmerz, der trotz Lammfellhandschuhen allmählich in die Fingerspitzen kroch, und stellte sich vor, wie er, wenn er nach Hause kam, würde eingestehen müssen, dass er Alexander auf dem Alexanderplatz verloren hatte, ausgerechnet, als sei es absehbar gewesen, dass dieser Platz ihn verschlingen, dass Sascha sich hier in Luft auflösen oder im Erdboden versinken würde – wirres Zeug, dachte Kurt. Was einem, wenn man nicht aufpasste, durchs Hirn schoss.

– Wo gehen wir eigentlich hin, fragte Sascha.

Sie standen jetzt vor der Weltzeituhr. In New York war es halb eins, in Rio halb vier. Ringsum ein paar verfrorene Gestalten, die sich leichtsinnigerweise trotz der Kälte hier verabredet hatten: war ein beliebter Treffpunkt, die Weltzeituhr, als spürte man hier etwas von der großen, weiten Welt.

– Zur Hölle, sagte Kurt.

– Dort ist auf, sagte Sascha. Lass uns reingehen. Ich frier mir den Arsch ab sonst.

Was Sascha meinte, war die Selbstbedienungsgaststätte im Erdgeschoss vom Alexanderhaus. Kurt war ein einziges Mal dort gewesen. Vor zehn Jahren, als das Restaurant eröffnet wurde, war es der letzte Schrei gewesen. Inzwischen hatte sich eine ranzige Patina über alles gelegt. Die Gestalten, die der Abend hereingespült hatte, waren grobgesichtig und roh, und es schien Kurt, als seien die Leute alle behindert.

Aus einer Reihe von Automaten konnte man kalte Speisen ziehen. Auf einem Metalltresen stand heißer Kesselgulasch, fünfundachtzig Pfennig. Kurt überlegte nicht lange, nahm eine Schüssel. Seit man ihm ein Stück Magen herausoperiert hatte, hatte er sich abgewöhnt, Speisen auf ihre Schärfe oder auf ihren Zwiebelgehalt zu prüfen: Er aß alles – und alles bekam ihm gut. Auch Sascha nahm Kesselgulasch. Sie gingen zu einem der Stehtische, löffelten ihre Suppe. Sie schmeckte nicht einmal schlecht. Kurts Stimmung besserte sich sofort, er war drauf und dran, eine zweite Portion zu holen, disziplinierte sich aber und berücksichtigte den Rat seines Arztes: Wenig essen und dafür oft.

Nach dem Gulasch standen sie noch eine Weile am Tisch. Kurt schaute dem Verkehr nach, der hinter den großen Glasfenstern auf der dem Alexanderplatz abgewandten Seite vorbeirauschte, und ihm kam die verlockende Idee, mit dem Taxi zurückzufahren: wenigstens bis nach Karlshorst? Dann fiel ihm das Geld ein, das er noch immer abgezählt in seiner Manteltasche trug. Er holte die Scheine heraus, es waren zweihundert Mark, und wollte sie Sascha unter dem Tisch zustecken.

– Das ist noch für dich, sagte er.

– Ist nicht nötig, sagte Sascha.

– Jetzt mach kein Theater, sagte Kurt.

– Ich hab alles, was ich zum Leben brauche, erwiderte Sascha.

Kurt überlegte, ob er das Geld einfach unter die Gulaschschüssel klemmen und gehen solle, steckte es dann aber ein.

Sie verabschiedeten sich vor dem Restaurant, umarmten einander, wie sie es immer taten, nickten einander zu. Dann schlug Sascha den Weg ein, auf dem sie gekommen waren, während Kurt in Richtung Bahnhof ging. Auf der Treppe zur S-Bahn blieb er stehen: Scheiß drauf, dachte Kurt, *ich fahr mit dem Taxi!* Er machte kehrt und stieg die Treppe wieder hinab.

Tatsächlich stand am Taxistand neben dem Bahnhof ein freies Taxi. Kurt kroch in den Fond des Wagens. Es war ein Wolga, ein breites Gefährt mit weichen Sitzen, das, wie alle Russenautos, nach Russenauto roch – ein Geruch, der ihn immer ein bisschen an Moskau erinnerte: Schon die alten Pobeda-Taxen hatten so gerochen.

– Neuendorf, Am Fuchsbau sieben, sagte Kurt und erwartete die Frage, wo das sei: Neuendorf? Fuchsbau?

Stattdessen faltete der Fahrer seine Zeitung zusammen und fuhr los.

Es war warm im Auto. Kurt zog seinen Mantel aus, nahm die zweihundert Mark (die ihm jetzt vorkamen, als hätte er sie auf der Straße gefunden) aus der Manteltasche – und steckte sie wieder ins Portemonnaie ... Was erzählte er eigentlich Irina?

Der Wolga summte mit leicht überhöhter Geschwindigkeit das Adlergestell entlang. Kurt ging die Geschichte dieses unerfreulichen Nachmittags durch. Prüfte, ob besonders unerfreuliche Details sich abmildern oder unterschlagen ließen, ohne dass es zu einer nachweislichen Falschdarstellung kam. Hörte sich mit verstellter, beschwichtigender Stimme zu Irina sprechen ...

Sah ihr Gesicht. Sah den Lippenstift, der sich auf dem Filter ihrer Zigarette abdrückte. Ihre in letzter Zeit nicht immer sorgsam gezupfte Oberlippe, die zu zittern anfing, bevor sie zu einer erneuten Tirade gegen Melitta anhob ...

Kurt rechnete: Durch das Taxi sparte er eine Stunde. Wie viel Zeit er mit Sascha verbracht hatte, ließ sich schwer überprüfen. Jetzt war es sieben ... Scheiß drauf, dachte Kurt. Verdammt nochmal und scheiß drauf.

– Kennen Sie die Gartenstraße in Potsdam, fragte er den Fahrer.

– Von der Leninallee ab, fragte der Mann.

– Genau, sagte Kurt. Fahren Sie mich zur Gartenstraße.

– Nicht zum Fuchsbau, fragte der Mann.

– Nein, sagte Kurt. Zur Gartenstraße siebenundzwanzig.

2001

Entsetzliche Vorstellung, die ihn kurz vor der Abfahrt des Busses befällt: dass sich ausgerechnet dieser Mann neben ihn setzen könnte – ein gedrungener, bäuerlich aussehender Mestize, der sich ununterbrochen und unter saugenden, schmatzenden Geräuschen mit einem Zahnstocher die lückenhaften Zähne reinigt. Tatsächlich kommt der Mann, als Alexander schon auf seinem Platz sitzt, immer näher, vergleicht umständlich jede einzelne Platznummer mit der Nummer auf seinem Billett, bis endlich ein anderer Fahrgast ihm bei der Suche behilflich ist und feststellt, dass er schon lange an seinem Sitzplatz vorbeigegangen ist.

Der Platz neben Alexander bleibt leer. Dafür gibt es eine andere Art von Folter. Kaum ist der Bus abgefahren, schaltet der Fahrer die Bordvideoanlage ein, und nach ein paar Minuten Werbung in eigener Sache beginnt ein Film, in dem ein überdimensionales rosa Kaninchen mit durchdringender synthetischer Stimme die Hauptrolle spielt.

Die Fahrt soll sechs Stunden dauern. Schon nach einer Stunde hat sich Alexanders Ärger über die Lärmbelästigung zu einem veritablen Hass ausgewachsen: vor allem auf den Busfahrer, den er für zuständig hält, aber auch auf die Mitreisenden, die den Film vollständig ignorieren und ihre Gespräche in doppelter Lautstärke fortsetzen, wenn sie nicht gerade, halb beifällig, halb verschlafen mit dem Kopf wackelnd, auf den Bildschirm starren oder, unglaublich, sogar schlafen.

Alexander hat kaum geschlafen. Die Ohrenstöpsel, die er unter das unberührte, dann von ihm zerknautschte Kissen gesteckt hat, waren bei seiner Rückkehr aus Teotihuacán verschwunden. Das Zimmermädchen musste sie beim Wechseln der Bettwäsche entsorgt haben. Vergeblich hat er die gelben, kleinen Kunststoffzylinder auf dem Nachttisch, im Bad und schließlich sogar im Abfalleimer gesucht – sie blieben verschollen. Entnervt vom Kläffen und Heulen der beiden Dach-Köter, ist er früh am Morgen aufgestanden, und als der junge, glattgesichtige Mexikaner an der Rezeption behauptete, kein anderes Zimmer zur Verfügung zu haben, hat er sich zum sofortigen Aufbruch entschlossen. Er frühstückte, bevor die Schweizerinnen auftauchten, packte seinen Rucksack und fuhr, begleitet vom Brüllen der Lautsprecherkisten hausierender CD-Verkäufer, mit der Metro zum zentralen Busbahnhof, TAPO genannt, wo er ein Ticket für den nächsten Bus nach Veracruz erwarb.

Veracruz: Er weiß nichts von dieser Stadt, außer dass seine Großmutter hier mit dem Schiff angekommen sein muss. Und er kennt die Geschichte von dem Mann, der ins Hafenbecken sprang. Und dass irgendwann dieser *Hernán Cortés* hier mit seinen etwas über zweihundert Leuten gelandet war, um das Land der *Mexica* zu erobern, daran glaubt er sich zu erinnern. Sonst weiß er nichts.

Er könnte im *Backpacker* nachsehen – wenn er den noch hätte. Hat er aber nicht. Hat ihn auf dem Nachttisch in seinem Hotelzimmer liegenlassen, absichtlich.

Nach zwei Stunden Fahrt ist der Rosa-Kaninchen-Film zu Ende – und ein neuer Film beginnt. Irgendwann gibt Alexander es auf, in *keinen* der vier für ihn sichtbaren, ja geradezu auf ihn zielenden Bildschirme zu gucken, und während er im Geist schon die nötigen spanischen Sätze zusammensetzt, um in Veracruz von der Busgesellschaft einen Teil des Fahrpreises zurückzufordern (zumindest den Anteil für die erste Klasse – oder besteht das Erstklassige gerade in dieser rücksichtslosen Berieselung, ist es gerade diese «Annehmlichkeit», die den Preisunterschied ausmacht?) – während er also im Geist und schon im Bewusstsein der Vergeblichkeit durch das ovale Fensterchen mit einem Unformierten streitet, nimmt in den vier auf ihn gerichteten Bildschirmen eine eigenwillige Handlung ihren Lauf. Sie beginnt damit, dass ein junger Soldat im Zug ein Mädchen kennenlernt, welchem er überraschenderweise schon einige Minuten später einen Verlobungsring ansteckt, den er zufällig in einer Pralinenschachtel bei sich trägt. Fast im selben Augenblick taucht ein Mann hinter den Weinstöcken auf und schießt auf die beiden; es stellt sich heraus, dass es der Vater des Mädchens ist. Der Rest des Films spielt auf einem Weingut und handelt von verwickelten Familienangelegenheiten: Der Soldat liebt das Mädchen, der Vater tritt als Störenfried auf, zwischendurch werden Pralinen an zahlreiche Onkel und Tanten verteilt; es wird gezeigt, wie heiter die Weinernte ist, und wenn die Dramaturgie es verlangt, taucht eine gewaltige Landschaft auf, oder es erklingt eine Musik, die anzeigen soll, was die Protagonisten im jeweiligen Augenblick empfinden. Dann zündet der Vater versehentlich die Weinstöcke an, die erstaunlicherweise brennen wie Napalm ... Dann schaltet der Busfahrer das Video ab und hält zur Pinkelpause.

Vom Busbahnhof Veracruz aus nimmt er ein Taxi. Er fragt den Taxifahrer nicht nach einem Hotel, sondern gibt sicherheitshalber einen Straßennamen an, den er im Busbahnhof auf der Werbung eines Hotels im *centro historico* gefunden hat:

– Miguel Lerdo.

– Hotel Imperial, fragt der Taxifahrer.

– No, sagt Alexander.

Er gibt sich grimmig. Er ist zu allem entschlossen. Sie fahren eine breite Allee mit Palmen entlang, bis der Verkehr sich staut, dann versucht es der Fahrer in hektischem Zickzack durch die Altstadt. Schlichte, zweistöckige Häuser, meist pastellfarben, gebleicht von der Sonne. Es wimmelt von Fußgängern. Es ist schwül und heiß, und auf dem Kurs durch die schmalen Straßen wehen durch das offene Fenster verschiedenste Gerüche herein: Frittieröl, Abwasser, der Duft aus offenstehenden Friseurläden, Autoabgase, frischgebackene Tortillas, und an einer Stelle – sie müssen warten, weil gerade Plastiksäcke von einem Lkw abgeladen werden – riecht es tatsächlich nach dem Nitratdünger aus Omis Wintergarten.

Alexander bezahlt, verstaut umständlich seine Geldbörse, bis der Taxifahrer außer Sichtweite ist. Direkt neben dem *Imperial* steht ein kleineres, bescheideneres Hotel. Die Übernachtung kostet hier zweihundert Pesos. Er bezahlt eine Woche im Voraus und bekommt ein Zimmer im ersten Stock mit Blick auf einen hübschen Platz, mit einem Campanile und Palmen, das Ganze von pastellfarbenen Gebäuden umgeben, die Alexander für Kolonialstil hält, vielleicht wegen der Arkaden, in deren Schatten sich zahlreiche Cafés und Kneipen eingenistet haben. Dann überkommt ihn die Befürchtung, der Lärm aus den Kneipen, besonders aus dem Hotelrestaurant, dessen Tische und Stühle sich direkt unter seinem Fenster ausbreiten, könnte ihm in der Nacht den Schlaf rauben, und er bittet die beiden Mädchen an der

Rezeption um ein stilleres, abgelegenes Zimmer. Zwar versichern die beiden einhellig und mit mathematischem Ernst, dass der Platz in der Nacht ruhig sei, aber Alexander besteht auf dem Tausch. Anstelle des hellen, geräumigen Zimmers mit Blick auf den Platz bekommt er ein kleines, fensterloses, das sein spärliches Tageslicht aus einem Glasbausteinschlitz bezieht und seine Atemluft aus einer Klimaanlage. Wahrscheinlich ist das Zimmer zu teuer bezahlt, aber sein Schlaf ist ihm wichtiger als eine schöne Aussicht.

Er isst in einem *restaurante familiar*, was immer das bedeutet. Der Kellner, ein vielleicht fünfundzwanzigjähriger Mann in einem babyblauen Polohemd, legt ihm seinen Notizblock auf den Tisch, damit er die Nummer des von ihm bestellten Gerichts selbst hinschreibt, und geht anschließend damit zu einem Tresen, wo die Bestellung von einer jungen, geschäftigen Frau entziffert und an zwei ältere Frauen weitergegeben wird, welche flink und vor aller Augen die Gerichte zubereiten. Der Salat aus Garnelen und Kräutern, den Alexander bekommt, ist frisch und schmeckt wunderbar, und trotz der bunten Igelit-Tischdecken, trotz der weißen Plastikstühle und der sperrangelweit offenen Türen und sogar trotz der Neonröhren an der Decke, die ungeachtet der Tageszeit eingeschaltet sind, strahlt das Restaurant beinahe so etwas wie Gemütlichkeit aus, etwas Häusliches, Warmes, und vielleicht ist es gerade das, was Alexander für eine Sekunde innehalten lässt, was ihm für einen Augenblick Schluckbeschwerden bereitet. Vielleicht ist es die betriebsame Eintracht hinter dem Tresen, wo die beiden Frauen, eine mittleren Alters und eine Uralte, jetzt den Fisch für ihn zubereiten. Oder ist es die winzige Geste des Kellners, der ihm, nachdem er den Garnelensalat auf einem flachen Teller vorsichtig durch den Raum balanciert und ihn, ohne mit

dem Daumen in die Soße zu dippen, auf seinem Platz abgestellt hat, ermutigend zunickt und ihm – fast zärtlich – die
Hand auf die Schulter legt.

Die Dunkelheit kommt übergangslos und ziemlich genau
um sechs. Alexander macht noch einen Abstecher zur hell-
erleuchteten Hafenpromenade. Die Temperaturen sind jetzt
erträglich, der Ozean atmet ihn an, aber auch hier scheint
die Luft wie mit Wehmut getränkt. Alexander atmet vorsichtig und flach, um nicht zu viel davon in seinen Körper ein-
dringen zu lassen.

An der Kaimauer, wo eine Gruppe schwerbewaffneter
Polizisten herumlungert wie eine Jugendbande, dreht er sich
um, schaut zurück auf die Stadt Veracruz, betrachtet sie von
der Seeseite aus: so etwa – abgesehen von dem vielstöckigen
Neubau direkt am Kai – muss sie sich den aus Europa Ankommenden dargeboten haben. So haben sie möglicherweise Nacht für Nacht vom Schiffsdeck aus in die Tiefe der
Hafenpromenade geschaut, hinein in das Land, das für viele
die letzte Hoffnung bedeutete. Jahrelang, so reimt Alexander sich die Vorgeschichte jener Geschichte zusammen, die
seine Großmutter ihm einmal erzählt hat – jahrelang waren
diese Menschen auf der Flucht gewesen, waren in höchster
Not aus französischen Internierungslagern entwischt, waren
den nach Marseille vorrückenden deutschen Truppen entkommen, hatten in enervierenden Behördengängen Tran-
sitvisa oder Aufenthaltsverlängerungen ergattert, hatten
Wochen oder Monate mittellos in einer trostlosen nordafri-
kanischen Stadt ausgeharrt, bis sich ein Schiff fand, das sie
als Passagiere dritter Klasse über den Ozean brachte, und
hatten dann, bei der Ankunft in Veracruz, nicht an Land
gehen dürfen, weil noch nicht alle Formalitäten geklärt,

nicht alle Genehmigungen erteilt waren. In dieser Lage waren einem der Wartenden die Nerven durchgegangen, und er war eines Nachts ins Hafenbecken gesprungen, um Mexiko schwimmend zu erreichen. Der Mann, so seine Großmutter, sei im Wasser verschwunden und nicht wieder aufgetaucht. Schon bald zogen über der Stelle, wo der Mann eingetaucht war, die Spitzen schwarzer, das Wasser sanft zerteilender Rückenflossen gleichmäßig ihre Kreise.

Der Platz vor dem Hotel ist, als er zurückkommt, mäßig belebt, nicht so stark, wie er befürchtet hat, aber gerade noch so, dass der Tausch des Zimmers nachträglich gerechtfertigt erscheint. Allerdings bleibt ihm in dem stickigen, fensterlosen Raum nichts anderes übrig, als die Klimaanlage einzuschalten, die aber, wie sich jetzt herausstellt, an einen Lichtschacht montiert ist, der Schwaden ausgestoßenen Zigarettenrauchs mit sich führt. Obendrein rasselt die Anlage, es dauert lange, bis er begreift, woran ihn dieses Rasseln erinnert – aber dann überfällt ihn die Erinnerung wie ein Déjà-vu, und er muss das Licht einschalten, um sich zu vergewissern, dass er nicht wieder im Krankenhaus ist.

Am Morgen hat er Kopfschmerzen, fühlt sich schlecht. Er vermeidet es, nach den Lymphknoten zu tasten, er vermeidet alles, was ihn ankratzen, was ihn aus der Bahn werfen könnte. Er verzichtet aufs Kaltduschen, das ihm seit Jahren Gewohnheit ist, steigt mit leichtem Schwindelgefühl die Treppe hinab. Als er auf den Platz hinaustritt, ist der mexikanische Himmel, der bis jetzt jeden Tag blau gewesen war, plötzlich bedeckt. Wenn er nicht wüsste, dass die Regenzeit in Mexiko erst im Mai beginnt, würde er sagen, dass es nach Regen aussieht.

Er findet rasch eine *farmacia*, genießt einen gewissenlosen

Augenblick lang die Allgegenwart multinationaler Konzerne, infolge deren es ausreicht, das Wort *Aspirin* auszuhauchen, um das gewünschte Produkt zu erhalten. Als schwierig erweist es sich jedoch, dem Apotheker auch seinen zweiten Wunsch verständlich zu machen. Er versucht es mit:

– Quiero algo para tapar las orejas.

Der Apotheker wiegt bedeutsam den Kopf hin und her beginnt dann, Alexander insistierende, aber unverständliche Fragen zu stellen, auf deren Beantwortung er aber zu bestehen scheint, bis er schließlich, obwohl Alexander kaum artikulierte Laute hervorbringt, eine Erleuchtung hat, die sich in der emphatischen Wiederholung des Wortes *ferretería* niederschlägt, und nun muss Alexander auch noch eine schwierige Wegbeschreibung über sich ergehen lassen, obwohl er inzwischen sicher ist, missverstanden worden zu sein: Auf keinen Fall will er sich etwas aus Eisen in seine Ohren stecken.

Er findet ein großes Kaffeehaus am Platz. Hier gibt es eine Unzahl von Kellnern in schokoladenbraunen Anzügen, aber aufgrund der komplizierten Zuständigkeitsbereiche, die Alexander nicht sofort durchschaut, dauert es eine Ewigkeit, bis er – jeweils bei einem anderen Kellner – einen Kaffee, ein Glas Wasser und ein Croissant bestellen kann, eine weitere Ewigkeit, bis er alles bekommen hat, und am Ende dauert es noch einmal unendlich lange, bis er den fürs Bezahlen zuständigen Kellner identifiziert hat und schließlich an seinen Tisch dirigieren kann. Sein Kopf droht zu platzen, als er das Kaffeehaus verlässt. Noch draußen auf dem Platz hat er das Gefühl, nicht genug Luft zu bekommen. Er geht los, ohne zu überlegen, ohne sich über die Richtung im Klaren zu sein, findet sich nach wenigen Minuten auf der Hafenpromenade wieder und atmet jetzt tief und durch geblähte Nasenflügel den über das Meer kommenden Wind ein, obwohl er noch immer so schwer, so feucht, so gefährlich duftet wie gestern.

Er marschiert Richtung Süden, die Kaimauer entlang. Der Wind wird böig, wirbelt Sand auf. Fast beiläufig nimmt Alexander zur Kenntnis, dass im Hafenbecken mehrere, vielleicht zwölfjährige mexikanische Jungs baden. Kreischend springen sie von der Kaimauer aus hinein, und weder Menschen noch Haifische scheinen sich um sie zu kümmern ... Ein Stück weiter gibt es sogar ein Stück Strand, wenn auch menschenleer. Allerdings beginnt es jetzt auch zu nieseln, während der Wind noch immer Sand umherwirbelt, eine seltsame, aufrührerische Stimmung. Autos fahren mit viel zu viel Gas an. Eine Feuerwehrsirene geht. Und plötzlich ist niemand mehr auf der Straße, den Alexander nach dem Weg fragen könnte – dem Weg wohin eigentlich?

Nach zwanzig Minuten hat der Regen über den Sand gesiegt, und auch über Alexanders Glauben, dass es um diese Jahreszeit in Mexiko nicht ernsthaft regnen könne. Sein Hemd, seine Oberschenkel sind nass. Auf einmal gibt es keine freien Taxis mehr, und der Grund wird ihm klar, nachdem er in Richtung Innenstadt marschiert ist, um von dort aus mit dem Bus zurückzufahren: Es fährt auch kein Bus mehr – jedenfalls nicht der, der nötig wäre. Zuerst heißt es: Umleitung. Doch auf der Umleitungsstrecke wartet er vergeblich. Ein Taxi ist nirgends zu sehen. Er fängt an zu frieren, entschließt sich loszugehen.

Unterwegs, in einer Apotheke, versucht er noch einmal, das Ohrenproblem zu lösen. Aber schon, als er mit nassen Schuhen und triefendem Hut eintritt, spürt er den Unwillen im Blick des von seinem Kassenbuch aufschauenden Apothekers. Wie ein *begossener Pudel*, genau diese Worte sind es, die ihm durch den Kopf gehen, wie ein begossener Pudel steht er vor dem alten Mann, bringt seinen Satz hervor – ohne erkennbare Wirkung. Ein paar Sekunden lang steht er da, sieht, wie sich Tropfen vom Rand seines Huts lösen, während der alte Mann den Blick wieder in seinen Papieren versenkt – oder denkt er über die Frage nach, die Alexander gestellt hat? Alexander verlässt den Laden, ohne den Ausgang der Sache abzuwarten.

Noch eine zweite Apotheke wagt er zu betreten. Diesmal bedient ihn eine junge Frau, die ihn anscheinend sogar versteht, das Wort *tampón* fällt, das muss es wohl sein: ein Ohren-*tampón*, aber die Frau schüttelt den Kopf:

– No hay. No tenemos.

Gibt's nicht. Haben wir nicht. Wozu auch? Was könnte dieses Volk der Krachmacher und Gehörlosen mit Ohrstöpseln anfangen? Ein Volk, das klaglos Rosa-Kaninchen-Filme über sich ergehen lässt. Ein Volk, das es fertigbringt, zwei Hunde auf einem schattenlosen Dach anzuketten, und das nur zu dem Zweck, dass sie den Schlafsuchenden den Schlaf zerbellen ...

Er gibt es auf, den Pfützen auszuweichen und die den Fußweg querenden Bäche zu überspringen. Die Füße sind sowieso nass. Alles ist nass, bis auf die Haut, bis darunter. Alles, so kommt es ihm vor, ist durchtränkt von der Trauer, die beständig über den Ozean heranweht, die alles hier in dieser Stadt überschwemmt, die Leute zum Wahnsinn bringt und Ankömmlinge über Bord gehen und im Meer versinken lässt, spurlos. Er kauft in einem *supermercado* zwei Flaschen Wasser und hat plötzlich den Verdacht, auch das Mineralwasser, das hier in Veracruz in den Supermärkten verkauft wird, könnte verseucht sein mit Trauer.

Dann liegt er in seinem fensterlosen Zimmer. Spürt, wie das Fieber steigt. Nimmt Tabletten, trinkt aus verseuchten

Flaschen. Die Klimaanlage rasselt in seine ungeschützten Ohren hinein. Noch einmal steht er auf, schaltet die Anlage ab, aber es dauert nicht lange, dann hat er das Gefühl, keine Luft mehr zu kriegen. Die Kopfschmerzen nehmen zu. Er hört Stimmen aus der Hotelbar. Er quält sich noch einmal hoch, schaltet die Klimaanlage wieder ein, steckt sich Fetzen Klopapier in die Ohren. Nimmt eine weitere Tablette. Zieht sich die Decke über den Kopf.

Er liegt auf der rechten Seite, macht sich ganz klein. Jetzt beginnen Schauer durch seinen Körper zu rieseln, zuerst einseitig, er verfolgt es in der Dunkelheit seiner Bettdecken-Höhle: Von den Nieren her kommend, erfassen sie zuerst die linke, oben liegende Beckenseite, von dort aus die Herzgegend, kriechen dann über den Rücken und zerplatzen auf dem Weg zum Nacken. Was, wenn sein angegriffenes Immunsystem dem Ansturm irgendwelcher fremdartiger Infektionskrankheiten nicht standhält? Der Sauerstoffapparat rasselt in seinem Kopf – auf einmal ist es sein eigener Sauerstoffapparat. Auf einmal ist er selbst der sterbende, alte Mann, dessen Sauerstoffapparat rasselt. Auf einmal kommt es ihm folgerichtig vor, dass er hier stirbt, in diesem Bunker in Veracruz, mutterseelenallein und mit Klopapier in den Ohren: Er hat es nicht anders gewollt. Es ist die logische, die zwingende Konsequenz seines Lebens.

Er muss sich auf die andere Seite drehen, um den Gedanken abzuschütteln. Um die Bilder loszuwerden, die ihm durch den Kopf gehen. Er sucht andere Bilder. Er versucht, sich an irgendwas zu erinnern. Er versucht, zwischen den Schauern, die wellenartig gegen ihn anrennen, etwas Freundliches heraufzubeschwören, aber er sieht immer eines: Sieht sich durch fremde Städte irren, immer nur das, als gäbe es nichts anderes in seinem Leben, immer nur Straßen, immer Häuser, immer

Gesichter, die zerplatzen, wenn er sie zu berühren versucht, das ist mein Lebensfilm, denkt er, während seine Zähne aufeinanderschlagen, wenngleich in einer erbärmlich gekürzten Fassung, denkt er und versucht, sein Zähneklappern zu unterdrücken, um nicht noch mehr Gebäude zum Einsturz zu bringen. Er wird eine andere Fassung verlangen, denkt er, er wird doch, verdammt nochmal, das Recht haben, seinen Film selber zu schneiden, denkt er, und beißt die Zähne zusammen, bis ihm der Kiefer wehtut, und dann wird es heiß, er rennt, alle verlassen die Stadt, er rennt durch die Wüste, die Luft brennt ihm im Hals, er rennt, sein Herz schlägt in einer unglaublichen Frequenz, es zittert mehr, als es schlägt, es geht steil bergauf, immer bergauf, ohne dass ein Gipfel zu sehen wäre, die Wüste ist schief, stellt Alexander fest, bis zum Horizont geht es immer bergauf, es ist unmöglich, den Anstieg zu schaffen bei der Hitze, mit dem Herzfehler in der Brust, nicht operabel, er weiß es, er müsste anhalten, aber die Landschaft hinter ihm bricht ab, fällt stückweise in den Abgrund, oder besser gesagt: in den Himmel hinein, der überall ist, oben und unten, und durch diesen allgegenwärtigen Himmel hindurch erstreckt sich als kaum meterdicke, brüchige Kruste – die Welt: verblüffende Erkenntnis. Dann sind seine Eltern neben ihm, halten ihn, den Herzkranken, an beiden Händen. Sie tragen ihre Sonntagskleider, sein Vater Hosen mit Aufschlag wie in den fünfziger Jahren, seine Mutter hohe Schuhe und den weiten Rock, unter dem er sich immer verkrochen hat, aber sie nehmen keine Rücksicht auf ihre Kleidung, sie laufen, klettern, kriechen die dünne, schräg in den allgegenwärtigen Himmel ragende Kruste hinauf, rutschen ab, fallen, rappeln sich wieder hoch und ziehen ihn, den Herzkranken, hinter sich her, drängen ihn zur Eile, gefasst zwar, aber unnachgiebig, in einem Ton, als verspäte man sich zum Kindergarten, ermahnen ihn weiterzugehen, sich nicht andauernd umzudrehen, dorthin, wo Stück um Stück abbricht, sondern nach vorn zu schauen, nach oben, wo, ganz in der Höhe, am Ende der Welt, eine kleine Gruppe federgeschmückter Indios eine neue Welt herbeizutanzen versucht: Es sind fünf oder sechs Mann, kleine Menschen mit Bauchansatz, die im Takt von einem Fuß auf den anderen treten. Die Musik, nach der sie tanzen, kommt aus einer Box, wie sie die U-Bahn-Verkäufer um den Hals tragen, ihren Federschmuck haben sie gerade im Souvenirladen gekauft, und anstelle von Messern halten sie in den Händen kleine schwarze Obsidian-Schildkröten.

Zwei Tage liegt er krank im Bett. Einmal steht er auf, schleicht, gekrümmt vom Fieber, in einen Supermarkt, um Trinkwasser zu kaufen. Am dritten Tag packt er seine Sachen, bestellt an der Rezeption ein Taxi, lässt sich, ohne etwas von der Vorauszahlung für das Zimmer zurückzufordern, zum Busbahnhof bringen und verlangt eine Fahrkarte zum Pazifik. Der Mann an Schalter legt ihm eine DIN-A5-große Karte vor, Alexander tippt blindlings auf einen Ort am anderen, gegenüberliegenden Ozean, dem friedlichen, dem Stillen.

– Pochutla, sagt der Mann.

– Pochutla, wiederholt Alexander – ein Ortsname, von dem er sicher ist, dass er ihn noch nie im Leben gehört hat.

Der Bus fährt abends um sieben. Es ist ein Bus der Luxusklasse, es gibt Liegesitze und – es ist still. Der Ton der Videoberieselungsanlage ist, wie im Flugzeug, nur über Kopfhörer zu bekommen. Alexander gelingt es, ein paar Stunden zu schlafen.

Am Morgen ist der Himmel wieder blau – irrsinnig blau. Überhaupt kommen ihm die Farben intensiver vor als an der

Ostküste. Die armseligen Hütten am Straßenrand strahlen rot und grün in der Morgensonne, die handgemalten Reklameschilder grüßen ihn im Vorbeifahren, und es kommt ihm kein bisschen seltsam vor, dass der Mann vor seinem winzigen Restaurant den Sand fegt. Irgendetwas – die Luft, der Himmel, die fragile Wellblech- und Pfahlarchitektur – verrät die Nähe des Pazifiks.

Dann ist er in Pochutla. Der Linienbus, in den er umgestiegen ist, lädt ihn vor einer zum Café umgebauten Garage ab. Seine Knie zittern noch ein bisschen, als er aussteigt. Er fühlt sich leicht. Er fühlt sich wie frisch gehäutet. Die Morgenluft streift ihn wie eine Offenbarung. Die Sonne kitzelt auf seiner Haut. Er fragt die Besitzerin des Garagen-Cafés, die gerade den Gehweg vor ihrem Laden schrubbt, in welcher Richtung es zum Meer gehe – und erfährt, dass das Meer noch immer fünfzehn Kilometer entfernt ist. Man kommt, so erfährt er, nur mit dem Taxi dorthin, aber ein Bekannter der Garagen-Café-Besitzerin, so erfährt er, ist Taxifahrer, und die Garagen-Café-Besitzerin wird ihm Bescheid sagen. Ob er nicht inzwischen frühstücken will?

Alexander stimmt zu, und die Frau – die, trotz des indianischen Einschlags, irgendwie aussieht wie früher, vor der Wende, die Mütter vom Prenzlauer Berg, die in aller Frühe mit zwei Kindern auf dem Fahrrad durch den Berufsverkehr strampelten –, die Frau läuft flugs zum gegenüberliegenden Bäcker, um ihm eine paar frischgebackene Brötchen zu bringen.

Gute Entscheidung. Er trinkt Kaffee. Er isst ein herrliches Marmeladenbrötchen. Er sieht die Risse im gegenüberliegenden Bordstein, sieht das Glitzern in dem gerade von der Garagen-Café-Besitzerin gescheuerten Gehweg. Er sieht einen Mann, der winkend einem Taxi hinterherrennt. Sieht einen anderen, der aussieht wie ein blauer Elefant. Er sieht die weiße, dazugehörige Elefantin. Ein Kind kommt ins Bild und bleibt stehen, und lächelt.

Die Fahrt kostet fünfzig Pesos, das wird im Voraus abgemacht. Die Straße windet sich allmählich abwärts durch eine Landschaft, die so ausdruckslos ist, dass sie nur Vorfeld sein kann, für was auch immer.

Die Ortschaft heißt *Puerto Angel*, wenn er richtig verstanden hat. Ein Ortsschild gibt es nicht. Links, schon in Sichtweite, der Strand. Rechts, vor einem Hang, ein paar unscheinbare, Wand an Wand stehende Häuser unter dem üblichen Kabelgewirr. Ein Gemüsegeschäft. Eine *ferreteria*. Eine offenbar gerade in der Renovierung befindliche Bankfiliale.

Ohne dass Alexander darum gebeten hätte, empfiehlt ihm der Fahrer ein Hotel, genauer gesagt, eine *Casa de húespedes*, ein Gästehaus, und zwar mit einer Dringlichkeit, als bekomme er Prozente. Es heißt *Eva & Tom*. Alexander befürchtet, dass sich dahinter Deutsche verbergen, aber der Taxifahrer verneint energisch, und so steigt Alexander mit noch immer weichen Knien den steilen, irgendwann in eine Treppe übergehenden Pfad zu *Eva & Tom* hinauf.

An einer Art Rezeption unter Palmenblättern empfängt ihn, nachdem jemand sie herbeigerufen hat, eine korpulente, nicht mehr junge Frau, die man wegen ihrer kupferfarbenen Bräune und ihres langen grauen, zu einem strengen Zopf zusammengebundenen Haars tatsächlich für eine Squaw halten möchte. Sie trägt Flip-Flops und ein verwaschenes Kleid, blättert unaufmerksam, beinahe widerwillig in einem großen Terminkalender und spricht Alexander dann übergangslos auf Deutsch an, allerdings in einem schweren süddeutschen, möglicherweise österreichischen Dialekt.

Dann steigt sie mit ihm die aus groben Planken gezimmerte Freitreppe hoch, welche die verschiedenen Ebenen des Gästehauses verbindet.

Die oberste Ebene befindet sich ganz auf dem Gipfel des Hügels. Hibiskusblüten und Palmen. Von der Terrasse aus sieht man hinab in eine von mächtigen Felsen umgebene Bucht, deren Blau ebenso *irrsinnig* ist wie das des Himmels darüber.

Die Zimmer befinden sich in einem einstöckigen, gemauerten Trakt, der entschlossen, aber schludrig mit den typischen Frida-Kahlo-Farben (Rot-Blau-Grün) bemalt ist; und noch bevor ihm die österreichische Squaw das kleine, fensterlose Zimmer zeigt (das Licht kommt von oben: an einer Stelle sind die sichtbar auf den Sparren liegenden Dachziegel durch ein Stück gewelltes Plastik ersetzt), noch bevor sein Blick über die spärliche, nur aus Bett, Moskitonetz, Tisch und Truhe bestehende Ausstattung schweift, noch bevor er den Preis erfragt (es kostet fünfzig Pesos, fünf Dollar) – hat er sich in die Vorstellung verliebt, an heißen Nachmittagen in der unmittelbar vor seiner Zimmertür aufgespannten Hängematte zu liegen, im Schatten des Palmendaches und mit Blick auf das irrsinnige Blau des Pazifik.

– Und schütteln S' die Decken aus, sagt die österreichische Squaw: Es hat hier Skorpione.

1. OKTOBER 1989

Eigentlich war es ein Katzensprung – aber Nadjeshda Iwanowna, die neben ihm ging, bewegte sich auf ihren kaputten
Füßen so langsam, dass es ihm vorkam, als sei das Haus
seiner Mutter unerreichbar fern. Kurt glaubte auf der Stelle
zu treten. Sein Bewegungsdrang wuchs mit jedem Schritt.
Das prächtige Wetter wurde ihm unerträglich. Das Ziehen
in seinem Bauch nahm zu. Jetzt ärgerte er sich, dass er am
Vormittag nicht einfach die Tür hinter sich zugemacht hatte und in den Wildpark hinausgegangen war, um ein, zwei
Stunden lang gemessenen Schrittes zwischen den Bäumen
zu wandeln.

Es war zwecklos, mit Irina zu diskutieren. Sie saß jetzt
oben in ihrem Zimmer und hörte Wyssozki. Das ganze Haus
dröhnte davon. Noch immer glaubte Kurt das durch Türen
und Fenster dringende Brüllen zu hören. Als brüllte da jemand um sein Leben. Eine Unglücksmusik, dachte Kurt.
Eine Musik – wenn man es Musik nennen wollte –, die Irina
dazu diente, sich in ihr Unglück hineinzusteigern, das war es,
was Kurt missfiel: dieser Drang, sich ins Unglück hineinzusteigern, den Irina neuerdings, nachdem sie jahrelang nichts
von ihren russischen Wurzeln hatte wissen wollen, mit ihrer
ruhsischen Selle in Zusammenhang brachte.

Hinzu kam der Alkohol – ein Stoff, dem die *ruhsische
Selle* ohnehin in einem besonderen Maße zugeneigt schien.

Zwar hatte Irina, anders als er selbst, schon von jeher kräftig getrunken, allerdings war es bisher immer eine Art «gesellschaftliches» Trinken gewesen. Dass sie sich in ihr Zimmer zurückzog und sich, Wyssozki hörend, in aller Einsamkeit betrank, war eine ziemlich neuartige Erscheinung. Gewiss war sie keine Alkoholikerin: Manchmal trank sie tagelang oder sogar wochenlang nicht. Und doch beunruhigte es Kurt, wenn er an die schier unbeherrschbare Kettenreaktion dachte, die ein einziger Kognak bei ihr auslösen konnte.

Diesen *einen einzigen* Kognak hatte Kurt ihr – nach der Nachricht von Saschas Flucht – nicht verwehren können. Aber kaum dass sie diesen *einen einzigen* Kognak getrunken hatte, hatte sie mit Vehemenz einen zweiten (und letzten) verlangt. Danach hatte sie begonnen, in fast unflätiger Weise über Catrin herzuziehen, die sie (vielleicht nicht vollkommen zu Unrecht) verdächtigte, Sascha zur Flucht überredet zu haben. Den dritten Kognak goss sie sich selber ein und drohte fast handgreiflich zu werden, als Kurt ihr die Flasche wegnehmen wollte. Nun fehlte nur noch, dass Kurt sie, um ihre Verzweiflung zu mildern, vorsichtig daran erinnerte, dass auch sie, da sie bereits über sechzig, also im Rentenalter war, das Recht hatte, ihren Sohn im Westen zu besuchen – und ihre Wut wendete sich gegen ihn, Kurt, weil er ihr zumuten wollte, ihren Fuß über die Schwelle *dieser Frau* zu setzen, und schließlich, nach dem vierten Kognak, sogar gegen Sascha, an dem sie sonst nie etwas Schlechtes zu finden bereit war: *Mein Sonn hat mich verratten*, hieß die Formel, in der ihre Enttäuschung ihren endgültigen Ausdruck fand, und wenngleich Kurt einen Hauch von Genugtuung darüber verspürte, dass auch Sascha einmal etwas abbekam, hatte er tapfer Einspruch erhoben und wenigstens diese einfache Wahrheit vor Irinas vernichtenden und selbst für ihre Verhältnisse beeindruckend irrationalen Attacken zu verteidigen versucht: dass Saschas Flucht sich ja nicht gegen sie persönlich richte! Daraufhin hatte Irina sich mit dem Rest der Flasche und der merkwürdigen Drohung, sich einen Hund anzuschaffen, in ihr Zimmer zurückgezogen, und Kurt hatte sich Bratkartoffeln gemacht.

Das heißt, er hatte versucht, sich Bratkartoffeln zu machen. Dummerweise waren die in Scheiben geschnittenen Kartoffeln am Pfannenboden angebacken und beim Wenden zerbrochen, sodass die am Boden klebenden Inseln nach einer Weile zu rauchen begannen. Um das Ganze zu retten, hatte er zwei Eier dazugetan: Katastrophe mit Ei, so nannte er das Gericht. Und so schmeckte es auch.

Warum machte Irina eigentlich nie Bratkartoffeln? Mit Spiegelei. Mochte er seit seiner Kindheit. War ihr das zu profan? Und wieso, fragte sich Kurt, während er Zeit genug hatte, den Feuerwanzen auf dem buckligen Neuendorfer Gehweg auszuweichen, wieso sprach sie eigentlich, von Belehrungen unbeirrt, seit dreißig Jahren alle langen Vokale im Deutschen kurz und alle kurzen umgekehrt lang aus: *Ruhsische Selle ...*

– *Er* wollte mich ja heiraten, sagte Nadjeshda Iwanowna plötzlich.

Kurt wusste nicht gleich, ob sie mit ihm oder sich selbst sprach. Es stellte sich heraus, dass sie Irinas Vater meinte, von dem Irina (die ihn allerdings im Leben nur einmal und nur von weitem gesehen hatte) behauptete, dass er Zigeuner gewesen sei. Was Nadjeshda Iwanowna jedoch abstritt. Zuverlässig war keine der beiden Quellen. Irina neigte dazu, die Welt so zu sehen, wie sie sie sehen wollte, während Nadjeshda Iwanowna, die ja praktisch Analphabetin war, nur ein äußerst fragmentarisches Bewusstsein von den Ereignissen hatte, die rings um sie geschehen waren: Kollektivierung, Bürgerkrieg, Revolution – Kurt hatte Mühe, ihre Berichte nach verlässlichen Anhaltspunkten zu ordnen. Und dass Nadjeshda Iwanowna jetzt, während sie zu Wilhelms Geburtstag schritten, von einer *Stadt* zu sprechen begann, in die sie gezogen sei, verwirrte ihn sogar für einen Moment:

– In welche Stadt denn, fragte er.

Tatsächlich meinte sie Slawa.

Kurt sah «die Stadt» vor sich: die Schotterstraße, die übermannshohen Bretterzäune links und rechts, hinter denen sich schiefe, eingeschossige Holzbohlenhäuser duckten – eine Siedlung von nicht ganz neuntausend Einwohnern, flach zwischen die Sümpfe gebaut: der Arsch der Welt, dachte Kurt. Es gab wohl kaum einen Ort, der dreckiger, hässlicher, unwirtlicher war als dieses verdammte Nest, in dem er – nach Beendigung seiner Haftstrafe – noch sieben Jahre als sogenannter ewig Verbannter zugebracht hatte. Allerdings, wenn er davon absah, dass er (übrigens ziemlich regelmäßig einmal im Monat) das große Heulen bekommen hatte, wenn er gewahr wurde, wie die Zeit verstrich, ohne dass sich die Aussicht auftat, jemals wieder ein richtiges, ein normales Leben beginnen zu können – wenn er davon absah, musste er zugeben, dass es sogar in dem Drecksnest Gutes gegeben hatte.

Zum Beispiel die erste Suppe, die Irina für ihn gekocht hatte: Erbsensuppe aus der Tüte oder, genauer, aus dem Paket (frische Erbsen hatte es nicht gegeben). Wie köstlich! Auch wenn sie sich später, als Irina noch einmal so ein Paket aus Slawa mitbrachte, als kaum genießbar erwies ...

Oder morgens schwimmen im Fluss.

Oder die weißen Nächte, wenn man bis zum Sonnenaufgang zusammen am Feuer saß und allmählich die Zeit zu verlieren begann ... Auf ewig verbannt waren sie alle: eine

Versammlung der Ewigkeiten. Wie lustig man sein konnte aus lauter Verzweiflung.

Oder die ersten Fotos, die Irina und er gemacht hatten. Den Fotoapparat hatte ihnen Sobakin aus Swerdlowsk mitgebracht, Entwickler hatten sie sich aus Pottasche und, wie hieß das Zeug, Natriumsulfit gemischt, und zwar, da die Verhältnisse genau stimmen mussten, unter Zuhilfenahme einer selbstgebastelten Balkenwaage sowie einiger als Gewichte dienender russischer Kopeken – und Kurt, der bei den «ersten Fotos» vor allem an bestimmte erste Fotos dachte, an die ersten, wie soll man es nennen, nicht für die Öffentlichkeit bestimmten Fotos, erinnerte sich jetzt, während er mit Nadjeshda Iwanowna am Arm zu Wilhelms Geburtstag schritt, ziemlich genau an den Moment, als auf dem Blatt, das im selbstgemischten Entwickler schwamm, die Konturen heraustraten, zaghaft zuerst, kaum deutbar, kaum wusste man, wo oben und unten war, bis vor dem dunkler werdenden Hintergrund plötzlich – weiß und mächtig – Irinas Hüften hervorsprangen: So aufregend, dieser Moment, dass sie vergaßen, das Blatt ins Fixierbad zu legen, und stehend in der Dunkelkammer übereinander herfielen ... Schade, dachte Kurt, dass sie die Fotos vor der Ausreise aus der Sowjetunion hatten vernichten müssen.

Andererseits: Wer weiß, vielleicht war es wie mit der ersten Tütensuppe nach zehn Jahren Lager. Ohnehin mochte Irina von *solchen Dingen* (wie sie es neuerdings nannte) nicht mehr viel wissen. Ja, sie begann sogar alles, was sie einmal als erotisch und lustvoll empfunden hatte, mehr und mehr abstoßend und niedrig zu finden: eine Art rückwärtsgewandte Schwarzseherei. War das auch ihre *ruhsische Selle*? Oder war es die Eierstockoperation? Wie dem auch sei – das Leben mit Irina war auf einmal schwierig geworden. Und die Tatsache, dass Sascha im Westen war, würde es kaum leichter machen.

Was sagte er eigentlich Charlotte und Wilhelm?

Das Haus kam allmählich näher. Man sah schon, hoch oben zwischen den herbstlichten Baumkronen, das Turmzimmer mit seinen halbrunden Fenstern und seinen Zinnen. Dort hatte er einst seine Dissertation getippt, und auch wenn der Turm im Grunde den Gipfel einer gewaltigen Geschmacksverirrung darstellte (das ganze Haus war ein ziemlich übler, eklektizistischer Bau – ein neureicher Nazi hatte sich hier noch in den letzten Kriegstagen einen Traum verwirklicht), konnte Kurt nicht leugnen, dass er das kleine Turmzimmerchen immer gemocht hatte. Hier hatte sein zweites – oder sein drittes? – Leben begonnen, und er erinnerte sich gern an die Stille über Neuendorf, wenn er morgens um halb sieben das Fenster aufgerissen und seine Schreibmaschine aufgestellt hatte, an die prickelnde Luft, an die gelben Blätter vorm Fenster, obwohl es ja, dachte Kurt, nicht immerzu Herbst gewesen sein konnte – aber anstatt sich jetzt mit der Frage zu befassen, warum die Platanen in seiner Erinnerung stets gelb waren, sollte er sich, dachte er, lieber allmählich Gedanken darüber machen, wie er die Fragen, die ihm gleich gestellt werden würden, beantworten wollte.

Obwohl es eigentlich nichts zum Nachdenken gab. Was hatte es für einen Sinn, heute, an Wilhelms Geburtstag, einen Eklat zu provozieren: Wozu? Wem nützte das? Wilhelm war ein starrsinniger alter Idiot, und eigentlich, dachte Kurt, hätte er die Wahrheit verdient, als Strafe für seinen Starrsinn. Eigentlich, dachte er, während zwischen gescheckten Baumstämmen jetzt die graue Fassade zum Vorschein kam, die massive Tür, die vergitterten kleinen Flurfenster, die das

Haus endgültig zu einer Festung machten – eigentlich müsste man es ihm sagen, dachte Kurt und versuchte, sich Wilhelms Gesicht vorzustellen: Heute, an deinem Geburtstag, müsste man sagen, hat dein Enkel entschieden, dass er die Schnauze voll hat von euch, herzlichen Glückwunsch!, dachte Kurt und unterdrückte das Bedürfnis, einen der dämlichen Türklopfer zu betätigen: Schon lange ärgerte ihn dieses *Nicht klopfen!* Dass man schon mit einem Verbot empfangen wurde! Zumal man ja, wenn das Schild nicht da klebte, überhaupt nicht auf die Idee käme zu klopfen, ja, wahrscheinlich käme man noch nicht einmal auf die Idee, dass es sich bei diesen dämlichen Löwenköpfen um Türklopfer handelte!

Kurt holte tief Luft, so tief, als müsste er mit der eingeatmeten Luft für einige Stunden auskommen, und drückte die Klingel.

Die Tür öffnete sich, ein Gesicht erschien: ein rundes, ein dummes Gesicht – es gab kaum jemanden, fand Kurt, dem man schon auf den ersten Blick so deutlich ansah, was er war, nämlich ein *Funktionärr* – eines von Irinas beliebtesten Schimpfwörtern. Kurt versuchte, sich rasch an Schlinger vorbeizuschieben, aber Schlinger, einmal im Besitz seiner Hand, wollte sie nicht wieder loslassen, schüttelte sie, nickte Kurt zu auf seine typische, unangenehm vertrauliche Art, und bedauerlicherweise ertappte Kurt sich dabei, wie er, und sei es bloß, um die Sache abzukürzen, zurücknickte.

– Bitte auf die Genossin Powileit warten, rief Schlinger ihm hinterher.

Kurt dachte nicht daran, auf die *Genossin Powileit* zu warten, allerdings kam die *Genossin Powileit* schon angetrippelt, ehe Nadjeshda Iwanowna sich auch nur des Mantels entledigt hatte – flink wie eine Spinne, die sich auf ihre Beute stürzt.

– Nanu, wo ist denn Irina?

– Irina ist krank, sagte Kurt.

– Krank? Was hat sie denn, wollte Charlotte wissen.

– Es geht ihr schlecht, sagte Kurt.

– Und Alexander? Sag jetzt nicht, dass es Alexander auch schlechtgeht!

– Mutti, es tut mir leid, begann Kurt. Aber Charlotte schnitt ihm das Wort ab.

– Also Kinder, wie stellt ihr euch denn das vor? Was soll ich denn Wilhelm sagen? Er wird heute neunzig!

– Jetzt hör mir mal zu, Mutti ...

– Ja, entschuldige, sagte Charlotte, entschuldige ... Aber ich drehe hier auch langsam durch. Ich kann bald nicht mehr!

Sie stöhnte, setzte ihren tragischen Blick auf.

– Der Jühn hat auch abgesagt, stell dir mal vor! Schickt einen Stellvertreter, unglaublich! Wilhelm wird neunzig! Er kriegt den Vaterländischen Verdienstorden in Gold! Und der schickt einen Stellvertreter! ... Wo hast du denn deine Blumen?

– Ach, du Scheiße, sagte Kurt. Die hab ich zu Hause vergessen.

– Na, ist auch egal, dann nimmst du dir ein paar andere, sagte Charlotte. Ist ja genug da von dem Zeug.

Kurt schaute zur Garderobennische, wo schon unzählige Sträuße im Halbdunkel vor sich hin dämmerten, während die Stimme seiner Mutter wie aus der Ferne zu ihm drang ...

– ... und bitte, Kurt, wenn du jetzt reingehst, kein Wort über irgendwelche Ereignisse. Du weißt schon: Ungarn, Prag ... Und nichts über die Sowjetunion.

– Und nichts über Polen, sagte Kurt.

– Genau, sagte Charlotte.

– Und nichts über das Weltall und nichts über den Mond, sagte Kurt.

– Kurt, ich bitte dich, er ist nicht mehr ... Charlotte verdrehte vielsagend die Augen ... Er hat nachgelassen, in letzter Zeit.

– Ich hab auch nachgelassen, in letzter Zeit, sagte Kurt.

Er entschied sich gegen die Blumen.

Als er das Zimmer betrat, saß Wilhelm in seinem Sessel wie immer, sah aus wie immer und benahm sich auch so. Schon seit Jahren pflegte er die Gratulationen sitzend entgegenzunehmen, an sich schon demütigend, fand Kurt, und als Wilhelm ihn, kaum dass er eingetreten war, auch noch in seiner herrischen Weise nach Alexander fragte, verspürte er abermals Lust, die Wahrheit zu sagen.

– Alexander ist krank!

Charlotte war ihm zuvorgekommen. Wilhelm nickte, er winkte Nadjeshda Iwanowna zu sich, nahm ihre Glückwünsche entgegen. Sie schenkte ihm ein Glas selbsteingelegter Gurken, und Wilhelm, der keine Gelegenheit ausließ, mit seinen Russischkenntnissen zu prahlen, versuchte es mit *Garosch, Garosch*! Wahrscheinlich meinte er: *Charascho* (gut), aber nicht einmal das brachte er zustande. In Wirklichkeit konnte Wilhelm kein Russisch, hatte nie Russisch gekonnt. Denn obwohl er gern von seinen «Moskauer Jahren» sprach, hatte es diese «Moskauer Jahre» nie gegeben. Zwar war er tatsächlich 1936 in Begleitung von ihm, Kurt, und Werner (die dann beide «aus Sicherheitsgründen» dort geblieben waren) nach Moskau gereist, um sich – wie Kurt vermutete – beim Nachrichtendienst der Roten Armee geheimdienstlich ausbilden zu lassen. Allerdings hatte sein Aufenthalt nicht Jahre, sondern allenfalls Wochen gedauert. Obendrein lag die streng geheime Ausbildungsstätte irgendwo weit außerhalb, sodass Wilhelm Moskau in Wirklichkeit kaum mehr als dreimal im Leben gesehen hatte: Garosch, Garosch!

Damit es auch alle mitbekamen, zitierte Wilhelm jetzt Mählich heran, ließ sich das Gurkenglas öffnen und – aß eine Gurke … Und selbst das konnte er auf unnachahmlich großkotzige Weise: die Nachlässigkeit, mit der er die Gurke über dem Glas abtropfen ließ, wie er hineinbiss, wie er die angebissene Gurke, während er ungehemmt schmatzte, zwischen den Fingern hin und her rollte und sie betrachtete, als sei er die letzte Instanz zur Beurteilung der Qualität einer Gurke:

– Garosch, sagte Wilhelm noch einmal und gewährte nun endlich auch Kurt die Gunst, ihm zu gratulieren. Aber als Kurt ihm, den Abscheu vor Wilhelms gurkennassen Fingern überwindend, die Hand entgegenstreckte, winkte Wilhelm bloß ab: Bring das Gemüse zum Friedhof.

Gemüse zum Friedhof? Jetzt war Kurt doch überrascht: Hatte er tatsächlich, wie Charlotte es ausdrückte, «nachgelassen»?

Dann wandte er sich der Geburtstagsrunde zu. Früher waren zu Wilhelms Geburtstag hin und wieder ganz interessante Leute erschienen: Frank Janko, einmal jüngster Divisionskommandeur der Internationalen Brigaden, oder Karl Irrwig, der, immerhin, gegen Ulbricht einen deutschen Weg zum Sozialismus hatte durchsetzen wollen. Oder auch Stine Spier, die Brecht-Schauspielerin, die Charlotte und Wilhelm noch aus dem mexikanischen Exil kannten. Aber Jankos Name wurde im Hause nicht mehr genannt, seit er wegen irgendwelcher angeblicher «Machenschaften» sechs Jahre im Gefängnis gesessen hatte; Karl Irrwig, der zwar aus dem Politbüro ausgeschlossen worden, aber nicht vollständig in Ungnade gefallen war, blieb irgendwann einfach aus; Stine Spier, die am Geburtstagstisch stets komische, oft auch politisch anrüchige Geschichten vom Theater zum Besten gegeben hatte, war von Charlotte vor zwei oder drei Jahren endgültig hinauskomplimentiert worden, und auf diese Weise waren nach und nach alle einigermaßen interessanten Leute verschwunden, bis am Ende *das* übrig blieb, was jetzt hier versammelt war:

Mählich natürlich, Wilhelms größter Bewunderer (eigentlich ein netter Kerl, aber von einer geradezu tragischen geistigen Behäbigkeit); Mählichs immer irgendwie kranke Frau, eine ehemalige Polizistin (blond und früher einmal so hübsch, dass sie, wäre sie nicht hoffnungslos prüde gewesen, durchaus für seine, Kurts, Trophäensammlung in Frage gekommen wäre); daneben die Nachbarn von gegenüber, einander ähnlich wie ein Mops dem anderen, die Namen hatte Kurt, wie jedes Jahr, vergessen: Er war früher Hausmeister in Saschas Schule gewesen und erledigte heute kleine Botengänge für Charlotte und Wilhelm; von ihr war Kurt nichts bekannt, außer dass sie, so hieß es, einen künstlichen Darmausgang hatte (künstlicher Darmausgang: komische Idee); dann gab es noch den Abschnittsbevollmächtigten, den Genossen Krüger, den Kurt immer nur von weitem sah, wenn er mit dem Fahrrad vorbeifuhr; Bunke natürlich, Bluthochdruck, Oberst der Staatssicherheit, der immer – *Krüß tisch, krüß tisch, wo is tenn Irina!* – tat, als seien sie weiß Gott wie befreundet (dabei hatten sie ihn nur ein einziges Mal zum Tee eingeladen, um über die beiden Tannen in seinem Garten zu sprechen, die das Gurkenbeet von Nadjeshda Iwanowna verschatteten); Harry Zenk hatte sich ebenfalls hierherverirrt: ausnahmsweise ein intelligenter, ja sogar gerissener Mensch (jedoch dumm genug, sich zum Rektor der sogenannten

Neuendorfer Akademie machen zu lassen); schließlich noch Gertrud Stiller, die immer errötete, wenn sie sich alljährlich hier begegneten: Vor langer Zeit hatte Charlotte ihm diese Frau einreden wollen, wobei das eigentlich Beschämende an der Angelegenheit war, dass Kurt diese Möglichkeit tatsächlich, wenn vielleicht auch nicht mit letztem Ernst, erwogen hatte – eins von Kurts geheimsten Geheimnissen, so geheim, dass er sich selbst kaum noch daran erinnerte; na und den Rest kannte er eigentlich nicht: irgendwelche Verkäuferinnen, Parteiveteranen, und, du lieber Gott, wie sah der denn aus!

– Flagamfall, sagte Till.

Tillbert Wendt, mit dem er im Kommunistischen Jugendverband Berlin-Britz gewesen war: ein Jahr jünger als er selbst. Kurt versuchte, kein allzu entsetztes Gesicht zu machen.

– Und sonst?

Blöde Frage.

– Fonft geht ef, sagte Till.

– Na, Hauptsache, wir sind noch am Leben, sagte Kurt und klopfte ihm auf die Schulter, obwohl er sicher war, dass er sich umbringen würde, sollte ihm *so was* passieren.

Fette Buttercremetorte hätte er früher nicht angerührt. Aber seitdem man ihm zwei Drittel seines Magens herausoperiert hatte, machte ihm auch fette Buttercremetorte nichts aus. Auch Kaffee bekam er gleich, erwischte eine von den uralten, schon völlig zerschrammten mexikanischen Hartplastiktassen, welche wie jedes Jahr das nicht ganz ausreichende «gute Geschirr» aus der Hinterlassenschaft des Nazis ergänzten. Tatsächlich hatten Charlotte und Wilhelm ja *alles* zusammen mit dem Haus übernommen (genauer gesagt: alles, was nach den sowjetischen Offizieren, die hier eine

Zeitlang gehaust hatten, noch übrig geblieben war). Nur das Essbesteck mit dem winzigen Hakenkreuz, das hinter den Initialen eingraviert war, hatten sie aussortiert, was letztlich dazu führte, dass man seine Torte hier von Nazi-Tellern löffelte – aber mit Besteck aus volkseigener Produktion.

– Da sdrawstwujet, sagte Bunke und hob seinen Aluminiumbecher.

Auch dieser eine Errungenschaft der DDR, samt dem Zeug, das dadrin war, und wenn sich Kurt dreiunddreißig Jahre lang geweigert hatte, Kognak oder, noch schlimmer, Goldbrand aus diesen Aluminiumbechern zu trinken – heute war er so weit.

– Auf Korbatschow, sagte Bunke. Auf die Berestroika in der DDR!

Till wehrte ab, als man ihm einen Becher reichte. Der Abschnittsbevollmächtigte tat, als hätte er nichts gehört. Die Möpse hatten schon bei «Da Sdrawstwujet» genippt. Nur Mählich hob, sich vorsichtig umblickend, seinen Becher – ließ ihn jedoch wieder sinken, als Harry Zenk Einspruch erhob:

– Auf Gorbatschow – ja. Auf die Perestroika in der DDR – nein.

Und Mählichs Frau – Anita hieß sie, jetzt fiel es Kurt ein – erwies sich tatsächlich als dämlich genug, jenen Spruch beizusteuern, den der andere Kurt, der Politbüro-Kurt (Kurt Hager, den Kurt insgeheim *Kurt Arschloch* nannte), kürzlich in einem dann auch im *ND* abgedruckten Interview mit einer Westzeitschrift hatte verlauten lassen:

– Wenn unser Nachbar tapeziert, brauchen wir ja nicht auch gleich zu tapezieren.

Ein Neuendorfer Parteiveteran stimmte dem zu, und Bunke wandte sich plötzlich an ihn, Kurt:

– Kurt, sag du doch mal was!

Auf einmal schauten ihn alle an: Anita mit ihrer spitz gewordenen Nase; Mählich begann schon zu nicken, bevor Kurt auch nur Luft geholt hatte; die Möpse mit exakt in gleichem Winkel geneigten Köpfen ... Nur Till, von alldem unberührt, versuchte beharrlich ein Stück Torte in sein halbseitig gelähmtes Gesicht zu befördern.

– Prost, sagte Kurt.

– Ja, Brost, sagte Bunke.

Kurt kippte das Zeug in sich hinein. Es brannte, rieselte langsam die Speiseröhre hinab. Brannte sich allmählich durch – bis zu der Stelle, wo sich seit einigen Stunden ein Ziehen eingestellt hatte: nicht der Magen. Etwas unterhalb ... Was war das eigentlich für ein Organ, das ansprach, wenn der Sohn republikflüchtig wurde?

Parteiorgan, dachte Kurt, war aber nicht in der Stimmung, das witzig zu finden, und vertiefte sich, um nicht weiter in die Gorbatschow-Diskussion hineingezogen zu werden, in seine Torte. Aussichtslos, dachte er, diesen Leuten seine Meinung über Gorbatschow begreiflich zu machen: dass Gorbatschow nicht weit genug ging ... dass er konzeptionslos und inkonsequent war ... dass sein Buch über die Perestroika nicht die Spur eines theoretischen Ansatzes enthielt ...

Er war noch bei der Torte, als eine Person den Raum betrat, die Kurt nicht gleich zuordnen konnte: eine für diesen Kreis viel zu junge, ja auch viel zu attraktive Frau, die er erst erkannte, als er den schlaksigen Zwölfjährigen sah, den sie in Richtung Wilhelm vor sich herschob ... Hatte sich aufgedonnert, sieh einer an! Sogar hohe Schuhe. Was hatte das wohl zu bedeuten?

Kurt schaute zu, wie die beiden vor Wilhelms Sessel Aufstellung nahmen, wie Melitta sich zu Wilhelm hinunterbeugte, wirklich knallkurzer Rock, Markus überreichte Wilhelm ein Bild, und Kurt erinnerte sich, dass Markus auch ihm zum Geburtstag einmal ein Bild geschenkt hatte. Irgendein Tier, verdammt, er sollte es tatsächlich mal aufhängen, dachte Kurt und sah zu, wie Markus die Runde machte, zierlich und blass und ein bisschen verlegen, genau wie Sascha in diesem Alter, dachte er, und auf einmal blieb ihm nichts anderes übrig, als Markus an sich zu drücken: Ihm einfach, wie alle andern, die Hand zu geben, kam ihm zu wenig vor. Und plötzlich hatte er sogar das Bedürfnis, Melitta an sich zu drücken, unterließ es natürlich, rückte aber, nachdem er sie begrüßt hatte, beflissen ein Stückchen zur Seite, damit ein Stuhl für sie dazwischen gestellt werden konnte.

Sie trug gemusterte Strümpfe. Unglücklicherweise saß Kurt in seinem Sessel ein kleines Stück tiefer als sie, sodass er, während er überlegte, was er ihr Freundliches sagen könnte, durch den Anblick ihrer gemusterten Strümpfe stark abgelenkt war. Jedes Kompliment, das ihm durch den Kopf ging, klang plötzlich, als wolle er ein früheres Vorurteil revidieren, und er brauchte einige Zeit, bis er herausbrachte:

– Gut siehst du aus.

– Du auch, sagte Melitta und schaute ihn mit großen, grünen Augen an.

– Na ja, wiegelte Kurt ab – obwohl er, offen gestanden, nicht vollkommen abgeneigt war, es zu glauben.

– Und wo ist Irina, fragte Melitta.

– Irina geht es nicht gut, sagte Kurt und erwartete, dass Melitta nun nach Sascha fragen würde.

Sie fragte nicht, vielleicht aber nur, weil Charlotte in diesem Moment in den Raum kam und, energisch wie eine Kindergärtnerin in die Hände klatschend, ihre immer lauter werdenden Gäste zur Ruhe zu bringen versuchte: Der Stellvertreter war da. Ordensverleihung!

Kurt legte die Kuchengabel wieder aus der Hand und lehnte sich zurück. Der Redner begann mit trockener Stimme und einer selbst für einen *Funktionärr* erstaunlichen Monotonie die Laudatio abzulesen, welche, von kaum merklichen Abweichungen abgesehen, natürlich die war, die immer gehalten wurde, wenn Wilhelm einen Orden bekam (was in letzter Zeit beinahe jährlich geschah, offenbar, weil er stets den Eindruck vermittelte, es könnte sein letzter Geburtstag sein – selbst darin hatte er eine gewisse Meisterschaft entwickelt): Wilhelms Kämpferbiographie, aus der alles, was irgendwie interessant hätte sein können, mit den Jahren verschwunden war, ein großartiges Dokument des Stumpfsinns. Immerhin hatte es den Vorteil, dass Kurt nun, da Melitta sich dem Redner zuwandte, ungehemmt ihre gemusterten Strümpfe betrachten konnte. Genauer gesagt, ihre Strumpfhose oder, noch genauer, die Stelle knapp unter dem Saum ihres Rocks, er wusste nicht, wie das hieß, wo das Muster ins Glatte überging; und dass Melitta den Rock noch einmal zurechtzupfte, machte die Sache nur interessanter, weil der Rock sofort wieder zu verrutschen begann, während sich ihre Schenkel mit einem kaum hörbaren Knistern gegeneinander verschoben.

Kurt spürte, wie sich in seinem Unterleib etwas regte, und er überlegte, ob er sich schlecht fühlen müsse angesichts der Tatsache, dass es sich um seine ehemalige Schwiegertochter handelte ... Nein, eine wirklich *schöne* Frau war sie nicht, dachte Kurt, während der Redner davon berichtete, wie Wilhelm den Weg zur Partei der Arbeiterklasse fand, aber wenn er sie so ansah, gefiel ihm gerade das, ehrlich gesagt. Gerade das Nicht-so-Schöne, dachte Kurt, hatte bei Frauen auch seinen Reiz. Schwer zu erklären. Vielleicht musste man ein bestimmtes Alter erreichen, um das zu begreifen.

Sein Blick wanderte über die aufregend grobe Textur ihres Rockes, tastete die nicht ganz blickdichte Bluse ab, streifte die muskulösen Unterarme, verheddderte sich, während der Redner an Wilhelms ewige Kapp-Putsch-Verwundung erinnerte, in der zierlichen schwarzen Trägerkonstruktion, die Melittas breiten Rücken durchkreuzte, prüfte die Wirkung des Lippenstifts in ihrem Gesicht, registrierte die sorgfältig gezupften Augenbrauen (und die leichte Rötung, die vom Zupfen zurückgeblieben war), und – es machte ihn traurig. Plötzlich rührte ihn der Anblick der jungen Frau, plötzlich sah er in ihr die Verschmähte; Sinnbild all dessen, was Sascha in seinem Leben verworfen, verlassen, zerstört hatte und was er jetzt – typisch! – einfach zurückließ. Aber zugleich – und Kurt wunderte sich, dass beides im selben Augenblick in einem einzigen Körper existierte –, zugleich erregte es ihn auch, und es war, so schien ihm, gerade das Verworfene, Verschmähte, was ihn erregte, gerade das verschmähte Wollen und Gewolltwerden dieser Nicht-so-Schönen, das eben dadurch, dass es verschmäht wurde, umso unverblümter hervortrat – gerade das erregte Kurt und ließ ihn, indem er das Wagnis wahrnahm, dem sich diese Frau mit ihrer Aufmachung aussetzte, sogar einen Ansatz für eine kleine *Theorie der Erotik des Nicht-so-Schönen* wittern, deren Ausarbeitung er aber vorerst vertagte.

Eine Zeitlang hielten sie sich die Waage: Traurigkeit und Anziehung, das Ziehen in seinem Bauch und die Regung tiefer unten, das *Parteiorgan* und die *Opposition*, dachte Kurt, aber als der Redner in einem langen, klappernden Satz (welcher nichts weiter mitteilte, als dass Wilhelm zweiter Gauleiter des Berliner Rotfrontkämpferbundes gewesen war) die zwanziger Jahre durchquerte und unter konsequenter Auslassung der großen Niederlage im Jahr 33 ankam, gewann die Opposition in Kurts Hose allmählich die Überhand, und während die Gesellschaft in Feierlichkeit erstarrte, während die Möpse ihre Köpfe andächtig schräg stellten, während Till schlief (oder für seine Totenmaske übte), während Harry Zenk mit geschlossenem Mund zu gähnen versuchte und Mählich ein Gesicht machte, als hörte er das alles zum ersten Mal, befand Kurt sich längst in Wilhelms Parteikeller: *Antifaschistischer Widerstand*, sagte der Redner, während Kurt in hastige Aktivitäten verwickelt war, der lange Versammlungstisch spielte eine gewisse Rolle, die Bilder waren verwackelt, einzig das Muster der Strumpfhose sah er ganz scharf, genauer gesagt, die Stelle, er wusste nicht, wie es hieß, *Illegalität*, sagte der Redner, und als Kurt kurze Zeit später wieder in der erstarrten Gesellschaft auftauchte, war die Opposition in seiner Hose dermaßen *heldenhaft*, sagte der Redner, erstarkt, dass es zwischen den Falten seiner Unterhose zu klemmen und zu kneifen begann.

Der Redner beendete seine Rede mit weiteren Lobpreisungen des unermüdlich für die Sache Eintretenden. Kurt versuchte vergeblich, die Hose unter dem Tisch zurechtzuzupfen. Erst als der Beifall anhob, setzte die Schrumpfung ein, in dem Augenblick, als die erstarrte Gesellschaft wieder zum Leben erwachte und mit unverhältnismäßigem Enthusiasmus die Rede des Stellvertreters zu beklatschen begann. Wahrscheinlich, dachte Kurt, notgedrungen mitklatschend, war keinem der Klatschenden klar, was er da eigentlich beklatschte. Nichts in der Rede entsprach im Grunde der Wahrheit, dachte Kurt, immer noch klatschend, weder war Wilhelm Parteimitglied «der ersten Stunde» (sondern hatte – ursprünglich USPD-Mitglied – erst mit der Vereinigung beider Parteien zur KPD gefunden), noch stimmte es, dass er beim Kapp-Putsch verwundet worden war (zwar war er tatsächlich verwundet worden, aber nicht 1920 beim Kapp-Putsch, sondern 1921 bei der sogenannten Märzaktion, einem katastrophalen Fehlschlag, der natürlich weniger gut in eine Kämpferbiographie passte). Schlimmer jedoch als diese kleinen Halbwahrheiten waren die großen Weglassungen, schlimmer war das notorische Schweigen über Wilhelms Taten in den zwanziger Jahren: Damals – und daran erinnerte sich Kurt noch sehr gut – war Wilhelm ein unbeirrter Verfechter der von der Sowjetunion verordneten «Einheitsfrontpolitik» gewesen, welche die Führer der Sozialdemokratie als «Sozialfaschisten» verunglimpft und sie sogar als das – im Vergleich zu den Nazis – schlimmere Übel dargestellt hatte. Eigentlich, dachte Kurt, *immer noch klatschend*, war Wilhelm – ganz objektiv betrachtet – persönlich mitverantwortlich, dass die linken Kräfte sich während der zwanziger Jahre gegenseitig zerrieben und der Faschismus in Deutschland am Ende siegreich gewesen war. Noch 1932, erinnerte sich Kurt, *schon wieder klatschend* (nämlich nachdem Wilhelm der Vaterländische Verdienstorden in Gold angesteckt worden war) – noch 1932 hatte Wilhelm als zweiter Gauleiter des Rotfrontkämpferbundes in Berlin eine große, gemeinsame Aktion von Nazis und Kommunisten mitorganisiert. Und noch nach der «Machtergreifung», die in seiner Biographie nicht erwähnt wurde, hatte Wilhelm die Sozialfaschismus-These vertreten, welche erst 1935 offiziell korrigiert worden war, um schon nach wenigen Jahren durch einen Freundschaftsvertrag zwischen der Sowjetunion und Hitlerdeutschland an Dummheit und Obszönität übertroffen zu werden: Alles Lüge, dachte Kurt, *immer weiter klatschend*. Die ganzen zwanziger Jahre waren eine einzige Lüge – und die dreißiger Jahre auch. Auch der «antifaschistische Widerstand» war im Grunde genommen nichts als eine Lüge, denn der Grund, aus dem Wilhelm nicht über diese Zeit sprach, war nicht oder nicht nur, dass er ein hoffnungsloser Angeber und Geheimniskrämer war, sondern dass die Geschichte des antifaschistischen Widerstands nichts anderes war (und vor dem Hintergrund der sowjetischen Politik auch nichts anderes hatte sein können!) als eine Geschichte des *Misserfolgs*, der *Bruderkämpfe*, der *Fehleinschätzungen* und des *Verrats* – nämlich des «großen Steuermanns» an denen, die in der Illegalität ihre Köpfe hinhielten. Als Kurt dann endlich, allerdings nur knapp vor der Allgemeinheit, aufhörte zu klatschen, war von der Opposition nicht mehr übrig geblieben als ein komisches Gefühl ... in der Hose.

Im ersten Moment, nachdem das kalte Buffet eröffnet worden war, zögerte er sogar aufzustehen, weil er befürchtete, auf seiner Hose könnte sich ein Fleck gebildet haben (was sich bei näherer Prüfung als unsinnig erwies), aber dann blieb auch Melitta sitzen, und Kurt vermutete, dass sie sitzen blieb, um ihn nach Sascha zu fragen, und blieb ebenfalls sitzen. Aber sie fragte nicht. Und bevor Kurt sich zu irgendetwas entschließen konnte, kam Bunke schon mit vollbeladenem Teller zurück, und gleich darauf kamen Harry Zenk und Anita, und sofort war die Gorbatschow-Diskussion wieder im Gang:

– Wir müssen unseror Bevölgerung die Woahrheit soagen, forderte Bunke.

Und Kurt, vielleicht weil es ihn ärgerte, dass Melitta dem nickend zustimmte, mischte sich nun doch ein:

– Und wer bestimmt, was die Wahrheit ist?

Bunke schaute ihn verblüfft an.

– Wer bestimmt das, fragte Kurt. Bestimmen wir das? Oder Gorbatschow? Oder wer?

– Genau, sagte Zenk. Die Wahrheit ist immer parteilich.

– Nein, sagte Kurt und ärgerte sich, dermaßen missverstanden worden zu sein. Die Wahrheit, sagte er oder *wollte es sagen* – der Satz, den zu bilden er im Begriff war, hätte in etwa gelautet: Die Wahrheit ist nicht etwas, das die Partei besitzt und an die Bevölkerung als eine Art Almosen austeilt (worauf vermutlich einige grundsätzliche Betrachtungen zum sogenannten Demokratischen Zentralismus, den realsozialistischen Machtstrukturen und der Rolle der Partei im Sowjetsystem gefolgt wären) –, aber dazu kam es nicht, weil die Aufmerksamkeit sich schon längst von ihm ab- und einem Bereich schräg links hinter ihm zugewandt hatte, zu der Ecke nämlich, wo Wilhelm in seinem Sessel saß und – nicht zu glauben – *sang*.

Zuerst erschien es Kurt als Gemurmel. Er brauchte einen Moment, um es überhaupt als Gesang zu erkennen, und erst als die Möpse schon im Takt mitnickten und Mählich nicht ganz textsicher (oder nicht sicher, ob man die Stalin-Stelle noch mitsingen durfte) einstimmte, begriff er, was Wilhelm da sang: Nee, dümmer ging's nicht. Oder nein, nicht dumm, dachte Kurt, sondern *verbrecherisch*. Im Grunde, dachte er, war es die kürzeste Formel für das gesamte Elend. Im Grunde genommen, dachte er, war es die Rechtfertigung allen Unrechts, das im Namen der «Sache» begangen worden war, die Verhöhnung von Millionen Unschuldigen, auf deren Knochen dieser sogenannte Sozialismus errichtet worden war: die berühmte Parteihymne, die irgendein Waschlappen von Dichter (war es Becher oder war es Fürnberg?) sich zu dichten nicht entblödet hatte: *Die Partei, die Partei, die hat immer recht ...*

Was tue ich hier, dachte Kurt, während er mit gelähmten Händen zusah, wie die Runde erneut in Beifall ausbrach, wie sich auf Anitas Gesicht ein beinahe glückseliges Lächeln bildete, wie sich Mählich – oder hatte er sich verguckt? – eine Träne aus dem Auge wischte. Wie Zenk zufrieden nickte, so als wäre er gerade von Amts wegen bestätigt worden. Auch Bunke klatschte mit, lachte wie über einen gelungenen Witz. Und die Möpse sahen sich an und nickten noch immer im Takt mit den Köpfen.

Einzig Melitta klatschte nicht oder brachte nur ein paarmal, pro forma, die Handflächen zusammen und warf Kurt einen vielsagenden Blick zu, den er mit hochgezogenen Brauen erwiderte. Er hoffte jetzt beinahe schon, dass sie ihn nach Sascha fragen würde, aber bevor sie ihr Gespräch fortsetzen konnten, begann schon wieder etwas zu rumoren, dieses Mal kam es von rechts, und wieder, weil es so unwahrscheinlich war, brauchte Kurt einige Augenblicke, um es als Gesang zu erkennen: Nadjeshda Iwanowna! Das Lied vom Zicklein, das sie Sascha immer vorgesungen hatte, als der noch klein war, ein monotoner Sprechgesang mit peinlich vielen Strophen. Aber der Anflug von Scham, der Kurt erfassen wollte, erwies sich als unbegründet, denn natürlich zeigten sich alle begeistert von der *russischen Babuschka*, wetteiferten darum, ihre Verbundenheit mit dem sozialistischen Brudervolk unter Beweis zu stellen; schon nach der zweiten Strophe begannen die Leute vor lauter Dummheit auch noch mitzusingen, und im Nu herrschte eine Stimmung wie auf einer FDJ-Delegiertenkonferenz (obwohl Kurt, offen gestanden, nie auf einer FDJ-Delegiertenkonferenz gewesen war), und weil im Refrain des Liedes jede Zeile mit *wot kak, wot kak* – Hört nur, hört nur! – begann, glaubten die Leute zu verstehen, dass es sich um ein russisches Sauflied handelte, und brüllten im Chor: *Wodka, Wodka!*, und begannen sogar bei *Wodka, Wodka* rhythmisch zu klatschen, und schließlich versuchte Kurts rechte Tischnachbarin (irgendeine Neuendorfer Parteiveteranin), sich schunkelnd bei ihm unterzuhaken – was Kurt vollends erstarren ließ. Wie ein Stein saß er inmitten der Geburtstagsgesellschaft. Alles schaukelte plötzlich. Die Köpfe, wie von den Körpern abgetrennt, wogten auf und ab: Anitas blondierter Kopf, Mählichs schwarzbehaarter Schädel, Bunkes bläulich roter Ballon, der jeden Moment – jetzt gleich! – zu platzen drohte.

– Ich glaube, sagte Kurt, nachdem endlich die Wölfe gekommen, nachdem sie endlich das Zicklein gefressen, nachdem sie es endlich bis auf die Knochen abgenagt und nicht mehr von ihm übrig gelassen hatten als *Hörnlein und Hufen, vergeblich gerufen, nur Hörnlein und Hufen* – ich glaube, sagte Kurt, ich sollte dir mitteilen, dass Sascha im Westen ist.

– Hm, machte Melitta.

– Tja, sagte Kurt.

Irgendwie hatte er mehr erwartet, aber Melitta schwieg, und auch Kurt wusste plötzlich nicht weiter. Einen Augenblick kam es ihm vor, als hätte Melitta nicht verstanden, was er ihr mitgeteilt hatte. Ohne den Blick von der Kaffeetasse zu lösen – es war *ihre* Kaffeetasse, eine Nazitasse, an deren Rand man deutlich den Abdruck ihres Lippenstifts sah –, sagte er:

– Ich weiß nicht, wie das jetzt mit dem Unterhalt ist, aber solange Sascha nicht zahlen kann, übernehme ich das selbstverständlich.

Dann krachte irgendetwas im Nebenraum. Kurt sah zu, wie die Leute aufstanden und nach drüben strömten – einzig Markus kam, entgegen dem Strom, von drüben herüber und fragte, was denn passiert sei.

345

– Wir gehen, sagte Melitta.

– Warum denn, nörgelte Markus.

– Das erklär ich dir draußen, sagte Melitta.

Markus nahm schmollend Wilhelms ausgestopften Leguan vom Regal.

– Den hat mir Wilhelm geschenkt, erklärte er Kurt.

– Das ist nett von Wilhelm, sagte Kurt und schüttelte übertrieben die Hand, die Markus ihm entgegenstreckte.

Dann wollte er Melitta die Hand geben – aber sie umarmte ihn. Vor Überraschung fand sein Kopf nicht gleich den richtigen Weg. Sein Kinn stieß mit Melittas Stirn zusammen. In seinen Händen, die nicht recht zuzugreifen wagten, fühlte sich ihr Oberkörper an wie ein Stück Holz.

Kurt goss sich noch einen Goldbrand ein und ging ins andere Zimmer. Beiläufig registrierte er, dass das Buffet zusammengebrochen war. Er blieb in einigem Abstand stehen und sah dem Treiben zu, das sich um das zusammengebrochene Buffet herum entwickelte.

Auf seiner Unterlippe spürte er den Abdruck von Melittas Stirn.

Der Goldbrand roch widerlich.

Er kippte ihn runter, stellte den Becher aufs nächstbeste Regal. Dann setzten sich seine Füße in Gang, trugen ihn aus dem Zimmer, durchquerten die Diele und traten, den kleinen Vorraum passierend, ins Freie.

Er ging ein bisschen zu eilig, als könnte ihn jemand im letzten Augenblick noch zurückrufen. Als er das Gefühl hatte, einigermaßen außer Reichweite zu sein, stieg ihm eine blasphemische Freude zu Kopf. Kurt ermahnte sich zur Mäßigung. Behielt die Freude in sich. Ließ sie in kleinen Portionen entweichen.

Erst nach dreihundert Metern fiel ihm ein, dass er Nadjeshda Iwanowna vergessen hatte. Sein Schritt verlangsamte sich, ihm kam sogar der Gedanke, dass er umkehren müsse – aber warum eigentlich? Sie würde auch ohne ihn nach Hause finden ... Kurt nahm seinen Schritt wieder auf, ging weiter. Ging den Fuchsbau entlang. Ging bis zur Nummer sieben, wo Irina vermutlich betrunken auf ihrem Sofa lag ...

Ging vorbei an der Nummer sieben.

Er ging bis zum Ende der Straße, bog in den Seeweg ein. Er folgte dem Seeweg, wo die Häuser, je weiter man sich vom See entfernte, immer profaner wurden. Die Heinestraße führte ihn ganz aus dem Villenviertel heraus und ins ehemalige Weberviertel, den ältesten Teil Neuendorfs. Hier waren die Häuser so niedrig, dass man die Dachrinnen mit der Hand erreichte. Kurt folgte dem Zickzack der kurzen, kopfsteingepflasterten Straßen, die in dieser Gegend, wo es aus offenen Fenstern nach Küche und Alkohol roch, Klopstock-, Uhland- und Lessingstraße hießen. Länger war die Goethestraße, die am Friedhof vorbei zur Karl-Liebknecht-Straße führte, welche wiederum länger als die Goethestraße war. Am Rathaus von Neuendorf hätte Kurt eine Straßenbahn abpassen können – er hörte sie mit barbarischem Quietschen die Rechtskurve nehmen, ging aber weiter. Erreichte die noch wesentlich längere Friedrich-Engels-Straße, die Neuendorf mit der Stadt verband, und durchschritt, gerade als die Bahn ihn rasselnd und rumpelnd überholte, den Engpass, an dem es ständig Verkehrsunfälle gab und an dessen Ausgang, über der mit Stacheldraht bewehrten Mauer des Reichsbahnausbesserungswerks, seit Jahren (oder Jahrzehnten?) ein blassrotes Transparent mit der Aufschrift *Der Sozialismus siegt!* vor sich hin rottete.

Laub rauschte unter seinen Füßen, als er die lange Strecke

am Reichsbahnausbesserungswerk abschritt. Er überquerte die sogenannte Lange Brücke, passierte Fahrbahn und Schienen, bog am Interhotel ab und kam über die Wilhelm-Külz-Straße zur Leninallee, Potsdams längster, wenn auch gewiss nicht schönster Straße. Er folgte ihr zwei oder drei Kilometer stadtauswärts, während die Straße immer dunkler zu werden schien, und bog dort, wo kaum noch eine Laterne brannte, rechts ein.

Gartenstraße. Das zweite Haus links. Kurt klingelte zweimal kurz und wartete, bis sich oben im zweiten Stock ein Fenster öffnete.

– Ich bin's, sagte er.

Dann ging im Hausflur das Licht an, Schritte waren auf der Treppe zu hören. Der Schlüssel knirschte in dem altertümlichen Schloss.

– Na, das ist ja 'ne Überraschung, sagte Vera.

Eine Stunde später lag Kurt rücklings auf Veras Bett, noch in derselben Haltung, in der Vera es ihm, wie er es nannte, «mündlich» besorgt hatte, und nahm den unverwechselbaren Geruch von gebratenem Speck wahr, der durch die Wohnung geisterte. Er fühlte sich erleichtert, aber auch ein bisschen enttäuscht, ohne sicher zu sein, ob es die typische postkoitale Ernüchterung war oder ob er zugeben sollte, dass es nicht ganz so gewesen war, wie er es erwartet hatte: Veras Schlafzimmer (er hatte es zum letzten Mal vor drei Jahren gesehen) erschien ihm noch verkramter und muffiger als in der Erinnerung. Das Licht ihrer Nachttischlampe war grell und hatte die blauen Äderchen auf ihren – er hatte noch immer kein anderes Wort dafür – *Dingern* auf ungünstige Weise beleuchtet. Aber besonders hatten ihn die Falten gestört, die sich, während sie es ihm besorgte, vor Anstrengung auf ihrer Stirn gebildet hatten. Plötzlich hatte ihn der Gedanke belästigt, er tue es mit einer alten Frau, und er hatte die Störung nur dadurch beheben können, dass er ihren Kopf in die Hände nahm und ihr – ein kleines bisschen brutal – seinen Rhythmus und seine Tiefe aufnötigte.

Als danach ihr warmes Gesicht auf seinem Bauch lag und er ihren Atem im Schamhaar spürte, war er ein bisschen verlegen gewesen, angesichts dieses Anflugs von Brutalität. Lange hatte er Veras Rücken gestreichelt und über ihre rätselhafte, seit Jahren anhaltende Bereitschaft nachgedacht, ihm gelegentlich zur Verfügung zu stehen. *Bratkartoffelverhältnis*, das Wort war ihm eingefallen – warum sagte man *Bratkartoffelverhältnis*? Verblüfft hatte Kurt festgestellt, dass er diese einfache Frage nicht beantworten konnte, und vielleicht war es, abgesehen vom Hunger, auch das – der Wunsch, diesem merkwürdigen Ausdruck einen Sinn zu verleihen, der ihn auf die Idee gebracht hatte zu fragen:

– Könntest du mir Bratkartoffeln machen?

– Klar, hatte Vera gesagt und war aufgestanden und in die Küche gegangen.

Jetzt roch es nach Bratkartoffeln: Kindheitsgeruch. Kurt schloss die Augen, und der Geruch katapultierte ihn in Sekundenbruchteilen zurück in das Schlafzimmer seiner Eltern, wo er sich (obwohl es nicht erlaubt gewesen war) unter der Decke versteckt hatte. Fast glaubte er die Stimme seiner Mutter zu hören:

– Kurt, kommst du?

Er öffnete die Augen. Staunte eine Sekunde lang über die seltsamen Umstände, in die er nach fast siebzig Jahren Lebens hineingeraten war. Setzte sich auf den Bettrand. Zog seine Unterhose an. Zog den schwarzen, nicht mehr ganz frischen Socken über den linken Fuß. Und wusste plötzlich, und zwar in genau dem Moment, als er zerstreut nach dem anderen, dem rechten Socken Ausschau hielt, *dass es so weit war*.

Es gab nichts mehr zu bedenken. Es gab keinen Grund, seine Zeit mit Nebensächlichkeiten zu verschwenden: Rezensionen für die *ZfG, ND*-Artikel anlässlich irgendwelcher historischer Jubiläen ... und sogar die Mitarbeit an dem Sammelband, der, da er Beiträge aus Ost und West enthalten sollte, mit einer durchaus verlockenden Konferenz in Saarbrücken verbunden war, würde er – am besten aus gesundheitlichen Gründen – absagen und sich gleich morgen früh an den Schreibtisch setzen und anfangen, seine Erinnerungen zu schreiben, und zwar (auch das wusste er sofort) beginnend mit jenem Augusttag 1936, an dem er neben Werner an Deck des Fährschiffes stand und zusah, wie der Leuchtturm von Warnemünde im frühen Nebel verblasste.

– Kommst du, rief Vera.

– Ja, sagte Kurt.

Es fröstelte ihn in der feuchten Luft ... Und er spürte das Pflaster, mit dem er die fein zusammengefaltete sowjetische Einreisegenehmigung an die Innenseite seines rechten Oberschenkels geklebt hatte.

1991

Wenn Irina hätte erklären sollen, woher die Aprikosen kamen, die sie für die Füllung ihrer Klostergans benötigte, hätte ein Satz genügt: Die Aprikosen kamen aus dem Supermarkt.

Auch die Weintrauben kamen aus dem Supermarkt. Die Feigen kamen aus dem Supermarkt. Die Birnen, die Quitten, alles kam aus dem Supermarkt. Unter diesen Umständen, dachte Irina, war es eigentlich keine Kunst, eine Klostergans zu bereiten. Sogar Esskastanien gab es im Supermarkt, fix und fertig gebacken und geschält, und nachdem sie sich letztes Jahr noch gesträubt hatte, Esskastanien fix und fertig im Supermarkt zu kaufen, hatte sie dieses Mal zugegriffen – wozu sich unnötig Arbeit machen? Und doch war es gerade diese Kleinigkeit, die Irina für einen winzigen Augenblick aus dem Konzept brachte, denn normalerweise war dies das Erste, was sie tat: den Backofen anzumachen und, während er vorheizte, die Schalen der Esskastanien kreuzweise einzuritzen ... Fehler. Sie drehte den Backofen wieder ab und begann das Obst für die Füllung vorzubereiten.

Es war kurz nach zwei. Auf den verzinkten Fenstersimsen tickte das Schmelzwasser. Im Küchenradio liefen die Nachrichten des Deutschlandfunks. Gerade war von der bevorstehenden Auflösung der Sowjetunion die Rede.

Irina schälte die Quitten dünn ab und schnitt sie dann in

etwa ein Zentimeter große Würfel. Die Quitten waren hart, die Finger taten ihr weh. Bei solchem Wetter schmerzten ihre Gelenke besonders: der Rücken, die Hände … Und wer weiß, dachte Irina, während im Radio wieder einmal von der aserbaidschanischen Region Berg-Karabach die Rede war, wo Armenier (die Irina, und zwar nicht nur wegen ihres vorzüglichen Kognaks, für ein großes Kulturvolk hielt) heute Nacht zwanzig Zivilisten umgebracht hatten, wer weiß, dachte sie, was sie sich noch für Schäden zugezogen hatte: die Holzschutzmittel, die sie eingeatmet hatte. Der Kamilit-Staub, von dem es auf einmal hieß, dass er krebserregend sei … und alles vergeblich.

Irina spreizte ein paarmal die Finger und erinnerte sich an ihren Vorsatz, heute nicht an das alles zu denken – ein Vorsatz, der nicht leicht zu erfüllen war, wenn man schon morgens mit einem unguten Gefühl im Bauch zum Briefkasten ging und die Post zuerst daraufhin überprüfte, ob ein gerichtliches Schreiben dabei war … Dumm, ja natürlich! Dumm war es gewesen, das Haus nicht zu kaufen. Andererseits: Wer weiß, ob die Kommunale Wohnungsverwaltung das Haus überhaupt verkauft hätte? Hätte sie fragen sollen? Niemand hatte gefragt. Alle Häuser in der Umgebung hatten der Kommunalen Wohnungsverwaltung gehört, und kein Mensch (außer diesem merkwürdigen Harry Zenk) war auf die Idee gekommen, das Haus, in dem er wohnte, auch noch zu kaufen: Wozu, wenn man irgendwelche hundertzwanzig Mark Miete bezahlte?

Und schon war sie mittendrin, in diesem Hätte-würde-könnte-Spiel. Ein Kognak täte gut, dachte Irina, während der Bundestag ein Gesetz zur Einführung der Mütterunterstützung in den sogenannten *neuen Bundesländern* beschloss – damit waren sie gemeint, der Osten, seltsame Wortbildung, die neuerdings auftauchte: als hätte man diese «neuen» Länder gerade entdeckt, wie Kolumbus Amerika ... O ja, ein Kognak täte jetzt gut, dachte sie, um das Gehirn ein bisschen von den immer gleichen Gedanken abzubringen ... aber sie hatte sich vorgenommen, heute nicht zu trinken, nicht nur wegen Charlotte, die sie nachher noch aus dem Pflegeheim abholen musste. Anschließend kamen die Kinder, Sascha mit dieser Catrin. Da musste sie nüchtern sein, wenn es nicht wieder zum Eklat kommen sollte.

Ersatzweise zündete sie sich eine Zigarette an. Im Radio ertönte der wohlbekannte Piepton, und Irina hielt inne und lauschte ... dumme Angewohnheit. Früher hatte sie die Verkehrsmeldungen ignoriert, wie jeder normale Mensch. Aber seit Sascha in diesem Moers wohnte – ein Ortsname, der in Irinas Ohren wie *mjörs*, russisch: *fror* klang –, seit er in diesem Moers wohnte, hatte sie hinzuhören begonnen, weil dieses Moers zu ihrer Überraschung hin und wieder in den Verkehrsmeldungen genannt wurde: *A 57 Nijmegen Richtung Köln: zwischen Kamp-Lintfort und Autobahnkreuz Moers fünf Kilometer Stau* – solche Meldungen waren es, die ihr das Gefühl gaben, dass Sascha noch existierte. Und auch heute, da Sascha hierher, nach Neuendorf, unterwegs war, versuchte sie, anhand der Ortsnamen zu erraten, wie viel Verspätung er haben würde, und schickte winzige Gebete zum Himmel, wenn irgendwo von einem Unfall die Rede war.

Eigentlich hatte sie gehofft, dass der Fall der Mauer Sascha wieder in ihre Nähe bringen würde. Das war ihr erster Gedanke gewesen, als sie im Fernsehen die Bilder sah von Menschen, die sich weinend in den Armen lagen, und sie hatte hemmungslos mitgeweint und sich über Kurt geärgert, der die ganze Zeit stumm in den Fernseher geschaut und sich eine Pfeife nach der anderen gestopft hatte. Sie hatte geweint und gegen den idiotischen Gedanken angekämpft, dies alles geschehe nur ihretwegen.

Aber anstatt zurückzukommen, war Sascha noch weiter weggezogen. Anstatt wieder nach Berlin zu gehen, wo die unglaublichsten Dinge passierten, anstatt daran teilzunehmen, anstatt seine Chance zu nutzen, zog er nach Moers ... Was hätte aus ihm werden können, dachte Irina. Es schmerzte sie, wenn sie sah, was für jämmerliche Figuren neuerdings im Fernsehen auftraten, während Sascha in seinem Moers saß, irgendwo an der holländischen Grenze. Ein Ort, den nicht einmal Kurt kannte ... Und warum? Weil Catrin dort ein Engagement bekommen hatte: am Theater in Moers! Zu mehr hatte es wahrscheinlich nicht gereicht, dachte Irina.

Aber nach dem Eklat, den es beim letzten Besuch der beiden im Sommer gegeben hatte, war sie entschlossen, nichts mehr zu diesem Thema zu sagen. Die kurze Zeit, die Sascha in Neuendorf verbringen würde, war zu kostbar, um sich zu streiten. Inzwischen musste man froh sein, dass er überhaupt kam. Im letzten Jahr hatten die beiden kurz vor Weihnachten abgesagt und waren – seltsame Idee – über die Feiertage auf die Kanarischen Inseln geflogen, und Irina hatte Weihnachten allein mit Kurt und Charlotte verbracht. In diesem Jahr jedoch war sie entschlossen, noch einmal ein richtiges Weihnachtsfest stattfinden zu lassen: Wer weiß, vielleicht war es das letzte Mal in diesem Haus. Aber auch darüber, nahm sie sich vor, würde sie am heutigen Abend schweigen.

Sie würde eine Klostergans machen wie immer. Zum Kaffee gab es selbstgebackenen Stollen. Und wenn die Weihnachtsgans verzehrt und der Stollen gegessen war, dachte Irina, während sie die getrockneten Feigen und Aprikosen in Streifen schnitt, wenn das Politik-Gerede abgeflaut und das Geschenkeauspacken überstanden war, wenn sie das Geschirr eingeweicht und Charlotte wieder ins Pflegeheim gebracht hatte, dann, dachte Irina, würde sie sich einen Kognak genehmigen – nur einen! – und jene Stunde genießen, die zu Weihnachten immer die schönste gewesen war: die Stunde *danach*, wenn sie sich in der Sitzecke niederließen und Kurt seinen Vanilletabak zu schmauchen begann, wenn die Männer, nachdem man sich hinreichend über die kleinen und großen Katastrophen des Abends amüsiert hatte, schließlich die Ärmel hochkrempelten und noch ein, zwei Partien Schach spielten ...

Im Radio begann eine klägliche Kirchenmusik zu dudeln. Irina drehte die Lautstärke herunter, schaltete aber nicht ab, sicherheitshalber, auch wenn es natürlich reiner Aberglaube war zu befürchten, Sascha könnte etwas passieren, wenn sie aufhörte, die Verkehrsmeldungen zu verfolgen. Sie nahm ein paar kräftige Züge von ihrer halb schon im Aschenbecher verglommenen Zigarette, drückte sie sorgfältig aus. Dann zerließ sie ein halbes Stück Butter in einem halbhohen Topf, schwenkte das kleingeschnittene Obst darin und gab einen Schuss Kognak dazu. Ein Schwall süßen Duftes wehte ihr entgegen, und es war der Geruch von – *Whisky*, tschort poderi!

Irina betrachtete verdutzt die Flasche, die sie extra für den Weihnachtsabend gekauft hatte. Geschlagene zehn Minuten hatte sie vor dem Regal verbracht. Noch immer hatte sie sich nicht an die verwirrende Vielzahl der Marken gewöhnt. Das Einzige, was es neuerdings nicht gab, war – auch seltsam – armenischer Kognak. Dafür gab es französischen, griechischen, spanischen, italienischen, österreichischen und weiß der Teufel was noch. Und nach langem Hin und

Her hatte sie sich schließlich für einen besonders teuren, indischen Kognak entschieden, was Ausgefallenes, hatte sie gedacht, für die Feiertage – und jetzt war es Whisky!

Sie kostete das Obst-Whisky-Gemisch – schmeckte nicht schlecht, aber eigentümlich. Ihr blieb nichts anderes übrig, als die schöne, durch die halbierten frischen Weinbeeren besonders fruchtig geratene Flüssigkeit sorgfältig in ein Glas abzugießen (viel war's nicht, aber wer weiß, wozu man das nochmal verwenden konnte) und die Früchte noch einmal aufzusetzen – aber womit? Rum könnte gehen, dachte Irina. Zumindest für die Füllung der Gans. Für den Sud würde sie mit Portwein und Honig auskommen.

Sie ließ die Früchte fünf Minuten in Rum ziehen. Inzwischen kümmerte sie sich um die Gans: nahm die Innereien heraus, legte sie in eine Schüssel, wusch die Gans, tupfte sie mit Küchenkrepp ab – Küchenkrepp, die Erfindung, deretwegen sich die Wende gelohnt hatte, pflegte Kurt neuerdings zu witzeln. Sie schnitt das überschüssige Fett ab, nahm die Talgdrüse heraus, stach die Gans unter den Flügeln an und rieb sie mit Salz ab, innen und außen. Dann stopfte sie die Füllung hinein und nähte das Tier zu, eine Verrichtung, die seit einiger Zeit, genauer gesagt: seit ihrer Totaloperation, unangenehme Assoziationen hervorrief ... Aber auch daran wollte sie lieber nicht denken.

Jetzt hatte sie vergessen, den Backofen vorzuheizen. Sie entzündete das Gas, setzte, dasselbe Streichholz benutzend, gleich noch Wasser auf und verbrannte sich ein bisschen die Finger, als sie sich, noch immer am selben Streichholz, eine Zigarette ansteckte. Dann betrachtete sie in Ruhe die Flasche, die sie versehentlich gekauft hatte: *Single Malt* stand drauf, von Whisky kein Wort – oder so klein, dass sie es ohne Brille nicht lesen konnte. Nun musste sie wenigstens einmal kosten, wie das Zeug pur schmeckte. Gerade als sie die Flasche ansetzte, stand Kurt in der Tür.

– Ich koste nur, sagte Irina.

Zum Beweis hielt sie die Flasche hoch, aber da sie bereits etwas für die Füllung verbraucht hatte, fehlte ein guter Teil.

– Na, wunderbar, sagte Kurt, dann muss ich jetzt wohl Charlotte abholen.

– Warte, ich schiebe die Gans rein, dann fahr ich, sagte Irina.

Kurt hob abwehrend die Hand:

– Ich nehm ein Taxi.

– Ich habe nichts getrunken, sagte Irina noch einmal.

– Kommt gar nicht in Frage, sagte Kurt. Ich mach das jetzt. Nur eine Bitte, Iruschka: Hör auf zu trinken. Heute kommen die Kinder ...

– Ich trinke nicht!

– Gut, sagte Kurt, ist ja gut! Und verließ die Küche.

Irina füllte die Kasserolle zwei Finger hoch mit heißem Wasser, legte die Gans hinein, schob sie mit geschlossenem Deckel in die Röhre und stellte die Kurzzeituhr auf einenhalb Stunden. Dann zupfte sie die äußeren Blätter vom Rotkohlkopf ab, nahm das große Messer und halbierte den Kopf mit einem gewaltigen Schlag. Und dann nahm sie das Fruchtsaft-Whisky-Gemisch – und trank es. Erstens war es kein richtiger Alkohol. Zweitens ärgerte sie sich.

Sie nahm wieder das große Messer zur Hand und begann, den Rotkohl in feine Scheiben zu schneiden ... O ja, sie ärgerte sich. Nicht nur, weil er ihr unterstellte, zu trinken – das auch! Aber auch wegen dieser vorwurfsvollen, beleidigten Tonart ... Als sei es sonst was für eine Zumutung, dass er seine Mutter abholte. Und sie, Irina, hatte auch noch ein schlechtes Gewissen! Dabei war es doch *seine* Mutter! Wieso galt es als selbstverständlich, dass *sie* zum Pflegeheim fuhr? Bloß weil Kurt nicht Auto fahren konnte? Wenn es danach ging, konnte er gar nichts ... Und so war es ja auch.

Kurt kümmerte sich um nichts, dachte Irina, während sie Rotkohl schnitt. Gewiss, so war es früher schon gewesen. Aber in letzter Zeit war es schlimmer geworden. Sie verstand ja, dass ihn das alles aufregte. Er kämpfte gegen die, wie es neuerdings hieß: «Abwicklung» seines Instituts. Ständig war er unterwegs. Fuhr nach Berlin, öfter als früher, sogar in Moskau war er noch einmal gewesen, weil irgendein Archiv plötzlich zugänglich war. Er schrieb ständig Briefe, Artikel. Hatte sich extra eine neue Schreibmaschine gekauft: elektrisch! Vierhundert Mark! Kurt, den man schlagen musste, damit er sich ein Paar Schuhe kaufte, hatte sich für *vierhundert Westmark* eine Schreibmaschine gekauft – während sie noch immer ein schlechtes Gefühl hatte, wenn sie das wertvolle neue Geld für Butter und Brötchen ausgab ...

Dabei war noch nicht einmal heraus, wie viel Rente Kurt nun, nach der Umstellung, bekommen würde. Von ihrer eigenen Rente ganz zu schweigen. Plötzlich sollte sie irgendwelche Arbeitsnachweise aus Slawa erbringen: Was für eine Bürokratie! Und dabei hatte sie immer geglaubt, die DDR sei bürokratisch ... Auch ihre Zusatzrente würde sie vermutlich nicht mehr bekommen (die DDR hatte ihr eine Rente als sogenannte Verfolgte des Naziregimes zuerkannt, als Ersatz für die Ehrenrente, die sie als «Kriegsveteranin» in der Sowjetunion bekommen hätte): Kaum anzunehmen, dass die westdeutschen Behörden sie dafür belohnen würden, dass sie als Gefreite der Roten Armee gegen Deutschland gekämpft hatte ... Und wenn sie jetzt noch das Haus verloren, dann gute Nacht. Selbst wenn man sie nach der «Rückübertragung» – auch eins der Wörter, die mit der Wende gekommen waren – weiter hier wohnen ließe, würden sie die Miete auf Dauer kaum zahlen können. Und die Ironie dabei war, dass sie selbst durch den Ausbau des Dachbodens und den Anbau des Zimmers für Nadjeshda Iwanowna die Wohnfläche des Hauses – und damit die zu erwartende Miete – beinahe verdoppelt hatte.

Sie goss sich noch einen winzigen Schluck ein. Bis sie Charlotte wieder ins Pflegeheim bringen musste, war der Alkohol längst wieder raus. Den einen! Dann, versprochen, stellte sie die Flasche in die Speisekammer. Aber diesen einen brauchte sie jetzt: Die Vorstellung, dass irgendwann, bald, fremde Leute hier einziehen würden, fraß mächtig an ihren Eingeweiden. Und fast noch schlimmer als der Gedanke, dass sie schamlos alles so, wie es war, übernehmen würden, war die Vorstellung, dass die neuen Besitzer alles abreißen würden, weil das DDR-Zeug ihnen nicht gut genug war ... Sie sah ihre Küchenfliesen schon auf dem Schutthaufen liegen ... O ja, sie erinnerte sich genau, wie sie diese Fliesen bei strömendem Regen in irgendeinem Hinterhof auf ihren Anhänger geladen hatte. Sie erinnerte sich an das halunkische Gesicht des Hausmeisters, der die Mischbatterie von irgendeinem Kontingent der Bezirksleitung «abgezweigt» hatte ... Sie erinnerte sich an alles, und sie erinnerte sich, als sie einen wirklich allerletzten Schluck aus der Flasche nahm, auch an das, was Kurt vor zwei Wochen zu ihr gesagt hatte:

– Dann suchen wir uns eben eine praktische kleine Wohnung. Das Haus ist doch sowieso zu groß für uns zwei!

Noch immer tickte das Schmelzwasser auf den Zinkblechen. Das Radio berichtete wieder von der sich auflösenden Sowjetunion, und obwohl Irina die Nachricht jetzt schon zum soundsovielten Mal hörte, blieb sie, den Grünkohl in der Hand, vor dem Fenster stehen ... Einen Augenblick schaute sie in den aufgeweichten, noch halb mit Schnee-resten bedeckten Garten, und es kam ihr auf einmal recht unwahrscheinlich vor: dass tatsächlich sie es gewesen war. Irgendwann einmal, in einer fernen Vorvorzeit ... dass sie es gewesen war, die auf dem Bauch über die kalte, schlammige Erde gekrochen war, heulend, fluchend, mit aufgescheuerten Fingern ... Und wie schwer ein Verwundeter war! Und wie der Weg bis zu den eigenen Linien immer länger und länger wurde ... Und gerade als sie überlegte, ob es legitim sei, noch einen winzig kleinen, symbolischen Schluck auf den Unter-gang der Sowjetunion zu trinken, hupte es draußen.

Sie ging rasch zum Flurfenster, schaute hinaus: Catrin zog gerade das Tor zu, und Sascha stieg aus einem großen sil-bergrauen Auto, neben dem ihr Lada wie ein Museumsstück aussah.

Irina hatte Catrin zum letzten Mal im Sommer gesehen, und sie erinnerte sich jetzt, dass ihr schon damals eine Wandlung aufgefallen war: Aus der immer irgendwie sperrig aussehenden, billig zurechtgemachten Frau war auf einmal so etwas wie eine Erscheinung geworden. Ob es an den West-klamotten lag (sie trug ein klassisches dunkles Kostüm) oder an der (vermutlich künstlichen) Sonnenbräune – Catrin sah plötzlich aus wie die Frauen in den Katalogen, die der Brief-träger neuerdings ungefragt in den Briefkasten warf; zu al-lem Überfluss trug sie sehr hohe Schuhe, sodass sie Irina um beinahe zwei Köpfe überragte.

Ganz im Gegensatz zu ihrer äußeren Erscheinung be-nahm sie sich auffällig scheu. Demonstrativ hielt sie sich an Sascha, versteckte sich halb hinter ihm. Sie begrüßte Irina lächelnd, mit leiser Stimme, schaute sie fragend von unten an (tatsächlich brachte sie es trotz ihrer Körpergröße fertig, Irina *von unten* anzuschauen), kurz und gut, ihr Verhalten kam Irina vom ersten Augenblick an falsch und gespielt, ja fast beleidigend vor.

Aber auch Sascha erschien ihr im ersten Augenblick ein wenig fremd. Vielleicht lag es bloß an der Frisur – er hatte sich die Koteletten kurz abrasiert, wie es jetzt Mode war. Seine ungewohnt weiten Jeans (früher hatte er auf knallenge Hosen Wert gelegt) und das schicke Jackett, für dessen grobgewebten Stoff Irina die rechte Bezeichnung fehlte, ließen ihn irgendwie reifer, gesetzter erscheinen. Aber als er sie umarmte, nahm sie seinen Körpergeruch wahr, und dann fehlte nur noch, dass sie das schimmernde Grau in seinen Haaren entdeckte, und ihre Augen füllten sich mit Tränen.

– Ach, Mama, sagte Sascha. Alles ist gut!

Sascha war, so schien es, in prächtiger Stimmung. Irina zupfte den Grünkohl aus und hörte sich an, was er zu erzählen hatte: über die neue Wohnung – *Ihr kommt doch bald mal!* – und über das neue Auto und über die *verdammte Ostautobahn*, auf der sie fast eine Stunde im Stau gestanden hatten; dann über Paris, wo sie neulich gewesen waren, das ihnen aber weniger gefallen hatte als London, obwohl das Essen in London grauenhaft gewesen war, *fast so schlimm wie in der DDR*, beteuerte Sascha und erzählte, wie sie vergeblich versucht hatten, in London *Fish and Chips* zu bekommen, während Catrin ihm kichernd zustimmte, von einem Fuß auf den anderen trat und ständig, in einer Weise, die Irina rasend machte, ihre Körperhaltung veränderte.

– Womit stoßen wir an, fragte Sascha.

– Whisky?

– Egal, sagte Sascha. Es gibt nämlich einen Grund! Ich werde am Theater in Moers inszenieren. Vor zwei Tagen habe ich den Vertrag unterschrieben.

Irina bemühte sich, ein erfreutes Gesicht zu machen.

– He, Mama, das ist toll, sagte Sascha. Das ist das erste Mal, dass ich an einem richtigen Theater was inszeniere!

– Na dann, prost, sagte Irina – und stutzte.

– Hier scheint irgendwas anzubrennen, sagte Catrin.

Tatsächlich: Sie hatte vergessen, das Gas herunterzudrehen ... Rasch holte sie die Kasserolle aus dem Backofen. Das Wasser war völlig verdampft, und es qualmte gefährlich.

– Soll ich helfen?, fragte Catrin.

Aber Irina wehrte energisch ab.

– Bringt ihr mal eure Sachen in Saschas Zimmer, ich mache das.

Irina schloss die Küchentür und inspizierte den Schaden – er hielt sich in Grenzen. Sie entfernte ein Stück Haut vom Rücken der Gans, kratzte die Kasserolle aus, ließ sie kurz abkühlen. Inzwischen verrührte sie ein halbes Glas Honig mit einem Dreivierteliter Portwein, dann begoss sie die Gans damit und schob sie wieder in die Röhre.

– Alles klar? – Sascha steckte seinen Kopf durch die Tür.

– Alles klar, sagte Irina.

– Na dann, sagte Sascha und hob noch einmal das Glas.

– Geht es dir gut, fragte Irina.

Aber Sascha, anstatt zu antworten, fragte zurück:

– Wie geht es dir, Mama?

– Gut, sagte Irina und zuckte mit den Schultern.

– Was ist denn?

– Du weißt ja nicht, was hier los ist, sagte Irina. Du bist ja nicht hier.

– Ach, Mama, jetzt lass das doch mal.

– Und die Rente werden sie uns auch kürzen, sagte Irina rasch, um von dem wunden Punkt – Moers – abzulenken.

– Quatsch, sagte Sascha. Das sind wieder so Gerüchte. Es

geht euch gut! Ihr solltet das Leben genießen! Fahrt nach Paris! Kommt uns besuchen!

Sascha nahm sie fest an den Schultern, schaute ihr ins Gesicht:

– Mama, Catrin hat nichts gegen dich.

– Das sage ich gar nicht.

– Dann ist ja alles gut, sagte Sascha. Okay? Alles gut?

Irina nickte. Sie klopfte zwei, drei Zigaretten aus der Schachtel, hielt sie ihm hin.

– Und noch eine gute Nachricht, sagte Sascha. Ich rauche nicht mehr.

Kurze Zeit später war auch Kurt wieder da. Ohne Charlotte.

– Tja, sagte er.

Dann berichtete er kurz und widerwillig: Es ging Charlotte nicht gut. Sie habe ihn nicht wiedererkannt, sei kaum bei Bewusstsein. Und der Arzt habe ihm zu verstehen gegeben, na ja, dass man sich auf das Schlimmste gefasst machen müsse.

Einen Moment schwiegen alle. Sascha stand an der Tür zum Wintergarten und schaute hinaus (oder schaute er auf den kleinen, missratenen Weihnachtsbaum – *Kurts* Weihnachtsbaum: Lametta in Klumpen, blaue Kosmetikwatte als Schnee). Catrin machte ein Trauergesicht, als sei Charlotte bereits gestorben. Irina ärgerte sich.

Es war nicht recht, dass sie sich ärgerte, sie wusste es. Natürlich konnte Charlotte nichts dafür, wenn sie jetzt starb. Trotzdem ärgerte sich Irina. Stumm zog sie sich in die Küche zurück und begann die Kartoffeln für die Klöße zu schälen. Sie versuchte, ihre Gefühllosigkeit mit der langen Liste von Kränkungen zu rechtfertigen, die Charlotte ihr angetan hatte. Nein, sie hatte es nicht vergessen, wie sie die Ritzen in der

Garderobennische ausgekratzt hatte. Wie Charlotte Kurt mit dieser Gertrud hatte verkuppeln wollen ... Die schlimmste Zeit ihres Lebens, dachte Irina, während sie die Kartoffeln aufsetzte und sich einen Whisky eingoss – wenigstens musste sie heute nicht mehr Auto fahren! Schlimmer als Krieg, dachte sie. Schlimmer als der erste deutsche Artilleriebeschuss, weiß der Teufel.

Sie trank den Whisky – das Zeug drehte ganz schön! – und rauchte noch eine Zigarette an. Plötzlich musste sie lachen beim Gedanken an den Mülleimerhenkel, den Charlotte ihr letztes Jahr zu Weihnachten geschenkt hatte: einen alten, verrosteten Mülleimerhenkel, unglaublich! ... Nein, das konnte man ihr nicht mehr verübeln. Sie war alt und verrückt, und nun starb sie, allein, im Pflegeheim. Morgen würde sie nach ihr schauen, dachte Irina. Trotz alledem.

Sie legte die Zigarette auf dem Rand des Aschenbechers ab und machte sich daran, die rohen Kartoffeln zu reiben – Thüringer Klöße, halb und halb. Genauer gesagt, ein bisschen mehr Dings als umgekehrt, aber wie denn nun? Irgendwo musste ihr Kochbuch sein. Irina suchte ihr Kochbuch, aber nach einer Weile stellte sie fest, dass sie gar nicht ihr Kochbuch suchte, vielmehr kreisten ihre Gedanken noch immer um Charlotte ... Denn eins musste man sagen: In den letzten zwei Jahren, genauer gesagt, seit Wilhelms überraschendem Tod – er war ausgerechnet an seinem Geburtstag gestorben, und obwohl er schon neunzig gewesen war, hatte niemand mit seinem Ende gerechnet –, seit Wilhelms überraschendem Tod hatte Charlotte sich auf seltsame Weise gewandelt. Und das Seltsame war nicht etwa ihre plötzlich durchschlagende Verrücktheit – ein bisschen verrückt war sie ja immer gewesen –, sondern wie mild und umgänglich sie auf einmal geworden war. Plötzlich, so schien es, war die bösartige Energie, die sie stets umgetrieben hatte, verpufft. Auf einmal hatte sie begonnen, Irina mit *meine liebe Tochter* anzureden. Schrieb Kurt wirre, aber fast zärtliche Briefe oder rief mitten in der Nacht an, um sich für irgendeine Nichtigkeit zu bedanken ... bis sie schließlich eines Nachts in langen Unterhosen und mit ihrem mexikanischen Handkoffer vor der Tür gestanden und gefragt hatte, ob sie in dem Zimmer, das nach dem Weggang von Nadjeshda Iwanowna frei geworden war, wohnen dürfe. Nun war es Kurt gewesen, der kategorisch ablehnte. Nein, natürlich hatte Irina sie nicht im Haus haben wollen. Aber sie ins Pflegeheim abzuschieben erschien ihr brutal, und auch wenn Charlotte sich widerstandslos einweisen ließ, kämpfte Irina jedes Mal mit den Tränen, wenn sie sie dort zwischen all den Menschen antraf, die mit erloschenem Blick durch die Gänge irrten ...

Im Kochbuch stand: *Knapp 2/3 der Kartoffeln schälen, waschen und auf der Haushaltsreibe fein reiben* ... Irina versuchte mit dieser Mengenangabe fertigzuwerden ... War das jetzt eigentlich mehr oder weniger als ... Du lieber Gott, sie musste aufhören zu trinken. Nur noch einen! Einen brauchte sie noch, um die Bitterkeit zu verdünnen, die sich in ihrer Brust aufgestaut hatte. Denn wie Charlotte auch gewesen war, was sie auch getan hatte, so war es doch einfach unfassbar, dass es ein Weihnachtsfest ohne sie geben sollte. Ohne Charlotte und ihren Waschbärpelz, ohne ihre Fistelstimme, ihre gekünstelten Komplimente, ihre Prahlereien, ohne ihren Dederon-Beutel, aus dem sie mit großer Geste peinliche Geschenke verteilte – und auch wenn es das idiotischste Geschenk war, das sie jemals erhalten hatte, so war dieser Mülleimerhenkel, den Charlotte ihr *freudestrahlend* überreicht hatte, das erste und einzige

Geschenk gewesen, von dem Irina gespürt hatte, dass es von Herzen kam ...

Einen, dachte Irina. Einen auf Charlotte, in ihrem Sterbebett.

Aus dem Zimmer waren jetzt die Stimmen der Männer zu hören, die übliche Diskussion: Arbeitslosigkeit, Sozialismus ... *Was hier geschieht, ist der Ausverkauf der DDR*, sagte Kurt. Irina kannte das alles längst, es wurde ja über nichts anderes mehr geredet, wenn sie Besuch hatten – allerdings hatten sie kaum noch Besuch. Plötzlich hatten die Leute alle zu tun. Obwohl sie ja eigentlich alle arbeitslos waren. Auch seltsam, dachte Irina. *Die DDR war pleite*, hörte sie Sascha sagen, *die hat sich selbst ausverkauft* ... es folgten Rechnungen, die sie nicht ganz verstand ... *Wenn die Gehälter hier eins zu eins*, sagte Kurt, während Irina über zwei Drittel nachdachte, *dann sind die Betriebe von heute auf morgen pleite*. Aber Sascha sagte: *Wenn sie nicht eins zu eins gezahlt werden, dann gehen die Leute rüber* ... Eins zu eins, dachte Irina. Oder eins zu zwei Drittel ... *Ich verstehe das nicht*, sagte Sascha, *du hast doch selber ständig darüber geredet, dass der Sozialismus am Ende ist. Waren das bloß Worte* ... Plötzlich kam ihr alles sehr fern vor ... *Ich rede hier nicht von der DDR, sondern von Sozialismus, von einem wahren, demokratischen Sozialismus!* Auch die Klöße kamen ihr plötzlich sehr fern vor ... *Es gibt keinen demokratischen Sozialismus*, hörte sie Sascha sagen. Darauf Kurts Stimme: *Der Sozialismus ist seinem Wesen nach demokratisch, weil diejenigen, die produzieren, selber über die Produktion* ...

Irina nahm eine Gabel und prüfte, ob die Kartoffeln schon gar waren ... Egal, dachte sie. Blödes Herumgestreite ... Ein Mal noch Weihnachten in diesem Haus. Ein Mal Klostergans. Ein Mal Klöße, so wie es sich gehörte. Und dann, dachte sie, können sie mich hier raustragen ... Und zwar mit den Füßen zuerst! Prost. Sie kippte den Rest runter – aber es war kein Rest da. Also goss sie sich noch einen winzigen Rest ein und begann die Kartoffeln zu pellen. Auf einmal waren die Stimmen sehr nah:

– Aha, sagte Kurt, darf man jetzt also nicht mehr über Alternativen zum Kapitalismus nachdenken! Wunderbar, das ist also eure Demokratie ...

– Na, Gott sei Dank, dass du in deinem Scheißsozialismus über Alternativen nachdenken durftest.

– Du bist ja wirklich schon vollkommen korrumpiert, sagte Kurt.

– Korrumpiert? Ich bin korrumpiert? Du hast vierzig Jahre lang geschwiegen, schrie Sascha. Vierzig Jahre lang hast du es nicht gewagt, über deine großartigen sowjetischen Erfahrungen zu berichten.

– Das mache ich schon noch ...

– Ja, jetzt, wo es keinen mehr interessiert!

– Was hast *du* denn getan! – Jetzt schrie auch Kurt: Wo waren denn *deine* Heldentaten!

– Scheiße, schrie Sascha zurück. Scheiß auf eine Gesellschaft, die Helden braucht!

– Scheiß auf eine Gesellschaft, in der zwei Milliarden Menschen hungern, schrie Kurt.

Plötzlich war Irina im Zimmer, sie wusste selbst nicht, wie. War im Zimmer und schrie:

– Hört auf!

Es war einige Sekunden lang still. Dann sagte sie:

– Weihnachten.

Eigentlich hatte sie sagen wollen: Heute ist Weihnachten. Sie hatte sagen wollen: Sascha ist seit Monaten zum ersten Mal wieder da, also lasst uns diese zwei Tage in Frieden verbringen – so ungefähr. Aber obwohl ihre Gedanken noch *vollkommen klar* waren, hatte sie seltsamerweise Schwierigkeiten zu sprechen.

– Weihnachten, sagte sie. Sie drehte sich um und ging wieder in die Küche.

Ihr Herz bummerte. Plötzlich war sie ganz außer Atem. Sie stützte sich auf der Spüle ab. Stand so einen Moment. Schaute in die blutige Schüssel, die immer noch auf der Ablage neben der Spüle stand ... Vergessen: die Innereien. Sie nahm das große Fleischmesser ... Konnte es plötzlich nicht. Konnte es nicht mal mehr anfassen, das Zeug in der Schüssel. Kam ihr plötzlich so vor, als sei das ihrs. Als sei es das, was man ihr herausoperiert hatte, dort, wo es wehtat, im Unterleib ...

– Soll ich nicht doch was helfen? – Catrins Stimme, fürsorglich-freundlich: Ich kann rasch den Kloßteig ...

– Ich mache das, sagte Irina. Das ist thüringisch, sagte sie nicht, lieber keine schwierigen Wörter. Stattdessen sagte sie: Das ist halb und halb ... Aber ein bisschen mehr als ...

– Ich weiß, sagte Catrin. Wie viele rohe Kartoffeln hast du denn drin?

Wie viele rohe Kartoffeln?

– Ich mache das, sagte Irina noch einmal.

– Das werden so fünf oder sechs sein, sagte Catrin, während sie schon zur Reibe griff. Herrgott, das ist aber auch kompliziert ...

Catrin sprach schnell, viel zu schnell, und Irina brauchte eine Weile, um die leisen, huschenden Silben einzufangen und wieder zusammenzusetzen. Aber als sie sie wieder zusammengesetzt hatte, lauteten sie:

– Weißt du ... es gibt jetzt auch fertige Kloßmasse ... Die ist, ehrlich gesagt ... gar nicht so schlecht ... Soll ich dir mal ... die Marke aufschreiben?

Irina nahm Catrin die Reibe aus der Hand.

– Entschuldige, sagte Catrin. War nicht böse gemeint ...
Ich meine nur, wegen der Arbeit.

– Ich. Mache. Das. Sagte Irina.

Erst als Catrin weg war, bemerkte sie, dass sie noch das
große Fleischmesser in der Hand hielt.

Sie legte das Messer weg. Stützte sich einen Augenblick
auf die Spüle. Wenn man einatmete, tat es weniger weh. Irina
atmete ein. Aber jetzt waren wieder die Stimmen der Männer zu hören.

– *Du hast einfach nicht lange genug gesessen! Die hätten*
dir nochmal zehn Jahre aufbrummen sollen!

Die Innereien vor ihren Augen begannen zu tanzen.

– *Du hast überhaupt keine Ahnung, was Kapitalismus be-*
deutet!

Irina schaute die Wandfliesen an und versuchte sich auf
das Fugenkreuz zu konzentrieren.

– *Der Kapitalismus mordet*, schrie Kurt. *Der Kapitalismus*
vergiftet! Der Kapitalismus frisst diese Erde auf ...

Irina atmete wieder aus. Sechzehn Uhr, Deutschlandfunk,
sagte das Radio. Die Sowjetunion wurde zum dritten Mal
aufgelöst. Trotzdem wunderte sie sich ein bisschen. Über
das Wetter.

– *Achtzig Millionen Tote*, schrie Sascha. *Achtzig Millionen!*

War sie das gewesen? Die Hände. Der Bauch. Für die Heimat, für Stalin. Schöner Beschiss. Wenn man immer nur ...
einatmen könnte.

– *Zwei Milliarden*, schrie Kurt.

Zuerst kippte sie das Zeug in den Müll: die Kartoffeln.
Dann zog sie den Dingsbums an. Nur die Flasche war
schwer ... aufzukriegen mit Handschuh. Auf die Heimat! Auf
Stalin! Auf alle, die sie betrogen hatten!

– *Ja, die Kinder in Afrika,* brüllte Kurt. *Was ist daran komisch!*

Sie zog die Gans aus dem Ofen. Gans, dumme Gans. Da lag sie. Die Narbe war aufgeplatzt, das Loch klaffte. Tat weh, als sie hineingriff. Die Pampe raus, ohne Handschuh. Die Füllung. War heiß. Aber egal ... ging nicht anders. Sie atmete ein. Dafür waren die Innereien ganz kalt. Sie nahm alles. Mit einem Mal. Stopfte es wieder hinein. Dumme Gans. Und hatte noch die Hand drin, hatte das Kalte noch in der Hand, außen heiß, innen kalt ... als es in Rutschen kam. Die ganze Küche. Die Fliesen. Und tanzten. Nur, jetzt waren es Fußbodenfliesen.

Catrin fasste sie unter die Arme.

– Fass mich nicht an, sagte Irina.

– Irina, sagte Catrin.

Und da kam es heraus, der Rest. Kam von selbst. Schrie sich von selbst mit heraus. Klebte mit dran, an dem Rausschrei, winziger Rest:

– Fass mich nicht an, du Aas!

Dann kam der Fußboden wieder näher. Die Fliesen. Tanzten. Aber die Gans war ganz still. Nach einer Weile. Lag ganz still auf den Fliesen. Die Gans, dumme Gans. Mit ihrem Loch in der Mitte.

– So, das war's, sagte Sascha.

Muss man noch zunähen, dachte Irina.

1995

Wie immer, wenn er freitags, am Ende der Woche, nach Hause kam, war er der Erste. Infolgedessen war er es, der den schwarzumrandeten Brief in der Post vorfand, adressiert an Melitta und Markus Umnitzer, obwohl Melitta schon seit drei Jahren Greve hieß (sie hatte Klaus' Nachnamen angenommen, sodass Markus der einzige Umnitzer war in der neuen sogenannten Familie).

Der Brief fiel ihm sofort auf, weil er so vornehm aussah. Er wusste nicht genau, ob er berechtigt war, ihn zu öffnen, knickte ihn in der Mitte und steckte ihn in die Gesäßtasche. Zunächst gab es Dringenderes zu tun.

Er feuerte seine Dreckwäsche ins Bad, stürmte hoch in sein Zimmer und packte die Soundkarte aus, die er im Computerladen in Cottbus gekauft hatte. Sicherheitshalber zerriss er gleich die Verpackung und stopfte sie in die unteren Schichten seines Papierkorbs (alles, was mit Computer zu tun hatte, galt Muddel als hirnlose Zeitverschwendung). Dann öffnete er die nur notdürftig mit einer Schraube befestigte Seitenwand seines Tower-PC, drückte die Karte in den entsprechenden Steckplatz, verband sie per Kabel (kleine Klinke auf Cinch) mit seinem Stereo-Verstärker, bootete den Computer und spielte probehalber eine Runde DOOM: Wahnsinn! Das Röcheln der Monster war so echt, dass man Angst bekam. Man hörte das Krachen und das Nachladegeräusch der Schrotflinte und das schmatzende Insich-zusammensacken der getroffenen Monster. Markus ballerte sich ins nächsthöhere Level und scheiterte dann mehrmals an einem von Höllenkreaturen besetzten Raum, in dem es einen Schlüssel zu holen gab, den man zum Weiterkommen brauchte.

Auf einmal war es schon halb sechs. Muddel kam gewöhnlich gegen sechs aus Berlin. Seit sich mit Keramik nichts mehr verdienen ließ, arbeitete sie wieder als Psycho in der Floristik oder wie das hieß (irgendwas mit durchgeknallten Verbrechern), und Markus wollte weg sein, bevor sie kam. Im Kühlschrank fand er Essen zum Warmmachen, aber leider auch einen Zettel neben dem Herd mit einer ganzen Latte von Pflichten, die Muddel ihm auftrug. Er beschloss, das Essen nicht anzurühren und den Zettel am Herd nicht gesehen zu haben. Er schnitt sich zwei dicke Scheiben Brot ab, legte Käse darauf und suchte, während er das Käsebrot aß, in seinem Zimmer vergeblich nach dem Dope, das er am letzten Wochenende irgendwo in dem Chaos gebunkert hatte. Dann ging es gefährlich auf sechs zu, er schmierte sich noch ein bisschen Gel in die Haare und verließ das Haus.

Seit der Wende (oder spätestens ein, zwei Jahre danach) war der S-Bahnhof von Großkrienitz wieder in Betrieb genommen worden. Man brauchte keine vierzig Minuten bis ins Zentrum und keine zwanzig bis zur Gropiusstadt – zu Frickel. Das Komische dabei: Plötzlich hatte sich die Gropiusstadt, die Markus einst aus der Ferne bewundert hatte, als eine eher prollige Gegend entpuppt, während Großkrienitz ein nobler Berliner Vorort geworden war, und das Haus, das Muddel irgendwann billig für Ost-Geld gekauft hatte, hatte sich als Hauptgewinn erwiesen. Als Klaus hier eingezogen war, hatten sie es komplett renovieren lassen, mit

Gründach und allen Schikanen: Geld spielte keine Rolle, Klaus war nämlich auf einmal Politiker und saß im Bundestag – Pfarrer Klaus, der in der Kirche von Großkrienitz mit Blaupapier durchgepauste Gedichte verteilt hatte, war auf einmal Bundestagsabgeordneter und weiß der Geier was noch alles, flog jeden Montag nach Bonn und verdiente die fette Kohle. Und Muddel verdiente noch dazu, hatte sich einen silbergrauen Audi gekauft – während Frickels Mutter inzwischen geschieden und arbeitslos war und zusammen mit Frickel in einer Neubauwohnung in der Gropiusstadt wohnte.

Für all das konnte Markus nicht das Geringste. Auch hatte er persönlich gar nichts davon, dass seine Alten plötzlich Geld hatten. Klaus, der neuerdings versuchte, auf Vater zu machen, legte Wert darauf, dass Markus mit seinem Lehrgeld auskam, er zog ihm sogar noch was ab, wenn er mal das Werkzeug draußen im Garten liegenließ oder versehentlich was kaputt machte, und Muddel fand sowieso alles richtig, was Klaus sagte. Die ging sogar sonntags zur Kirche. Und am liebsten hätte sie ihn, Markus, auch gezwungen, sonntags zur Kirche zu gehen, was sich jedoch mit Hinweis auf die im Grundgesetz garantierte Glaubensfreiheit vermeiden ließ. Kaum vermeiden ließ sich dagegen der anschließende «Familientag», mal schön zusammen kochen, solche Sachen, oder, ganz übel, Ausstellung zusammen besuchen – wenn nicht gerade der sogenannte Familienrat tagte, Deckname für Anschiss, weil er irgendwelche Pflichten wieder mal nicht erfüllt hatte oder wegen dem Hakenkreuz in seinem Zimmer, was überhaupt nichts mit Nazis zu tun hatte, sondern aus Indien kam, Hinduismus und so, aber da wurden sie auf einmal hysterisch. Das alles war unglaublich ätzend, und doch hatte er immer so etwas wie ein schlechtes Gewissen, wenn er mit Frickel zusammentraf, kam sich verwöhnt und verweichlicht vor und verspürte den Drang, besonders schlecht über das Leben in Großkrienitz zu reden, andererseits – viel reden war auch nicht cool, sodass die Zusammenfassung der Woche zumeist kurz und prägnant ausfiel:

– Voll die Kotze, sagte Markus, als sie in dem vergammelten Steinpavillon die erste mit Gras gespickte Zigarette rauchten.

Und Frickel sagte:

– Scheiß drauf.

Und reichte die Zigarette an Markus weiter.

Dann kamen Klinke und Zeppelin, und Zeppelin hatte die Idee, irgendeinem Scheißtürken, der irgendeine Braut aus Zeppelins ehemaliger Klasse angemacht hatte, die Reifen von seinem Scheiß-Opel zu zerstechen, aber erstens war es noch zu früh am Tag, und zweitens war der Opel nicht da, zum Glück, denn obwohl Markus, um nicht weichlich zu erscheinen, sofort zustimmte, war die Idee – drittens – so gut wie Selbstmord.

Kurz vor Mitternacht kamen sie am Bunker an, Zeppelin kannte die Türsteher. Sie stiegen die Treppe hinab. Schon hier war die Musik laut. Der typische säuerliche, rauchige, modrige, versiffte Kellergeruch schlug ihnen entgegen, so penetrant, dass Markus nicht einatmen mochte, aber als sich die Stahltür öffnete, droschen die Techno-Bässe auf seinen Körper ein wie eine riesige, unsichtbare Faust, und es gab keinen Geruch mehr. Es gab nur noch den Sound und das bleckende Licht und die wabernde Menge und die unerreichbar fernen GoGos auf den Boxen, die ihre Haare herumwarfen und ihren Bauch kreisen ließen und ihren Arsch kreisen ließen und ihre Fotzen kreisen ließen und gefickt werden wollten und niemals, niemals, niemals gefickt werden würden, jedenfalls nicht von ihm, nicht von Markus Umnitzer und nicht von Frickel aus der Gropiusstadt, und vermutlich auch nicht von Klinke und Zeppelin, obwohl sie zwei Jahre älter waren und ein geiles Tattoo auf dem Oberarm trugen.

Zeppelin schob eine Ecstasy rüber, Markus bezahlte gleich und spülte sie mit einer großen Cola runter (er vertrug Ecstasy nicht zusammen mit Alkohol). Eine Weile stand er noch herum und wiegte sich ein bisschen im Rhythmus und schaute nach anderen, erreichbaren Frauen, und je mehr er draufkam, desto mehr Superfrauen gab es auch auf der Tanzebene. Allmählich wich die Verlegenheit aus seinen Knochen. Zwar konnte er nicht tanzen, hatte noch nie tanzen können, aber langsam wurde er locker, eine Weile hatte er eine Art unsichtbaren Körperkontakt mit einer kleinen, sportlichen, schmutzig blonden Frau in einem ausgeleierten Top, das andauernd verrutschte, sodass man ihre kleinen, runden, festen Titten sehen konnte, er starrte die ganze Zeit dahin, und sie ließ ihn. Schaute ihn kaum an, aber ließ ihn gucken. Er wurde ganz geil davon, obwohl ihre Titten, genau genommen, so klein waren, dass sie auch ein Mann hätte sein können. Dann verlor er die Frau, tanzte eine Weile allein, trank ein Bier. Fing wieder an zu tanzen, hatte Augensex mit einer zerrissenen Strumpfhose, mit schwarzen Zombieaugen, und irgendwann war ihm alles egal, er fand sich auf einmal unglaublich sexy, dann war eine Weile nichts, nur die Musik, die ihm den Atem aus den Lungen drosch. Dann fand er die Schmutzigblonde mit den Sporttitten wieder, sie verständigten sich mit den Augen auf was trinken, und irgendwann später, nachdem jeder von ihnen zwei Black Russian getrunken hatte, knutschten sie in einem Gang rechts vom Klo, er erkundete die tatsächliche Größe ihrer Titten, fummelte auch ein bisschen zwischen ihren Beinen herum, aber mehr war bei ihr nicht drin.

Auf einmal hatte jemand noch Dope dabei. Markus kiffte sich die Enttäuschung aus dem Hirn. Als sie gingen, hatte er das Zeitgefühl vollkommen verloren. Er verstand nicht, worüber die anderen sich kaputtlachten. Sie warteten ewig auf eine Bahn. Die Kälte kroch allmählich in den leergetanzten, aufgeputschten und allmählich wieder erschlaffenden Körper, und als er irgendwann auf der Bank erwachte, tat ihm alles weh, der Kopf, die Hüfte, das Kreuz, er schaffte es kaum, in die gerade eingefahrene Bahn einzusteigen, und als er das nächste Mal aufwachte, fand er sich in einer Bude wieder, die er nicht kannte, den Kopf auf den Schuhen von Zeppelin. Seine Kehle schmerzte vor Trockenheit. Und in seinem Schädel waberte das Gehirn so stark hin und her, dass er auf dem Weg zum Bad fast das Gleichgewicht verlor.

Am Nachmittag gingen sie zu McDonald's. Jetzt waren es noch ein paar mehr. Zwei Hools waren dabei, Freunde von Zeppelin, etwas verpeilte Typen, die unnötig Lärm machten, sodass sie irgendwann bei McDonald's rausflogen und zum nächsten McDonald's gingen, bis sie endlich gegen sechs wieder in den Club fuhren, zur Afterhour, wo dann im Wesentlichen wieder dasselbe passierte wie tags zuvor, nur dass Markus es dieses Mal, er wusste nicht wie, nach Großkrienitz schaffte, wo er am Sonntagmittag in seinem Zimmer aufwachte, genauer gesagt, geweckt wurde, nämlich von Muddel, die gerade vom Gottesdienst kam.

Er duschte lange, nahm zwei Aspirin, haute seine säuerlich-schweißig-rauchig-modrig riechenden Klamotten, in denen er geschlafen hatte, in den Wäschekorb und erschien in der großen, bei der Renovierung noch um das Doppelte vergrößerten Wohnküche, wo Muddel und Klaus schon kochten (das heißt Klaus kochte, und sie durfte irgendwas schnippeln), und erst jetzt, als Muddel ihm zwei Zwiebeln und ein Messer in die Hand drückte, fiel ihm der Brief wieder ein, der noch immer in der Gesäßtasche der Hose steckte, die jetzt im Wäschekorb lag.

– Ich hab was vergessen, sagte Markus und ging nochmal ins Bad, um den schon etwas ramponierten und zerknitterten Brief aus der Hose zu ziehen.

– Das ist noch gekommen, sagte er und übergab den Brief Muddel.

Muddel legte das Messer aus der Hand, wischte sich die Hände an der Schürze ab, bevor sie den Brief öffnete.

– Ach Gott, sagte sie.

Jetzt beugte sich auch Klaus über den Brief. Muddel warf ihm einen fragenden Blick zu, den Klaus nicht erwiderte. Plötzlich kapierte Markus, dass jemand gestorben war.

Muddel gab ihm den Brief, genauer gesagt, die inliegende, ebenfalls schwarzumrandete Postkarte, auf deren Vorderseite nichts weiter stand als:

Irina Umnitzer
7. August 1927 – 1. November 1995

Muddel schaute ihn an, er wusste nicht, was sie jetzt erwartete. Er hatte Oma Irina schon eine Ewigkeit nicht mehr gesehen, und das letzte Mal, als er seine Großeltern besucht hatte, war sie stockbesoffen gewesen und hatte die ganze Zeit geheult und behauptet, sie heule nicht, und ihm am Hals gehangen und ihn andauernd mit «Sascha» angeredet. Danach war er nicht mehr da gewesen. Und jetzt ... Markus schaute den Namen an, der da stand und der zur Hälfte sein eigener Name war. Er schaute den Namen an, und alles andere ringsumher war für einige Augenblicke irgendwie weg, und ihm war ein bisschen übel, aber vielleicht auch von gestern abend.

Er gab Muddel die Karte zurück. Muddel drehte die Karte um, setzte sich, las die Rückseite und sagte zu Klaus:

– Am Freitag ist die Beerdigung. Goethestraße.

Wieder sah sie Klaus fragend an.

– Also, ich gehe da auf keinen Fall hin, sagte Klaus. Da kommen die ganzen alten SED-Genossen ...

– Sie war doch gar nicht in der Partei, sagte Muddel.

– Du kannst ja hingehen, sagte Klaus. Und es klang noch weniger überzeugend, als er hinzufügte: Ich hab nichts dagegen!

Beim Kochen redeten Klaus und Muddel noch ein bisschen über Oma Irina (und ihren Alkoholismus), über Opa Kurt (ob er noch immer in der Partei war) und über Wilhelm, den Klaus gar nicht gekannt hatte, über den er aber sprach wie über einen Verbrecher. Markus ärgerte sich, dass Muddel ihm (wie immer) zustimmte. Er erinnerte sich, während er die einfarbigen grünen Servietten faltete und die grünen Kerzen auf den Tisch stellte, daran, wie sie damals zu Wilhelms Geburtstag gegangen waren und wie Muddel zu Klaus gesagt hatte, sie gingen zum Geburtstag ihrer Mutter, und wenn er jetzt schwieg, dann nur, weil er Muddel vor Klaus nicht blamieren wollte.

Beim Essen nervte Klaus wieder mit Politik, genauer gesagt, mit kleinen Geschichten, mit denen er sich wichtigmachen wollte: Wen interessiert es, was Helmut Kohl letzte Woche beim Mittagessen gesagt hatte oder dass im Restaurant des Bundestages Löffel geklaut worden waren. Markus hörte gar nicht hin, er hatte auf einmal mächtigen Hunger. Es gab gebratenes Schweinefilet und Spinatknödel, aber das Schweinefilet war mit Roquefort gefüllt, und Markus kratzte den Roquefort demonstrativ heraus, und Klaus ärgerte sich, man sah es ihm an. Schwieg aber.

Und dann war auf einmal «Familienrat» angesagt.

Es stellte sich heraus, dass wieder mal ein Brief von seiner Telekom gekommen war. Das Übliche: Fehltage, schlechte Noten, aber allmählich brannte die Sache.

– Es geht nicht darum, dass ich dir diese Lehrstelle besorgt habe, sagte Klaus – aber natürlich, dachte Markus, ging es in Wirklichkeit genau darum.

Er ließ den üblichen Psalm über sich ergehen, das Leben, der Beruf, und wenn du jetzt nicht … Und dann sollte er «Stellung nehmen».

– Es ist sowieso Beschiss, sagte Markus. Am Anfang hat die Telekom versprochen, dass alle übernommen werden, und jetzt heißt es auf einmal: nur einer!

Klaus wieder: Er könne sich ja auch woanders bewerben, und wenn man gute Leistungen hätte und so weiter, und Markus fragte sich, was Klaus eigentlich für tolle Leistungen vollbracht hatte. Hatte er Bundestag studiert oder was? Und ob Klaus in der Lage wäre, die Matheaufgaben in der Berufsschule zu lösen, Sinus, Cosinus, das wagte er zu bezweifeln! Und dann musste er gähnen, einfach so – das Essen, die beiden letzten Nächte, es war ausnahmsweise *nicht* gegen Klaus gerichtet, aber Muddel regte sich plötzlich auf, ob er nicht mal die Hand vor den Mund halten könnte (als käme es gerade darauf an, sich die Hand vor den Mund zu halten), und wie *dankbar* er sein müsse, dass Klaus ihm die Lehrstelle besorgt hätte blablabla.

– Ich hab ihn nicht drum gebeten, sagte Markus.

Das war hundertprozentig die Wahrheit: Er hatte Klaus niemals darum gebeten, ihm eine Lehrstelle als Kommunikationselektroniker zu besorgen (eigentlich wäre er gern Tierpfleger geworden, und wenn das nicht möglich war, weil es angeblich keine offenen Lehrstellen gab, wäre er am liebsten Koch geworden, da gab es offene Lehrstellen, aber nein: Kommunikationselektroniker).

Aber das hätte er lieber nicht sagen sollen. Sag die Wahrheit! – Aber wenn man wirklich einmal die Wahrheit sagte, fing Muddel an zu schreien, genauer gesagt, versuchte zu schreien mit ihrer Stimme, die nie richtig aus ihr herauskam, und nachdem sie eine Weile geschrien hatte (Inhalt uninteressant), holte sie aus und knallte mit einer übertriebenen Bewegung ein winziges Plastiktütchen auf den Tisch:

Dope. Gras. Ein Stoff, der nach Markus' Überzeugung tausendmal ungefährlicher war als Alkohol, kein Grund, sich aufzuregen – aber Muddel regte sich auf. Muddel regte sich wahnsinnig auf. Ja, er hatte versprochen, kein Gras mehr zu rauchen (was blieb ihm auch anderes übrig). Allerdings bewies die bloße Existenz der Tüte ja nicht, dass er es tatsächlich geraucht hatte. Die noch vorhandene Tüte bewies, genau genommen, eher das Gegenteil, fand Markus. Aber mit Logik war jetzt nichts mehr zu machen.

– Es reicht, sagte Muddel. Mir steht es hier oben! Verstehst du, bis hier! – Sie zeigte bis dicht unter die Nase.

Darauf wieder die Pfarrerstimme:

– Wenn du nicht sofort umkehrst, Markus, dann müssen auch wir irgendwann …

– O Mann, sagte Markus.

– Du hörst jetzt zu, schrie Muddel.

– Der hat mir gar nichts zu sagen, der Wichser, schrie Markus zurück.

Und dann, endlich, schrie auch der Wichser.

– Raus, schrie der Wichser, raus!

Markus packte seine Sachen und fuhr nach Cottbus.

Den Sonntagabend verbrachte er allein vor dem Fernseher in seiner WG und zappte sich durch «Weiße Jungs bringen's nicht» und einen behinderten Tatort und landete schließlich bei diesem Sexzeug mit neunhunderter Telefonnummern, worauf er sich einen runterholte.

Am Montagmorgen erschien er pünktlich auf der Arbeit. Diese Woche war er dem technischen Kundenservice zugeteilt und fuhr mit einem erfahrenen Kollegen raus: Datenleitungen, Entstörung. Der Kollege hieß Ralf. Er war schon mindestens vierzig. Draußen regnete es, kalter Novemberregen, und man bekam klamme Finger. Einmal hielten sie an einer Imbissbude, und Ralf spendierte ihm eine Currywurst und heißen Tee. Sie saßen bei laufendem Motor im Auto, es war schön warm, und das einzige Blöde war, dass Ralf die ganze Zeit so idiotische Musik hörte.

Am Dienstagabend waren seine Mitbewohner wieder alle da. Sie holten sich ein paar Flaschen Bier und erzählten sich, was für Bräute sie am Wochenende aufgerissen hatten. Es begann Markus ziemlich schnell auf den Keks zu gehen, er ging früh ins Bett, holte sich noch einen runter (diesmal auf die Schmutzigblonde mit den Sporttitten).

Am Mittwoch nach der Schicht drückte er sich eine Weile im sogenannten Zentrum herum, beobachtete zwei Autofahrer, die sich wegen eines Blechschadens anbrüllten. Ging dann in den einzigen Club, der mitten in der Woche geöffnet war. Stand eine Weile in der Ecke und glotzte Mädels an.

Am Donnerstag versuchte er, ein bisschen Mathe zu lernen.

Am Freitagmorgen sagte er Ralf, dass er zur Beerdigung seiner Oma musste. Ralf fuhr ihn zum Bahnhof.

Gegen elf war er am Friedhof Goethestraße. Früher war er manchmal mit den Großeltern hier vorbeigegangen, hatte von draußen die Grabsteine oder alte Omis mit Gießkannen gesehen, aber noch nie war er auf den Gedanken gekommen, dass das, was hinter der zerfallenden Mauer, hinter dem zwischen schiefen Eckposten hängenden Tor lag, irgendetwas mit ihm zu tun haben könnte. Immer war es ihm vorgekommen wie eine Exklave außerhalb der Zeit, außerhalb der Welt, und obwohl es ja ein Friedhof war, überfielen ihn, als er ankam, sogar Zweifel, dass hier heute seine Großmutter beerdigt werden sollte. Aber tatsächlich war in einem verwitterten Schaukasten am Eingang eine Beerdigung für heute, zwölf Uhr, angezeigt.

Obwohl es nicht unter null war, war es saukalt. Die Feuchtigkeit hing in den Ästen, durchdrang alles, den Boden, die Luft und bald auch den alten schwedischen Soldatenmantel, den er sich in Berlin in dem Laden gekauft hatte, wo es Klamotten zum Kilo-Preis gab. Markus ging ein paar Schritte vor dem Friedhof auf und ab. Der Laden gegenüber war mit Brettern vernagelt. Einzig ein Blumenladen war geöffnet, ein ramponierter DDR-Flachbau, der rings um das Schaufenster halbherzig mit *tags* besprüht war. Markus betrat den Laden. Hier war es warm, aber die Verkäuferin fragte ihn sofort, was er wünsche, und eine Weile tat Markus, als suche er Blumen aus, und tatsächlich kam ihm die Idee, dass er ja Blumen für Oma Irina kaufen könnte. Aber er hatte nur noch knapp zehn Mark in der Tasche und beschloss, dass es klüger war, in der nächstbesten Kneipe ein heißes Getränk zu bestellen.

Fünfhundert Meter weiter fand er eine im Souterrain lie-

gende Eckkneipe, die *Friedensburg* hieß. Er war der einzige
Gast. Ein alter Boxer-Hund mit grausamen Krebsbeulen lag
leise schnarchend neben dem Tresen. Ein Kellner mit dünnen, nach hinten gekämmten Haaren und einer bekleckerter-
ten Serviette über dem Unterarm schlurfte sehr langsam,
fast in Zeitlupe, durch den Raum und stellte mit den Worten
«Sehr zum Wohle, der Herr!» ein kleines Tablett vor ihm ab,
auf dem sich eine Tasse Tee, ein Gläschen Rum und eine Zu-
ckerdose befanden. Markus kippte den Rum in den Tee und
tat zwei Löffel Zucker dazu, weil er vermutete, dass dies da-
zugehörte. Das Getränk stieg ihm sofort in den Kopf, und
zum ersten Mal seit er von Oma Irinas Tod wusste, überkam
ihn so etwas wie Traurigkeit, und er war erleichtert, ja beinahe froh darüber. Er stellte sich vor, wie sie – Opa Kurt, sein
Vater und er – gleich am Grab von Oma Irina stehen würden,
eine wortlose, ergreifende Szene. Oder war auch ein Pfarrer
dabei? Mit Regenschirm, wie in dem Film, den er mal gesehen hatte? Wo war eigentlich das Grab? Oder traf man sich
erst mal am Eingang?

Als er – sicherheitshalber kurz vor zwölf – wieder zum
Friedhof kam, war der winzige Tee-mit-Rum-Rausch schon
wieder verflogen. Plötzlich war die holprige Straße mit Autos zugeparkt, Menschen kamen von allen Seiten. Sie trugen
Kränze und Blumen. Markus folgte ihnen eine Allee entlang,
die auf ein kleines Gebäude zuführte. Vor dem Gebäude ein
Gedränge wie an der S-Bahn bei Berufsverkehr. Der Raum
drinnen war vollkommen überfüllt. Man klappte die Flügeltür auf, damit die draußen auch etwas sahen, und es kamen
immer noch mehr Menschen, Paare, Grüppchen, einzelne
Personen. Markus schaute sich die Gesichter an – ob das die
alten Genossen waren, von denen Klaus gesprochen hatte:
die Frau mit den gefärbten Haaren, der Schauspieler, den er

schon mal im Fernsehen gesehen hatte, oder dieser unglaublich dicke Mensch mit den chaotisch abstehenden Haaren ... Und der mit dem großen, rotblauen Kopf, war das nicht der Typ, der damals auf Wilhelms Geburtstag *mähr Demogradie* gebrüllt hatte?

Über Köpfe und Schultern hinweg warf er einen Blick ins Innere des Gebäudes. Ganz hinten stand ein großes schwarzes Kreuz. Links und rechts davon Töpfe mit Palmen, die sogar auf die Entfernung unecht aussahen. Etwas weiter vorn stand ein hölzernes Rednerpult, das mit schwarzem Stoff beschlagen war – ziemlich unsauber, eine Reißzwecke fehlte, und der Stoff schlappte an dieser Stelle herunter. Dann entdeckte er Opa Kurt, vorn rechts, in der ersten Reihe: ein grauer Kopf, in dessen Mitte sich ein kahler Kreis abzeichnete, und der dort, rechts daneben, das war er.

Musik erklang, klassisch, ein bisschen quäkend über stark unterdimensionierte Lautsprecher. Das Gedränge beruhigte sich. Die Leute senkten die Köpfe. Dann trat eine Frau an das unsauber beschlagene Pult, keine Pastorin, wie man sofort sah, und begann zu reden:

Irina, liebe Irina, sagte die Frau, als würde sie zu Oma Irina sprechen, *noch viel Zeit bleibt bis zum Abschied – immer narrt uns dieser Gedanke ...* Aber wo war sie eigentlich?

Markus reckte sich. Dort vorn hatten die Leute ihre Blumen und Kränze abgelegt, ein riesiger Haufen um einen kniehohen schwarzen Hocker herum, auf dem wiederum so etwas wie eine Vase stand – aber wo war der Sarg? Umso seltsamer erschien es ihm, dass die Frau Oma Irina immerzu mit «du» ansprach, als säße sie mitten unter den Leuten im Raum ... *Dir waren die Menschen willkommen, an deine Tür klopften wir ...* Und auch wenn es vollkommen dämlich war, prüfte er vorsichtshalber, ob er nicht alles irgendwie missverstanden hatte, ob Oma Irina nicht einfach dort neben Opa Kurt in der vorderen Reihe saß, oder neben ihm, seinem Vater, aber natürlich saß sie nicht da. Stattdessen saß dort die *Tussi*. Er schluckte vor Enttäuschung.

Nausikaa nannte ich dich, sagte die Frau am Rednerpult ... Wer war Nausikaa? Keine Ahnung ... *die Frau, aus antiker Zeit zu uns herübergekommen* ... Er blickte sich vorsichtig um: Kapierte der Typ mit dem rotblauen Kopf, wovon hier die Rede war? ... *von Kriegszügen, Verbannung, Völkerwanderung, diese Frau, die unlebbares Leben lebbar macht* ... Der Kopf nickte ... *dazu gehörtest du, Irina. Das konntest du* ... Der Kopf nickte wieder – und Markus stellte sich vor, wie er die Schrotflinte rausholte und diesen blöden, nickenden Kopf wegballerte.

Dann sprach die Frau plötzlich vom Kochen: ... *aber es war nicht Wasser, was hier zur Suppe gegossen wurde,* sagte die Frau. Zuerst glaubte Markus, sich verhört zu haben. Aber es war wirklich vom Kochen die Rede, zumindest vom Tischdecken: *Dein Tisch war ein Kunstwerk,* sagte die Frau, und dann wieder etwas geschraubt: *Dein Tisch, die Gäste auffordernd, sich zu setzen, zu reden.*

Pause.

Wusstest du, wie kostbar er war?

Pause.

Haben wir es dir gesagt?

Früher, erinnerte er sich, ganz früher, da hatte die Oma manchmal Pelmeni gemacht, und er durfte helfen. Er wusste bis heute, wie es ging: Wie man den Teig anrichtete, ihn zu einer Wurst rollte. Wie man Scheibchen von der Wurst abschnitt und sie in Mehl (damit sie nicht festklebten), aber nicht in zu viel Mehl (damit sie sich weiterverarbeiten ließen) zu dünnen, knapp handtellergroßen Plättchen ausrollte. Und dann das Schwierigste ... Und während die dünne Stimme der Nichtpastorin durch die geöffnete Flügeltür an ihm vorbei ins Freie flog, verschlug es ihn für Augenblicke in Oma Irinas Küche, er hatte den unverwechselbaren Geruch von Teig und Zwiebeln und rohem Hackfleisch in der Nase, und seine Daumen und Zeigefinger erinnerten sich präzise an die knifflige Prozedur: Einen Teelöffel Hackfleisch auf jeweils ein Plättchen tun, das Plättchen zu einem Halbmond zusammenklappen, es ringsherum zudrücken und schließlich die beiden Ecken des Halbmonds zusammenziehen und aneinanderheften, sodass eine Art Hütchen entstand ... *Hüttchen*, wie Oma Irina sagte, man konnte es ihr hundertmal vorsprechen, sie sagte es doch wieder falsch, und obwohl Frickel nie dabei gewesen war, hatte Markus sich immer ein bisschen geschämt, dass seine Oma so «russisch» Deutsch sprach.

Dein Stuhl bleibt leer, hörte er die Nichtpastorin sagen. Einen Augenblick hatte er einen Kloß im Hals, vielleicht weil er an den alten, abgeschabten Küchenstuhl denken musste, auf dem er beim Pelmenimachen gekniet hatte. Dann hörte er neben sich jemanden schluchzen und war wieder in der Gegenwart.

Sah die Plastikpalmen.

Sah das schlampig mit schwarzem Stoff beschlagene Pult.

Spürte seine vor Kälte schmerzenden Füße.

Und wir müssen es ertragen, sagte die Nichtpastorin.

Sie ließ eine Pause.

Die Stunde ist da.

Das Schluchzen nahm zu. Auch der rotblaue Kopf wischte sich jetzt eine Träne aus dem Auge. Aber je mehr es rings um ihn schluchzte, desto weniger fühlte er.

Wir müssen Abschied nehmen.

Pause.

Hab Dank.

Die quäkende Musik setzte wieder ein. Plötzlich tauchte – woher? – ein Männlein auf, das aussah wie ein geschrumpfter Fisch in einer altertümlichen Bahnuniform. Obendrein trug es eine mit einem Riemen unter dem Kinn befestigte Eisenbahnermütze. Das Männlein nahm dieses *So-etwas-wie-eine-Vase* vom Sockel und trug es wie eine Torte oder wie einen Pokal vor sich her, ganz langsam, und hinter dem Männchen kamen die anderen Leute, und die Ersten, die kamen, waren sein Vater und Opa Kurt. Die vor der Tür standen, bildeten jetzt automatisch so etwas wie ein Spalier, und er, Markus, stand plötzlich ganz vorn im Spalier. Er hätte seinen Vater berühren können. Ja, er berührte ihn fast! Aber sein Vater ging an ihm vorbei, ohne ihn zu bemerken.

Markus blieb neben dem Ausgang stehen, schaute der immer länger werdenden Prozession hinterher. Sie bewegte sich die Allee entlang, bog rechts ab, bog, als die Letzten hinter der Kurve verschwunden waren, noch einmal rechts ab und kroch dann, angeführt von dem Männlein mit der Eisenbahnermütze, wieder in die entgegengesetzte Richtung zurück, bis das Männlein stehen blieb. Hier war der Rasen frisch umgegraben, ein breiter Streifen, wie ein Gemüsebeet, das in lauter kleinere Beete unterteilt war. Auf den ersten lagen schon Blumen, und dort, wo die Blumen aufhörten, war in der Erde ein Loch, so groß, dass dieses *So-etwas-wie-eine-Vase* gerade hineinpasste, und in dem Moment, als das Männlein sich hinunterbeugte, um dieses *So-etwas-wie-eine-Vase* in dem Loch zu versenken, begriff Markus zweierlei:

Erstens begriff er, warum das Männlein seine Eisenbahnermütze mit einem Riemen unter dem Kinn befestigt hatte.

Zweitens begriff er, dass *das*, dieses *So-etwas-wie-eine-Vase*, seine Oma Irina war.

Auf dem Rückweg begann es zu regnen. Sein alter Soldatenmantel war schwer. Es dauerte ewig, bis seine Füße warm wurden.

1. OKTOBER 1989

Noch immer fühlte sie sich wie vor den Kopf geschlagen. Mit Mühe hatte sie die Verabschiedung hinter sich gebracht; hatte Hände geschüttelt, hatte gelächelt; hatte sich Bunkes betrunkenes Geschwätz angehört; hatte Anita zugenickt, die nicht müde wurde zu beteuern, wie *schön* der Geburtstag trotz allem gewesen sei ... Hatte sich noch einmal bei Zenk entschuldigt.

Jetzt stand sie im Salon und betrachtete das Chaos, das Wilhelm verursacht hatte ... Wie ein verunglückter Vogel kam ihr der Ausziehtisch vor. Die beiden Platten ragten schräg in die Luft. Das Zeug auf dem Fußboden: Eingeweide eines verendeten Tiers.

Am liebsten hätte sie sofort Doktor Süß angerufen: Handfeste Fakten – hatte er das nicht gesagt?

– Genossin Powileit, da brauchen Sie schon handfeste Fakten!

Da hatte er seine «handfesten Fakten».

Sie trat einen Schritt vor, befühlte die Spitze des Nagels, der in der Tischplatte stak ... klopfte probehalber gegen das Holz. Prüfte, ob es jenem grausigen Geräusch nahekam, mit dem die Tischplatte gegen Zenks Schädel geprallt war, als er sich auf das Buffet gestützt hatte, um sich vom äußersten Rand eine saure Gurke zu angeln ... Zenk, ausgerechnet! Sie sah ihn noch vor sich stehen, die zerbrochene Brille in seinen

Händen. Zitternd. Die großen Augen schwammen hilflos in seinem Gesicht ...

Wer bezahlte eigentlich die Brille?

– Ich fang jetzt mal an, sagte Lisbeth.

Sie stand plötzlich neben ihr.

– Na großartig, sagte Charlotte. Ich dachte schon, du machst erst mal Urlaub.

Sie wandte sich ab und verließ den Raum. Kurz erwog sie, sich ins Turmzimmer zurückzuziehen, für einen Augenblick, um zur Besinnung zu kommen. Es war der einzige Raum, der ihr in diesem Hause noch geblieben war. Aber die vierundvierzig Stufen bis dort oben schreckten sie, und sie beschloss, mit der Küche vorliebzunehmen.

In der Diele stieß sie mit Wilhelm zusammen. Charlotte riss die Arme hoch, die Luft blieb ihr weg. Wilhelm sagte etwas, aber Charlotte hörte es nicht, sah ihn nicht an. Sie schlug einen weiten Bogen um ihn, ging rasch in die Küche. Schloss die Tür. Drehte vorsichtshalber den Schlüssel um, horchte ...

Nichts. Nur ihr Atem rasselte verdächtig. Sie griff in die rechte Hosentasche, um zu prüfen, ob die Aminophyllin-Tropfen an Ort und Stelle waren: Sie waren. Charlotte umschloss das Fläschchen fest mit der Faust. Manchmal half es schon, das Fläschchen fest mit der Faust zu umschließen und bis zehn zu zählen.

Sie zählte bis zehn. Dann ging sie um den über und über mit unabgewaschenem Kaffeegeschirr vollgestellten Tisch und ließ sich auf den Schemel fallen. Morgen, beschloss sie, würde sie Doktor Süß anrufen und sich einen Termin geben lassen. Handfeste Fakten!

Dabei hatte sie ihm doch schon jede Menge «handfeste Fakten» geliefert! Waren das keine «handfesten Fakten»:

Die Rechnungen vom Schlüsseldienst – waren es zehn oder zwölf? Weil Wilhelm ständig überall Sicherheitsschlösser einbauen ließ und dann die Schlüssel verlor, genauer gesagt: versteckte und nicht mehr wiederfand ... War denn das nichts? Oder das *ND*, in dem er neuerdings jeden Artikel mit Rotstift ausstrich, damit er nicht vergaß, was er schon gelesen hatte. Oder die Briefe, die er an alle möglichen Institutionen verschickte ... Offen gestanden, die Briefe hatte sie nicht. Aber die Antworten: Antwort des Fernsehens der DDR, weil Wilhelm sich über eine Sendung beschwert hatte. Nur dass sich herausstellte, dass es eine Westsendung war. Und was tat Wilhelm? Wilhelm schrieb an die Staatssicherheit. Mit seiner roten Krakelschrift, die sowieso keiner lesen konnte. Schrieb an die Staatssicherheit, weil er den Verdacht hatte, der SONY-Farbfernseher, von dem die DDR ein paar tausend Stück importiert hatte, besäße eine feindliche Automatik, welche insgeheim immer auf Westen umstellte ...

Und was sagte der Süß?

– Aber Genossin Powileit, wir können ihn doch deswegen nicht ins Irrenhaus stecken.

Irrenhaus! Wer sprach denn von Irrenhaus? Aber irgendein Platz in irgendeinem ordentlichen Heim würde sich für Wilhelm doch finden lassen. Immerhin war Wilhelm siebzig Jahre in der Partei! Träger des Vaterländischen Verdienstordens in Gold! Was denn noch, bitte!

Eine Niete, der Süß. Und so was nannte sich Kreisarzt. Dabei sah doch ein Blinder, wie es um Wilhelm stand. Alle hatten es heute wieder gesehen: Genug Blech im Karton! Wie sollte man denn das nennen? Da bekam er den Vaterländischen Verdienstorden in Gold – sie hatte ihn noch nicht mal in Silber! – und dann: Genug Blech im Karton! Ein Glück, dass der Bezirkssekretär nicht da war. Was für eine Blamage. Und seine Gesangsnummer. Dabei hatte sie Lisbeth ausdrücklich gesagt, Wilhelm kriegt keinen Alkohol mehr. Er war ja schon nüchtern kaum zu ertragen. Und wie er die Leute behandelte: Bring das Gemüse zum Friedhof. Was meinte er überhaupt: Bring das Gemüse zum Friedhof?

Charlotte hatte die Lampe in der Küche nicht eingeschaltet, aber das bläuliche Licht der Straßenlaterne draußen erfüllte den Raum, und durch die zum Dienstbotenflur hin offenstehende Tür sah man jene andere, direkt in sein Zimmer führende Tür, die Wilhelm vor fünfunddreißig Jahren vermauert hatte. Erst jetzt, während sie darüber nachdachte, was Wilhelm mit *Friedhof* gemeint haben könnte, bemerkte sie, dass sie schon die ganze Zeit auf diese vermauerte Tür starrte. Der Anblick der vermauerten Tür war ihr unangenehm. Sie stand auf, schloss die Tür zum ehemaligen Dienstbotenflur. Ließ sich wieder auf den Schemel fallen.

Wenn Wilhelm mal aus dem Haus ist, dachte sie, kommt die Tür wieder auf. Immer der Umweg über die Diele: idiotisch. Immer das Rum und Num, als hätte sie nicht genug zu tun. Jedes Mal, wenn sie irgendwas aus der Küche brauchte, rannte sie rum und num. Wenn sie Lisbeth suchte: rum und num. Was sie allein am heutigen Tag rum und num gerannt war! Handfeste Fakten! Auch ein handfester Fakt: wie Wilhelm das Haus Stück um Stück ruinierte. Wo man hinsah: handfeste Fakten!

Vielleicht, dachte Charlotte, sollte man tatsächlich alles mal fotografieren. Leider besaß sie selbst keinen Fotoapparat. Kurt besaß einen Fotoapparat, aber Kurt würde das natürlich nicht machen. Ob Weihe einen Fotoapparat besaß? Mit Blitzlicht? Wichtig! In der Diele funktionierte das Deckenlicht nicht. Obendrein hatte Wilhelm im oberen Flur die Fenster verdunkelt, damit die Nachbarn nicht ausspionierten, wann er zu Bett ging. Nun leuchtete in der Diele Tag und Nacht nur die Muschel, die sie einst aus Pochutla mitgebracht hatten. Und in gewisser Weise musste man froh sein, dass nur die Muschel leuchtete, so sah man wenigstens nicht, was Wilhelm hier angerichtet hatte: Fußbodenfarbe! War das etwa kein «handfester Fakt»? Die Garderobe, die Treppe samt dem Geländer ... Jetzt strich er im oberen Stockwerk sämtliche Türen! Alles, was Holz war, strich Wilhelm mit rotbrauner Fußbodenfarbe, und wenn man ihn fragte, warum er alles mit rotbrauner Fußbodenfarbe streiche, dann sagte er: Weil rotbraune Fußbodenfarbe am haltbarsten sei!

Was kam eigentlich über dem Kreisarzt? Bezirksarzt?

Oder das Bad. Sollte man ebenfalls fotografieren. Alles kaputt. Alles hatte er aufgehämmert mit dem Elektrohammer. Mosaikfliesen, kriegte man niemals wieder. Und warum? Weil er eine Fußbodenentwässerung hatte einbauen müssen. Fußbodenentwässerung! Seitdem ging das Licht in der Diele nicht mehr. Ja bitte schön, das war doch gefährlich! Wenn das Elektrische mit dem Wasser in Berührung kam! Handfeste Fakten ...

Den ganzen Tag fabrizierte Wilhelm nichts als handfeste Fakten. Im Grunde genommen tat er überhaupt nichts anderes mehr. Vergriff sich an Dingen, von denen er nichts verstand. Reparierte Sachen, die hinterher kaputt waren. Und wenn sie ihm nicht hin und wieder zur Beruhigung ein, zwei Löffel Baldriantropfen in seinen Tee mischen würde, wer weiß, dann wäre dieses Haus wahrscheinlich längst abgebrannt oder eingestürzt, oder sie wäre bereits an einer Gasvergiftung gestorben!

Oder seine Terrassenaktion. Das war überhaupt das Schlimmste. Warum hatte sie nichts unternommen? Die Polizei gerufen? Nur zwei Zentimeter, hieß es ... weiß der

Teufel, warum: Weil ihn das Moos zwischen den Naturstein-
platten gestört hatte! Deshalb betonierte er die Terrasse!
Das heißt, Schlinger und Mählich betonierten. Und Wilhelm
kommandierte. Spannte irgendwelche Stricke, fummelte
mit dem Zollstock herum. Und was war das Resultat? Jetzt
lief das Regenwasser in ihren Wintergarten. Der Fußboden
hatte sich aufgelöst. Die Tür zur Terrasse war aufgequollen,
die Scheibe geborsten ...

Und was sagte der Süß?

– Das ist bedauerlich, sagte der Süß.

Bedauerlich! Ihr Ein und Alles! Ihr Arbeits- und Schlaf-
raum! Ihr Rückzugsgebiet! Ihr kleines Stück Mexiko, das
sie sich über die Jahre bewahrt hatte – vernichtet. Nun stieg
sie mehrmals täglich die vierundvierzig Stufen zum Turmzimmer hinauf, wo der Wind durch die Ritzen pfiff, wo sie,
in Decken eingehüllt, am Schreibtisch sitzen musste. Wo
es an heißen Tagen nach Staub und Dachbalken roch – ein
Geruch, der sie auf demütigende Weise an den Geruch in
der Kammer erinnerte, in die ihre Mutter sie zur Strafe ein-
zusperren pflegte.

Schon beim Gedanken daran begann ihr Atem zu rasseln. Sie überlegte, ob sie doch noch einmal zehn Tropfen
Aminophyllin nehmen sollte. Allerdings hatte sie heute bereits zwei Mal Aminophyllin genommen, und seit Doktor
Süß ihr gesagt hatte, dass eine Überdosis zur Lähmung
der Atemwegsmuskulatur führen konnte, hatte sie ständig
Angst, ihr Atem könnte stehenbleiben, plötzlich, in der
Nacht, könnte sie aufhören zu atmen. Sie könnte aufhören,
da zu sein, ohne es selbst zu bemerken ... Nein, den Gefallen würde sie Wilhelm nicht tun. Noch war sie *da*, und sie
war entschlossen zu *bleiben*. Sie hatte noch einiges vor –
wenn Wilhelm mal aus dem Haus war. All die Dinge, von

denen Wilhelm sie abhielt: leben, arbeiten, reisen! Einmal noch nach Mexiko ... Ein einziges Mal die Königin der Nacht blühen sehn ...

Jetzt kam es ihr vor, als hätte es an der Tür gekratzt. Oder war das ihr Atem? Charlotte rührte sich nicht von der Stelle. Sie schaute, ob die Klinke der Küchentür sich bewegte, aber stattdessen ... sie erschauerte: Langsam, sehr langsam öffnete sich die Tür zum Dienstbotenflur, die sie eben geschlossen hatte, und es erschien, schwach angeleuchtet vom Kellertreppenlicht ... etwas Entsetzliches ... Krummes ... mit abstehenden Haaren ...

– Nadjeshda Iwanowna, rief Charlotte. Haben Sie mich erschreckt!

Es stellte sich heraus, dass Nadjeshda Iwanowna ihren Mantel gesucht und sich dabei im Keller verirrt hatte. Tatsächlich hatte Charlotte angewiesen, die Mäntel in den Keller zu bringen, weil die Garderobe ja voller Blumenvasen stand. Allerdings hatte Lisbeth die Mäntel wieder nach oben gebracht, als die Leute gingen. Nur Nadjeshda Iwanowna hatte ihren Mantel nicht bekommen, also musste er wohl noch im Keller sein, aber im Keller war er nicht, sagte jedenfalls Nadjeshda Iwanowna, und allmählich begann die Sache Charlotte auf die Nerven zu gehen. Sie hatte wirklich Wichtigeres zu tun, als sich um den Mantel von Nadjeshda Iwanowna zu kümmern!

Aber dann hing der Mantel auf einmal in der Garderobe. Einen Augenblick überlegte Charlotte, ob sie Lisbeth zur Rede stellen sollte: *Wieso in der Garderobe?* Stattdessen riss sie den Mantel vom Haken, hielt ihn Nadjeshda Iwanowna hin.

– Wo ist eigentlich Kurt, fiel ihr ein. Warum hat er Sie nicht gleich mitgenommen?

– Ne snaju, sagte Nadjeshda Iwanowna: Weiß ich nicht.

Dann suchte sie ihren Ärmel, zuerst einen, dann den anderen, legte sich den Schal zurecht, knöpfte, während Charlotte von einem Fuß auf den anderen trat, Knopf für Knopf ihren Mantel zu, prüfte zweimal, ob ihre Schlüsselkette noch da war, prüfte noch einmal die Knopfleiste, suchte ihre Handtasche und sagte schließlich, nachdem ihr eingefallen war, dass sie gar keine Handtasche mitgebracht hatte:

– Nu wsjo, pojedu. – Ich fahre.

– Wieso denn *fahren*, sagte Charlotte. Peschkóm, zu Fuß!

– Njet, pojedu, beharrte Nadjeshda Iwanowna: Domoi! Nach Hause!

Vermutlich, dachte Charlotte, wollte sie nicht allein im Dunkeln den Weg gehen. Rasch lief sie in den Salon und rief Kurt an, damit er sie abholte – aber es meldete sich niemand. Unglaublich. Einfach die alte Frau hier sitzenlassen! Sie überlegte kurz und rief ein Taxi.

– Saditjes, sagte sie zu Nadjeshda Iwanowna. Sejtschas budjet taxí!

– Njet, nje nada taxí, sagte Nadjeshda Iwanowna.

– Nadjeshda Iwanowna, sagte Charlotte. Ja otschenj sanjata – ich habe zu tun! Bitte setzen Sie sich und warten Sie auf das Taxi.

Aber die alte Frau wollte kein Taxi. Laufen wollte sie nicht, Taxi wollte sie auch nicht. Diese Unschlüssigkeit machte Charlotte rasend.

– Spasiba sa wsjo, sagte Nadjeshda Iwanowna: Danke für alles.

Und ehe Charlotte sichs versah, war die alte Frau ihr um den Hals gefallen und umklammerte sie mit ihren Affenarmen. Charlotte versuchte vergeblich, ihre Nase von Nadjeshda Iwanownas Schal fernzuhalten, der nach Naphthalin und Russenparfüm roch – eine Mischung wie aus dem Waffenlabor.

Dann trippelte Nadjeshda Iwanowna in die Dunkelheit hinaus. Charlotte blieb einen Moment an der frischen Luft stehen und schaute der alten Frau hinterher, wie sie gebeugt und mit winzigen Schrittchen zum Gartentor ging – und verschwand. Ein Blatt segelte lautlos durch den Lichtkegel der Straßenlaterne, und Charlotte beeilte sich, wieder hineinzukommen, bevor die herbstliche Melancholie sie überfiel.

Einen Augenblick stand sie unschlüssig in der Diele. Es war noch jede Menge zu tun, sie wusste nicht, wo beginnen. In der Diele schien so weit alles in Ordnung zu sein. Nur die Blumen mussten entsorgt werden, aber das hatte natürlich noch Zeit. Ärgerlich war indes, dass die Beschriftung der Blumenvasen wieder mal nicht geklappt hatte, dachte Charlotte beim Anblick der Etiketten, die Irina – typisch! – erst auf den allerletzten Drücker besorgt hatte: zu spät, um sie zu beschriften. Denn als die Vasen erst einmal hier gestanden hatten, wusste man logischerweise nicht mehr, wem welche Vase gehörte – eine Tatsache, die jeder begriff, außer natürlich Lisbeth, welche die Etiketten trotzdem draufgeklebt hatte. Da standen sie nun, die Vasen, mit leeren Etiketten ... Aber nanu?

Eines der Etiketten war beschriftet. Charlotte ging näher heran. Rote Buchstaben, Wilhelms Krakelschrift:

TSCHOW, stand da. Einfach nur: TSCHOW.

Handfeste Fakten. Charlotte löste das Etikett von der Vase, um es jener Eisenkassette zuzuführen, in der sie schon seit längerem alle wichtigen Dokumente aufbewahrte: Lisbeth konnte man ja nicht trauen. Die spionierte für Wilhelm. Allerdings war die Eisenkassette vierundvierzig Stufen entfernt. In die Hosentasche konnte sie das klebrige Ding schlecht stecken ... Also klebte sie es einstweilen an ihre Strickjacke.

Sie ging in den Salon und rief Weihe an: ob er einen Fotoapparat habe.

– Habe ich, sagte Weihe.

– Ich melde mich, sagte Charlotte und legte auf.

Im selben Moment fiel ihr ein, dass sie nicht nach dem Blitzlicht gefragt hatte. Sie rief Weihe noch einmal an und fragte, ob er ein Blitzlicht habe.

– Habe ich, sagte Weihe.

– Ich melde mich, sagte Charlotte und legte auf.

Das war doch ein fabelhafter Kerl, dieser Weihe. Beide, auch Rosi, obwohl sie so krank war. Auf die konnte man sich verlassen. Charlotte überlegte, ob sie sich bei den Weihes schon für das Einsammeln der Blumenvasen bedankt hatte. Sicherheitshalber rief sie Weihe noch einmal an und bedankte sich für das Einsammeln der Blumenvasen.

– Aber Sie haben sich doch schon bedankt, Frau Powileit, sagte Weihe.

– Ich melde mich, sagte Charlotte und legte auf.

Dann wandte sie sich ihren Aufgaben zu. Es war noch eine Menge zu tun, und jetzt, wo sie allmählich in Fahrt kam, machte es sie nervös, dass Lisbeth noch immer unter dem Ausziehtisch steckte. Nur ihr Hintern guckte hervor.

– Was machst du denn da, fragte Charlotte.

Ohne ihre Frage zu beantworten, sagte Lisbeth:

– Sag mal, Lotti, haben wir nicht noch mehr Plastebehälter in der Küche?

– Ach was, Plastebehälter, sagte Charlotte. Das kommt alles auf den Müll.

– In den Müll?

– *Auf* den Müll, sagte Charlotte. Wir sprechen hier immer noch Deutsch.

– Aber das is' doch schade, Lotti! Dann nehm ich es mit, wenn du's nicht haben willst.

– Ach was, mitnehmen, sagte Charlotte und hatte im selben Moment die Idee, dass man das abgestürzte Buffet vielleicht lieber fotografieren sollte, bevor Lisbeth es wegräumte.

Allerdings klingelte es jetzt. Wer klingelte denn um diese Uhrzeit? Ärgerlich, dachte Charlotte, man kam rein zu gar nichts! Wütend stapfte sie durch die Diele und riss die Haustür auf.

– Taxi, sagte der Mann.

– Danke, das hat sich erledigt, sagte Charlotte und wollte die Tür wieder schließen, aber der Taxifahrer bestand auf einer Anfahrtspauschale.

Anfahrtspauschale, dachte Charlotte. Das wird ja immer schöner.

Aber sie hatte Wichtigeres zu tun, als sich mit dem Taxifahrer herumzustreiten. Sie drückte ihm zehn Mark in die Hand. Und ehe der Mann das Wechselgeld herausgekramt hatte, verlor sie die Geduld und schloss die Haustür.

Rasch ging sie in den Salon und befahl Lisbeth:

– Schluss jetzt!

Noch immer war von Lisbeth nur der Hintern zu sehen. Allmählich kam es Charlotte vor, als spräche sie mit Lisbeths Hintern.

– Lotti, das geht nicht, sagte Lisbeth. Wir können das nicht einfach liegenlassen!

– Wir haben jetzt wirklich Wichtigeres zu tun, sagte Charlotte. In der Küche steht noch das ganze Geschirr. Und der Abendtee für Wilhelm muss auch allmählich aufgebrüht werden, sonst beschwert er sich wieder, dass er zu heiß ist.

– Das Geschirr mache ich nachher noch, sagte Lisbeth, und den Tee kannst du doch rasch aufbrühen, eh ich hier hoch bin.

– Selbstverständlich, sagte Charlotte. Entschuldige! Ich hatte vergessen, dass du hier die Hausherrin bist!

Wütend stapfte sie in die Küche, schloss die Tür. Drehte vorsichtshalber den Schlüssel um. Horchte.

Ihr Atem rasselte.

Niemals, dachte Charlotte, hätte sie dieser Frau das Du anbieten dürfen. Kein Respekt, kein gar nichts. Tanzte ihr auf der Nase herum. Machte, was sie wollte ... Wenn Wilhelm mal aus dem Haus ist, dachte sie, fliegt Lisbeth raus.

Sie umschloss das Fläschchen in ihrer Hosentasche fest mit der Hand und zählte bis zehn. Dann befüllte sie den Pfeifkessel und stellte ihn auf den Gasherd.

Seltsamerweise stand die Tür zum ehemaligen Dienstbotenflur schon wieder offen. Auch hatte jemand vergessen, das Licht auf der Kellertreppe auszuschalten. Ein schwacher Schein ließ auf jener Tür, die Wilhelm vor fünfunddreißig Jahren vermauert hatte, die Konturen der Ziegelsteine hervortreten ... Rasch schaltete sie das Kellerlicht aus und schloss die Tür zum ehemaligen Dienstbotenflur.

Wenn Wilhelm mal aus dem Haus ist, dachte sie, kommt die Tür wieder auf. Idiotisch, das alles! Die Personalklingel hatte er auch abgeschafft, gleich als Erstes damals: weil es gegen seine proletarische Ehre verstieß! Aber sie durfte sich die Kehle wund schreien, wenn Lisbeth wieder irgendwo im Haus herumstreunte. Das verstieß nicht gegen seine proletarische Ehre. Sie war schließlich auch bereits sechsundachtzig! Zählte das nichts? Sie war auch bereits zweiundsechzig

Jahre in der Partei! Sie war Institutsdirektorin geworden mit vier Jahren Haushaltsschule! Zählte das alles nichts? Zählte nur Wilhelms proletarische Ehre?

Sie ließ sich auf den Schemel fallen und lehnte sich mit dem Hinterkopf an die Wand. Der Pfeifkessel begann zu säuseln.

Auf einmal fühlte sie sich sehr schwach.

Sie schloss die Augen. Das Wasser im Kessel begann zu knistern, zu puckern ... gleich würde sich ein leises Zischeln daruntermischen, sie kannte die Abfolge der Geräusche genau. Hunderte, Tausende Male hatte sie neben dem Pfeifkessel gesessen, hatte dem Geflüster des Wassers zugehört, und ihre Mutter hatte ihr mit dem Stullenbrett auf den Hinterkopf geschlagen, wenn am Ende auch nur der Ansatz eines Pfeifens zu hören gewesen war: Gas sparen, damit ihr Bruder studieren konnte. Dafür hatte sie den Pfeifkessel bewacht, und das Komische war, nun war sie sechsundachtzig, ihr Bruder war lange tot, und sie saß immer noch hier und bewachte den Pfeifkessel ... Warum, dachte sie, während das Zischeln allmählich in ein gleichmäßiges Rauschen überging, warum war *sie* es immer, die den Pfeifkessel bewachte ... während andere studieren durften ... während andere den Vaterländischen Verdienstorden bekamen ...

Das Rauschen setzte aus, ging in ein dumpfes Brodeln über. Charlotte stand auf und drehte das Gas ab, genau in dem Moment, als der Pfeifkessel im Begriff war, zu pfeifen. Mechanisch goss sie Wilhelms Abendtee auf, holte die Baldriantropfen aus dem Putzmittelschrank unter der Spüle. Gab einen Esslöffel davon in den Tee. Steckte die Baldriantropfen in die Hosentasche ... stutzte. Hatte plötzlich zwei Fläschchen in der Hand: Beide gleich groß, kaum zu unterscheiden ...

Aberwitziger Gedanke. Charlotte nahm die Baldriantropfen aus der Hosentasche, stellte sie zurück in den Schrank und machte sich wieder an die Arbeit.

Lisbeth hockte noch immer unter dem Tisch.

– Du hockst ja noch immer unter dem Tisch, sagte Charlotte.

Lisbeths Hintern bewegte sich unendlich langsam unter dem Tisch hervor. Sie zog einen Eimer mit Scherben hinter sich her sowie verschiedene Behältnisse, in denen sie noch verwertbare Reste gesammelt hatte.

– Hast du noch ein paar Plastebehälter mitgebracht?, fragte sie. In der Hand hielt sie ein Würstchen.

– Ach was, Plastebehälter, sagte Charlotte. Das kommt auf den Müll.

– Das kommt nicht in den Müll, sagte Lisbeth und biss in die Wurst.

Charlotte betrachtete Lisbeths kauendes Gesicht. Lisbeths Unterkiefer bewegte sich halb seitwärts, mahlend, wie der eines Wiederkäuers ... Eine Weile sah Charlotte zu, wie sich Lisbeths Unterkiefer bewegte. Dann nahm sie ihr das Würstchen aus der Hand und warf es auf den Trümmerhaufen, der vom kalten Buffet übrig war. Nahm noch zwei von den Behältern, in denen Lisbeth Reste gesammelt hatte, und warf sie hinterdrein.

– Was machst du denn da, rief Lisbeth und hielt ihre Hände schützend über die restlichen Behälter.

Charlotte nahm den Eimer mit Scherben und kippte ihn ebenfalls aus.

– Was machst du denn da! – Jetzt war es Wilhelms Stimme.

– Du halt dich raus, sagte Charlotte. Du hast heute genug Schaden angerichtet.

– Wieso ich, sagte Wilhelm. Das war der Zenk.

– Ach, der Zenk war das! Charlotte lachte vor Wut: Jetzt war es der Zenk! Ich habe dir gesagt, du sollst die Finger von dem Ausziehtisch lassen!

– Jaja, sagte Wilhelm. Das macht Alexander. Und, wo ist er, dein Alexander?

– Alexander ist krank.

– Papperlapapp, sagte Wilhelm. Politisch unzuverlässig.

– Jetzt red keinen Unsinn, sagte Charlotte.

– Politisch unzuverlässig, wiederholte Wilhelm. Die ganze Familie! Emporkömmlinge, Defätisten!

– Es reicht, sagte Charlotte. Aber Wilhelm war nicht zu bremsen.

– Da! – Er lachte, zeigte auf das Etikett, das an ihrer Strickjacke klebte. Da haben wir's doch, krähte er. Läufst noch Reklame für den Verräter! ... Und dann bellte er plötzlich. Legte den Kopf in den Nacken und bellte die Decke an: Tschow, bellte Wilhelm, tschow-tschow, und im Augenblick, als Charlotte beschloss, ihn tatsächlich für verrückt zu halten, schaute er sie mit vollkommen klarem Blick an und sagte:

– Die wussten schon, warum.

– Warum *was*, fragte Charlotte.

– Warum sie solche Leute weggesperrt haben, sagte Wilhelm und fügte nach einer Pause hinzu: Solche wie deine Söhne.

Charlotte atmete ein, konnte auf einmal nicht ausatmen ... Sah Wilhelm an ... Sein Schädel glänzte, die Augen blitzten in dem höhensonnengebräunten Gesicht ... Der Bart – war er schon immer so klein gewesen? – hüpfte auf Wilhelms Oberlippe umher, ein Bärtchen, kaum größer als ein Insekt. Hüpfte, kreiste, summte vor ihren Augen ... Dann war Wilhelm verschwunden. Nur seine Worte waren noch da, genauer gesagt, seine letzten Worte.

Oder, noch genauer, *das* letzte.

– Und was mache ich jetzt? Lisbeths Stimme. Soll ich den ganzen Mist wieder einsammeln?

– Du gehst jetzt nach Hause, sagte Charlotte.

Lisbeth schien nicht zu verstehen. Charlotte versuchte lauter zu sprechen:

– Ich sage, du gehst jetzt nach Hause.

– Aber Lotti, was soll denn das? Ich kann doch nicht –

– Du bist gekündigt, sagte Charlotte. In drei Minuten verlässt du das Haus.

– Aber Lotti ...

– Und nenn mich nicht Lotti, sagte Charlotte. Sonst rufe ich die Polizei.

Sie ging in die Diele, setzte sich auf den Stuhl, auf dem sie sonst ihre Schuhe wechselte, und wartete, bis Lisbeth verschwunden war.

Dann wartete sie noch, bis ihre Hände aufgehört hatten zu zittern.

Dann ging sie in die Küche und schloss die Tür. Drehte den Schlüssel um, horchte.

Ihr Atem war ruhig.

Sie goss Wilhelms Abendtee in seine Abendtee-Tasse. Nahm die Tropfen aus der Hosentasche. Gab zwei Esslöffel in den Tee. Stieg achtzehn Stufen zum oberen Flur hinauf und stellte die Tasse auf Wilhelms Nachttisch.

Dann ging sie ins Bad und reinigte ihre Zähne.

Sie stieg weitere sechsundzwanzig Stufen zum Turmzimmer hinauf. Sie entkleidete sich, faltete ihre Sachen Stück um Stück auf dem Stuhl zusammen. Löste das Etikett

von ihrer Strickjacke, zerriss es und warf es in den Papierkorb.

Die Socken steckte sie in die Schuhe.

Sie schlüpfte in ihr weißes Baumwollnachthemd und legte sich ins Bett. Eine Weile las sie *Oliver Twist* von Charles
Dickens. Zwar kannte sie das Buch bereits, hatte es vor vierzig Jahren schon einmal gelesen, aber in letzter Zeit las Charlotte am liebsten Bücher, die sie schon kannte und mochte,
und am allerliebsten solche, die sie kannte und mochte und
doch wieder vergessen hatte, sodass sie in den Genuss unver-
minderter Spannung kam.

Als Oliver Twist verletzt und bewusstlos im Graben lag,
klappte sie das Buch zu, um sich die Auflösung für morgen
früh aufzusparen.

Sie schaltete das Licht aus. Die Nacht war klar. Eine
schmale Mondsichel stand am Himmel. Noch einmal fiel
ihr Lisbeths kauendes Gesicht ein. Sie dachte an das Dienstmädchen, das sie damals in Mexiko gehabt hatte: ein zier-
liches, lautloses Geschöpf, das Charlotte – selbstverständlich – stets mit *Señora* angesprochen hatte. Leider fiel ihr
der Name nicht ein. Aber dann fiel er ihr doch ein: Gloria!
Was war wohl aus ihr geworden? Gloria. Ob sie noch lebte?

Eine Weile lag sie mit offenen Augen und dachte an Gloria.
Und an die Dachterrasse. Und an die mexikanische Mondsichel, welche immer so auf der Seite lag ... Mehr ein Schiff,
dachte sie, als eine Sichel. Dann war Adrian da.

Sie wusste natürlich, dass es ein Traum war. Trotzdem versuchte sie, mit ihm zu reden. Versuchte ihn zu überzeugen,
obwohl sie zugleich begriff, dass auch das Teil des Traums
war – jenes Traums, den sie seit der Überfahrt träumte.
Adrian schaute sie an. In seinem Gesicht waren Lichtfle-
cken, wie Reflexionen einer bewegten Flüssigkeit. Er sah gut

aus. Aber auch ein wenig gespenstisch. Trotzdem folgte sie ihm. Sie stiegen hinunter in den Maschinenraum. Sie gingen durch ein Labyrinth von Gängen und Treppen. Es dauerte eine Ewigkeit, und je länger es dauerte, desto unheimlicher wurde es ihr. Sie rannte ihm hinterher, aber obwohl er ganz ruhig ausschritt, hatte sie Mühe zu folgen. Schon war Adrian ihr weit voraus. Sie sah ihn in einen Gang einbiegen. Er bog immer in diesen Gang ein. Und immer folgte sie ihm, auch wenn die Tür am Ende des Ganges vermauert war.

Glaubte Charlotte. Und wusste nicht, ob sie es bloß im Traum glaubte. Ob sie es immer im Traum glaubte oder nur dieses Mal. Oder ob sie jedes Mal glaubte, sie glaube es nur dieses Mal.

Die Tür war offen. Charlotte schritt hindurch. Nun war Adrian wieder da, lächelte. Berührte sie sanft, drehte sie um – und Charlotte spürte, wie sich ihre Nackenhaare aufrichteten: Coatlicue. Gefiederte Schlange. Coatlicue mit dem Zwei-Schlangen-Gesicht. Mit ihrer Kette aus ausgerissenen Herzen.

Und eins davon, dieses dort, wusste sie, war Werners.

2001

Er schaukelt leicht, stößt sich hin und wieder mit den Fingerspitzen am Terrassengeländer ab. Die süddeutschen Laute,
die noch vereinzelt vom großen Tisch herüberkamen, sind
verstummt. Verstummt ist auch das Schreien und Lachen,
das gelegentlich vom Dorf heraufdringt, das Brummen der
Automotoren, die geisterhaften Radiostimmen, die es hin
und wieder von irgendwo heranweht, und das geschäftige
Rumoren und Klappern aus der Küche des Gästehauses.
Sogar die Palmenblätter haben aufgehört zu rascheln. Für
einen Moment, in der größten Nachmittagshitze, scheint die
Welt stillzustehen.

Einzig das gleichmäßige Knirschen der Hanfseile ist noch
zu hören. Und das ferne, belanglose Rauschen des Meeres.

Schwebezustand. Embryonale Passivität.

Später, nachdem er aus seinem halbdurchlässigen Schlaf
erwacht ist, nachdem er sich aufgerafft hat, die Schwerkraft
zu überwinden, die ihn mit unwiderstehlicher Sanftheit in
die Hängematte drückt, nachdem er sich einen Kaffee geholt
und im Vorbeigehen, kurz von der Tasse aufschauend, die
beiden gerade angekommenen Rucksacktouristen gegrüßt
hat, die, wie er selbst bei der Ankunft, fassungslos über den
Ausblick auf der Terrasse stehen – später wird er sich, wie jeden Tag, auf die Bank hinter dem Frida-Kahlo-Trakt setzen,
von wo aus man auf die Wellblechdächer der Hütten sieht,

in denen die mexikanischen Angestellten von Eva & Tom wohnen, und Zeitung lesen.

Es ist immer dieselbe Zeitung. Immer die mit dem Flugzeug, das in ein Hochhaus fliegt. Er liest langsam. Er liest die Artikel wieder und wieder, bis er einigermaßen versteht.

Er versteht nicht alles.

Er versteht, dass der amerikanische Präsident gesagt hat, man befinde sich in einer monumentalen Schlacht gegen das Böse. Und dass Amerika der hellste Leuchtturm der Freiheit sei.

Er versteht, dass noch immer ein Teil der lateinamerikanischen Bevölkerung hungert; dass ein Teil sich von Müll ernährt.

Er versteht, dass die Einführung des Euro als Zahlungsmittel auf Hochtouren läuft und dass die Börsen in aller Welt katastrophale Verluste verzeichnen.

Was er nicht versteht: Warum verzeichnen die Börsen katastrophale Verluste? Wie hängt der Wert – etwa der Postaktie – mit dem Einsturz zweier Gebäude in Amerika zusammen? Werden jetzt weniger Briefe versandt?

Was er ebenfalls nicht versteht, und auch nicht verstehen wird, wenn er den Artikel über die Armut in Lateinamerika heute nachmittag zum dritten und vierten Mal liest – zumindest wird das, was er verstanden haben wird, so unerhört klingen, dass er zweifeln wird, ob er richtig verstanden hat: dass sich nämlich auf den Müllhalden lateinamerikanischer Metropolen eine besondere, kleinwüchsige Menschenrasse entwickelt hat, die angeblich besser geeignet ist, unter den Bedingungen der Müllhalde zu überleben.

Nach dem Zeitungslesen wird er noch einmal zum Strand gehen, wird sich in den hölzernen Liegestuhl setzen, neben dem der blaue Sonnenschirm steckt, für den er am ersten

Tag eine erhebliche Leihgebühr bezahlt hat (und der seitdem selbstvergessen im Sand herumlungert), und dem Sonnenuntergang zusehen.

Der Sonnenuntergang wird sein wie immer. Alle pazifischen Sonnenuntergänge, so hat er festgestellt, sind gleich: groß und rot und von einer – er weiß noch nicht, ob beruhigenden oder beunruhigenden – Gleichgültigkeit.

Liebe Marion. In letzter Zeit passiert es häufig, dass ich an dich denke. Oft aus geringstem und, zugegeben, manchmal unbegreiflichem Anlass. Dass du mir beim Anblick des Sonnenuntergangs einfällst, mag noch angehen. Aber warum fällst du mir ein beim Anblick eines blauen Sonnenschirms – wo du doch Blau nicht magst? Warum fällst du mir ein, wenn ein Vogelschwarm von einer Stromleitung auffliegt? Warum fällst du mir ein, wenn ich meine Hand auf den lauwarmen Sand lege?

Wenn die Sonne unwiderruflich ins Meer abgetaucht ist, wird er als einziger Gast an einem der weißen Plastiktische des «Al Mar» sitzen und Fisch essen. Er wird ein Glas Weißwein trinken. Er wird dem perlmutternen Abglanz am Himmel nachschauen, der ziemlich exakt von derselben Farbe ist wie die Innenseite der großen, leuchtenden Muschel von Oma Charlotte.

Er wird sich darüber wundern, wie schief die Mondsichel hängt. Er wird (meist erfolglos) nach auf der Seite liegenden Sternbildern suchen.

Wenn es vollständig dunkel ist, wird er ohne Eile die Stufen zu *Eva & Tom* hinaufsteigen, wo noch immer die übliche, von süddeutschen Lauten dominierte Runde um den Terrassentisch sitzt. Es sind lauter Bekannte von Eva, der Squaw, die sich jedes Jahr um diese Zeit hier versammeln: ein grauhaariger, kettenrauchender Mann im weiten, geblümten

Hemd; ein etwas jüngerer Glatzkopf, der zusammen mit dem Kettenraucher in einem Zimmer schläft; die Frau, der ein Zahn fehlt, im selbstgebatikten Kleid; ein weiterer Mann, den Alexander den *Strohhut* nennt, weil er zu jeder Tageszeit einen zerfallenden Strohhut trägt, passend zu seinen zerfallenden, ehemals weißen Leinenklamotten; und ein Motorradrocker mit mehreren Ringen im Ohr.

Der Motorradrocker (der sich später als Personalrat eines großen deutschen Stadtkrankenhauses entpuppen wird) hat Alexander erzählt, dass sie alle, außer dem Glatzkopf, sich in den siebziger Jahren hier kennengelernt haben und dass Eva und Tom hier hängengeblieben sind und aus einer verkifften Absteige für jedermann nach und nach dieses Gästehaus gemacht haben, und bevor er vom Motorradrocker erfahren hat, dass Tom lange tot ist, hat Alexander den *Strohhut* für Tom gehalten – vielleicht, weil er am lautesten von allen spricht, und zwar immer von irgendwelchen Reparaturen und Umbauten, und sich dabei regelmäßig über die Unzuverlässigkeit und die Trägheit der Mexikaner beschwert.

– Nur ein toter Mexikaner ist ein guter Mexikaner, wird er sagen, als Alexander an diesem Abend von der Treppe auf die Terrasse einbiegt, und der Mann in dem weiten, geblümten Hemd wird kichern, wie man über einen Witz kichert, den man, weil man ihn bereits kennt, selbst erzählt haben könnte, und sein Bauch wird unter dem weiten, geblümten Hemd auf und ab hüpfen.

Am schlimmsten – am schlimmsten? – ist es nachts, wenn ich unter meinem Moskitonetz liege und durch die jämmerlichen Wände meines Verschlags die Stimmen der alt gewordenen Hippies höre, die da draußen sitzen und sich ihre Geschichten erzählen. Dann denke ich besonders an dich. Warum gerade dann? Weil ich mich ausgeschlossen fühle? Weil ich

das Gefühl habe, nicht dazuzugehören? Aber ich habe immer,
mein Leben lang, das Gefühl gehabt, nicht dazuzugehören.
Obwohl ich mein Leben lang gern irgendwo dazugehört hät-
te, habe ich das, dem ich hätte zugehören wollen, niemals
gefunden. Ist das krank? Fehlt mir irgendein Gen? Oder hat
das mit meiner Geschichte zu tun? Mit der Geschichte meiner
Familie? Wenn ich ehrlich sein soll: Nichts zieht mich, wenn
ich unter meinem Moskitonetz liege, nach draußen, an diesen
Tisch. Und doch empfinde ich, wenn ich sie lachen höre, eine
fast schmerzhafte Sehnsucht.

Er wird sein Bettzeug ausschütteln, wie die Squaw ihn geheißen. Dabei wird er an den Skorpion denken, den er vor
wenigen Tagen auf der Terrasse gesehen hat. Tödlich sind
die Skorpione hier nicht, jedoch beinahe handtellergroß
und – von erstaunlicher Schönheit. So gerührt war er von
der fragilen Konstruktion, dass er nicht fähig war, das Tier zu
zertreten. Die Squaw tat es – mit ihren Flip-Flops. Seitdem,
glaubt er, verachtet sie ihn.

Noch lange werden an diesem Abend die Stimmen zu
hören sein. Der Mann mit dem weiten, geblümten Hemd
wird in seinen Bauch hineinkichern. Der Strohhut wird von
der Unzuverlässigkeit und Trägheit der Mexikaner erzählen.
Und irgendwann wird die Frau mit dem fehlenden Zahn eine
Gitarre auspacken und Joan-Baez-Lieder singen, und die
anderen werden einstimmen mit echter, aber zerstörerischer
Inbrunst.

Dann, irgendwann spät in der Nacht, werden nur noch
die gelegentlichen Hustenanfälle des Mannes mit dem geblümten Hemd zu hören sein und das an einen Alarmton er-
innernde Zirpen einer Grille, und Alexander wird unter seinem Moskitonetz liegen und Briefe an Marion formulieren:

Manchmal denke ich, dass ich dir gar nicht schreiben darf.

Dass ich einfach verschwinden sollte aus deinem Leben. Dass ich das, was ich mir eingebrockt habe, nun allein auslöffeln sollte. Wie kann ich jetzt, wo mich die Krankheit erwischt hat, unter deine Decke kriechen wollen? Wie kann mir jetzt einfallen, Sehnsucht nach dir zu haben? Aber ich habe Sehnsucht. Und das Seltsame ist: Es ist nicht einmal schlimm. Doch, es ist schlimm, aber gleichzeitig tröstlich. Es ist tröstlich, dass es dich gibt. Es ist tröstlich, an deine dicken schwarzen Haare zu denken. An den Geruch deines Nackens, wenn ich an deinem Rücken liege. Oder daran, wie du im Halbschlaf vor Behaglichkeit wimmerst.

Gegen halb acht wird er aufstehen und sich von der mexikanischen Angestellten, die um diese Zeit als Einzige in der Küche herumwuselt, einen Kaffee geben lassen. Er wird eine Weile auf der Terrasse sitzen und die etwas zu heiße Tasse in den Händen halten und in den entstehenden Tag hinausschauen und seinen eigenen Atem hören, der ihn aus der Hohlform der Tasse anflüstert.

Oder an das Rascheln deiner Unterwäsche, wenn du dich umkleidest hinter der Schranktür. Oder an die Art, wie du, wenn du erregt bist, den Mund öffnest.

Ein Kolibri wird eine Zeitlang zwischen den Hibiskusblüten stehen wie ein großes Insekt. Und weiter oben, im Morgenhimmel, werden die schwarzen, geierartigen Vögel kreisen.

Oder an deine Muskeln (die mich am Anfang beschämt haben). Oder an deinen Bauch. Oder an deine von der Arbeit immer ein wenig rauen Handflächen.

Dann werden auf dem riesigen, betonierten Anlegesteg die ersten Angler auftauchen, und für einen Augenblick wird Alexander mit der Frage beschäftigt sein, wieso an diesem Anlegesteg eigentlich nie jemand anlegt. Als hätte sich, wird er denken, der kleine Ort seinen Beinamen «Puerto» mit diesem Bauwerk ertrotzen wollen. Als habe man gehofft, dadurch die Schiffe des Meeres anlocken zu können.

Oder dich von der Arbeit abholen. Du in Latzhose zwischen kniehohem Grün und wie du dir mit dem Handrücken den Schweiß aus der Stirn wischst.

Oder deine Langsamkeit – habe ich dir das schon gesagt?

Oder wie du die Nase kraus ziehst und «Hm» machst.

Oder dieses verschlagene Aufblitzen in deinen Augen.

Oder – darf man so etwas überhaupt sagen? – dein Gesicht, wenn du weinst.

Einen Augenblick wird er versucht sein, das, was er gerade denkt, zu notieren – für den Fall, dass er den Brief einmal tatsächlich schreiben wird. Aber schon der Gang nach dem Schreibzeug, ja, schon Geringeres könnte, so wird er befürchten, seine Stimmung vertreiben.

Ja, es ist tröstlich, so an dich denken zu können, und manchmal frage ich mich: Vielleicht genügt das? Einerseits tut es weh, dass ich, als du greifbar nah warst, so fahrlässig mit alledem umgegangen bin. Andererseits mache ich gerade die seltsame Erfahrung, dass man nicht unbedingt besitzen muss, was man liebt. Einerseits zieht es mich zu dir, um nachzuholen, was ich zu geben versäumt habe. Andererseits fürchte ich, dass ich – nach dem, was mir die Medizin prognostiziert – umso mehr nur der Nehmende wäre. Einerseits möchte ich dir das alles gern schreiben. Andererseits fürchte ich, du wirst es als eine Art Heiratsantrag aufnehmen – und das ist es ja auch.

Wenn er den Kaffee getrunken hat, wird er seine Laufschuhe anziehen und ein paar Kilometer laufen. Er hat sich Laufschuhe in Pochutla gekauft. Anfangs hat er es mit Spaziergängen versucht: wie Kurt – er hat gelacht, als er sich bei diesem Gedanken ertappte, er könne vielleicht operabel werden, wie Kurt, wenn er dessen Lebensstil imitiere. Aber bald stellte sich heraus, dass die Gegend kaum für Spaziergänge geeignet ist. Das Hinterland, das er schon aus dem Taxi gesehen hat, ist kaum verlockend. Einzig der Strand würde zum Spazierengehen einladen, wenn nicht die einzelnen Buchten durch unüberwindliche Felsen voneinander getrennt wären. Man kommt nur auf der Straße von Bucht zu Bucht, und die Straße ist langweilig. Also läuft er.

Er wird – wie immer, so auch an diesem Tag – in nördlicher Richtung die schmale, sich windende Asphaltstraße entlangtraben, wird gelassen die Steigungen angehen, ohne den Puls in die Höhe zu treiben, gerade so, dass er das Gefühl hat, ewig weiterlaufen zu können.

Hin und wieder werden Autos vorbeifahren. Die Leute im Sammeltaxi werden die Köpfe nach ihm verdrehen. Fußgänger gibt es hier selten, und als er in der Ferne zwei Männer auf sich zukommen sieht, wird er sich unwillkürlich fragen, wie er ihnen, falls sie ihn ausrauben wollen, begreiflich macht, dass er nicht mehr als zwanzig Pesos bei sich trägt.

Es sind, wie sich schnell herausstellt, zwei Männer mittleren Alters, sehnige, dunkelhäutige Geschöpfe, die genau so aussehen wie die Arbeiter, die sich vor einigen Tagen vor der Kommunalen Verwaltung von Puerto Angel versammelt haben, um sich über die miserable Qualität des Trinkwassers zu beschweren. Sie werden ihn stumm, aber freundlich grüßen, wie nur Männer Männer zu grüßen imstande sind, und Alexander wird, er weiß nicht mal warum, von ihrem Gruß zu Tränen gerührt sein.

Dann kommt Zipolite in Sicht. Der Kioskbesitzer wird ihm von weitem schon durch übertriebene (und eigentlich vollkommen unverständliche) Gesten signalisieren, dass er das Wasser bereitstellen wird: Mit der Zeit hat Alexander sich angewöhnt, auf dem Rückweg hier Wasser zu kaufen, anstatt mit einer Halbliterflasche in der Hand durch die Gegend zu rennen. Aber zunächst, auf dem Hinweg, wird er noch vor dem Kiosk links abbiegen, zum Meer.

Nach ein paar hundert Metern wird er die Bucht von Zipolite erreichen. Es ist die Hippie-Bucht. Sie ist vielleicht zwei Kilometer lang und, im Gegensatz zur kleineren Bucht von Puerto Angel, wo auch Einheimische baden, fast ausschließlich von jungen, ausländischen Touristen bevölkert, die mit ihren Haartrachten und ihren Kettchen tatsächlich als Hippies durchgehen könnten – wenn sie nicht alle ein bisschen zu wohlgeformt, ein bisschen zu schick wären.

Um diese Zeit liegen sie noch in den Hängematten; sie schlafen direkt am Strand unter den mit Palmenblättern gedeckten Pfahlkonstruktionen, *Palapas* genannt, welche die zahlreichen kleinen Bars und Strandhotels – so vermutet er – billig vermieten. Einer jedoch, ein Wohlgeformter und Schicker mit blauen Augen und sonnengebleichtem Haar, wird sich ihm plötzlich anschließen, und Alexander wird, allen guten Vorsätzen zum Trotz, seine Schritte kaum merklich verlängern.

– Hi, wird der Wohlgeformte sagen. Where're you just coming from?

– Puerto Angel, wird Alexander antworten, und der Wohlgeformte wird sagen:

– Wow, great!

Schon nach ein paar hundert Metern wird der Wohlgeformte anfangen zu schnaufen. Noch bevor die Bucht zu Ende ist, gibt er auf.

– Wow, great, wird er noch einmal sagen und seine Hand

heben zum Gruß, und Alexander wird von diesem unverhofft leichten K.-o.-Sieg dermaßen beflügelt sein, dass er beschließt, bis Mazunte zu laufen.

Er war bereits in Mazunte, mit einem Sammeltaxi. Er hat das Schildkrötenmuseum besucht. Schildkröten interessieren ihn nicht im Geringsten, aber der Motorradrocker hat ihm den Besuch des Museums empfohlen, und zwar so nachdrücklich, dass es einer Beleidigung gleichgekommen wäre, dem nicht zu folgen. Früher, so hat ihm der Motorradrocker erzählt, sei in Mazunte eine Fabrik gewesen, in der die Wasserschildkröten, die jedes Jahr zur selben Zeit am Strand von Mazunte – und nur hier – ihre Eier ablegen, auf brutalste Art abgeschlachtet und zu Dosensuppe verarbeitet wurden. Nun sei das Abschlachten endlich verboten worden, und man widme sich stattdessen der Aufzucht und dem Schutz der Reptilien. Tatsächlich hat Alexander dann eine Stunde lang den Entwicklungszyklus der Wasserschildkröten studiert, hat die verschieden großen und kleinen Exemplare in den Becken betrachtet und war gerührt von der Fürsorglichkeit der Pfleger, die sich um die Schildkröten kümmern, sie heilen und wieder aussetzen und sogar deren Eier, wenn sie von irgendeinem der Tiere nicht richtig am Strand vergraben worden sind, einsammeln und auf der Station zur Ausbrut bringen, und er beschloss, diesen Ort jenem kleinen Teil von Erfahrungen zuzuschlagen, die, im Gegensatz zu den vielen gegenteiligen, dafür sprechen, dass sich die Menschheit allmählich bessert.

Die Sonne wird gut eine Handbreit über dem Horizont stehen, wenn er in Mazunte einläuft, die Häuser von Mazunte werden dunkle, kantige Schatten werfen, und Alexander wird, wenn er den breiten Strand passiert, noch durch die Schuhe hindurch die Hitze des Sandes spüren, in dem die Schildkröten ihre Eier vergraben. Die Bucht von Mazunte ist breiter als die von Zipolite, breiter und wilder und leerer. Das Meer, so ist ihm gesagt worden, ist gefährlich hier. Und der Himmel ist größer – falls es nicht an der kleinen Endorphin-Dosis liegt, die ihm sein Körper nach etwas über zehn Kilometern spendiert. Auf seinem Gesicht wird sich ein Lächeln bilden. Die Beine werden laufen wie von selbst und seine Füße wie von selbst den festen Bereich auf der Strandböschung finden, den schmalen Grat zwischen zu feuchtem und zu trockenem Sand, zwischen Wasser und Erde. Das Meer wird züngeln nach ihm. Das Meer will ihn berauschen. Er wird jubeln, un- hörbar, aber laut in das Rauschen hinein. Er wird die hoch- schießenden Wellen spielerisch und mit genau bemessenen Schritten umlaufen. Er wird fasziniert sein von der Präzision seiner Bewegungen. Er wird das Gefühl haben, als steuere er gar nicht selbst, als übernehme sein Körper die Führung, als löse er sich allmählich von dem, was da steuert – und im selben Augenblick, im Augenblick der Schwebe, wird sich der Gedanke in sein Bewusstsein drängen, dass das alles, das Da-Sein, vollständig und unwiderruflich ausgelöscht werden wird, und dieser Gedanke wird ihn treffen mit einer Wucht, dass er Mühe haben wird, sich auf den Beinen zu halten.

Wenn er an diesem Tag wieder in Puerto Angel ankommt, wird er vierundzwanzig Kilometer gelaufen sein. Er wird mit dem typischen, kleinen Ziehen in den Achillessehnen die Treppe hochsteigen, wird deutlich die hintere Oberschen- kelmuskulatur spüren und den dumpfen Druck in den von hundert- und tausendfachen Stauchungen beanspruchten Gelenken. Er wird geduldig die obligatorischen Dehnungs- übungen an der Wand neben seinem Zimmer absolvieren, wird das Hohlkreuz auskrümmen, bis sich die Versteifung mit einem befreienden Knacken löst, und wird ohne besonderen Kraftaufwand die wieder einmal aufblitzende Hoffnung abwehren, dass seine Diagnose ein Irrtum sei. Er wird sich mit einer Trinkwasserflasche in der Hand noch im schweißnassen Shirt auf die breite, steinerne Terrassenbrüstung setzen und es, zumindest eine Zeitlang, als angenehm empfinden, den harten Pfeiler im Rücken zu spüren.

Die beiden Rucksacktouristen, die gestern angereist sind, werden aus ihrem Zimmer kommen: zwei freundliche, junge Menschen, die gerade ihr Abitur gemacht haben dürften: eine makellose Schönheit und ein hochaufgeschossener, etwas magerer junger Mann. Sie werden aus ihrem Zimmer kommen und Alexander fragen, wo man hier eine Schnorchelausrüstung ausleihen kann.

Die Frage wird Alexander nicht beantworten können.

Die beiden werden versichern, dass dies kein Problem sei. Sie könnten ja unten im Dorf fragen.

Sie werden ihm, wenn sie losgehen, zuwinken wie einem alten Bekannten, und Alexander wird zurückwinken. Er wird ihnen nachschauen, wie sie den Gang entlangschlendern und zur Treppe einbiegen; wie sie auf der obersten Stufe noch einmal kurz stehen bleiben, um, unhörbar für Alexander, über irgendetwas zu verhandeln. Die Schöne wird ihre Stirn kraus ziehen. Der magere junge Mann wird ihre Hände in seine Hände nehmen. Seine Schulterblätter werden sich durch das erdfarbene T-Shirt abzeichnen wie gestutzte Flügel.

Alexander wird duschen gehen. Er wird, mit beiden Händen gegen die Wand gestemmt, das warme Wasser über seinen Rücken und seine Beine laufen lassen: lange – solange das Wasser im Boiler reicht.

Dann wird er das zusammenklappbare Schachbrett seines Vaters unter den Arm klemmen und, trotz der Hitze jetzt ein wenig fröstelnd, zum Strand hinabsteigen. Er wird sich in seinen Liegestuhl unter dem blauen Sonnenschirm setzen und wird sich, bevor er sich seiner Vormittagsbeschäftigung widmet, bei einer der Mexikanerinnen, die hier am Strand umgehen, ein kleines Frühstück zusammenkaufen.

Er kauft immer bei derselben Frau und immer dasselbe: einen Plastikbecher mit geschältem Obst und drei Tortillas; dennoch wird die Frau, wenn sie – nach Wahrung einer gewissen Anstandsfrist – neben ihm auftaucht und ihm ihre wenigen Waren vorlegt, ihn wieder mit demselben fragenden (aber keineswegs bittenden) Blick anschauen; sie wird, nachdem er seinen Obstbecher und seine Tortillas bekommen hat, im Kopf alles aufs Neue zusammenrechnen und zu einem Ergebnis kommen, das täglich ein wenig differiert, was Alexander mit der jeweiligen Zusammenstellung des Obstes in Zusammenhang bringt (heute sind es Mango, Ananas und Melone), was aber praktisch keine Bedeutung hat, weil die Summe, die er ihr, unter Einrechnung eines kleinen Trinkgelds, am Ende zu überlassen pflegt, ohnehin immer dieselbe ist. Es geht der Frau, so vermutet Alexander, lediglich darum, ihm – oder sich? – das Gefühl zu vermitteln, es handle sich hier um eine Transaktion zwischen gleichberechtigten Partnern, was natürlich nicht im Mindesten zutrifft. Nichts ist offensichtlicher als ihre Ungleichheit – eine Ungleichheit, die, so viel ist ihm klar, letztlich auf nichts anderem beruht als auf ein paar – obendrein gestohlenen – Banknoten.

Deshalb, oder vielleicht auch, weil der Hunger ihn allmählich kribbelig macht, wird Alexander beschließen, das Ritual abzukürzen und der Frau das Geld in die Hand zu drücken – und wird es dann doch nicht tun, sondern abwarten, bis sie mit umständlicher Sorgfalt einen – von insgesamt drei – Obstbechern auswählt, drei – von insgesamt sechs – Tortillas auf einen Pappteller schiebt und mit leerem Blick ihre unsichtbaren Zahlen zusammenrechnet; er wird ihre dunklen, an den Innenseiten jedoch kindlich rosigen Hände betrachten, ihr schmales, strenges, von einem rauchblauen Tuch umhülltes Gesicht, und wird sich fragen, wie alt die Frau ist: fünfzig? Dreißig? Wie hoch ist eigentlich die Lebenserwartung in Mexiko? Besser gefragt: Wie hoch ist eigentlich die Lebenserwartung einer Frau aus der mexikanischen Unterschicht?

Obwohl er vor Unterzuckerung schon ein wenig zu zittern beginnt, wird er abwarten, bis die Frau sich mit langsamen, vom Sand gebremsten Schritten entfernt hat. Dann wird er das Obst noch einmal gründlich mit Trinkwasser abspülen.

Er wird alles Obst auf einmal essen. Er wird essen, zitternd vor Gier, und wird es, wenn er seine vom süßen Obst klebrigen, wie zum Schwur erhobenen Finger betrachtet, nicht vermeiden können, an Kurt zu denken, der irgendwo auf der anderes Seite der Erde durch ein verfallendes Haus irrt. Er wird sich fragen, ob Kurt ihn, Alexander, auf irgendeine dunkle, unklare Weise vermisst. Dann wird er, nachdem er auch die Tortillas gegessen hat, seine Finger mit etwas Sand und Wasser reinigen und das alte Schachbrett aufklappen, in dem er die aus Kurts Ordner mit der Aufschrift PERSÖNLICH entnommenen Blätter verwahrt.

Er hat die Blätter wiederentdeckt, als er das erste Mal mit dem Motorradrocker Schach spielte. Anfangs hat er geglaubt, es handle sich ausschließlich um Briefe Kurts an Irina. In Wirklichkeit sind es verschiedene Schriftstücke. Zum einen sind es tatsächlich Briefe: einzelne, ausgewählte Briefe an Irina, aber auch welche von ihr, sowie Kurts Briefe an ihn, Alexander, von denen Kurt – typisch – einen Durchschlag aufbewahrt hat. Zum anderen handelt es sich um Notizen, die Kurt in immer derselben, mageren Schrift auf die Rück-seiten alter Abrechnungen oder verworfener Manuskriptsei-ten geschrieben hat. Notizen – wofür? Worüber?

Zuerst hat Alexander ungeduldig und unsystematisch gelesen. Kurts Handschrift, obwohl auf den ersten Blick akkurat, ist nicht leicht zu entziffern. Die über und über bekritzelten Seiten haben Alexander abgestoßen. Es roch nach Pflicht. Es roch nach Kurt. Es war, als käme ihm in die-ser Schrift noch einmal all das Fordernde, Raumgreifende, Beherrschende entgegen, das Kurt für ihn einmal bedeutet hat.

Manches ist unverständlich geblieben, selbst wenn es ihm gelungen ist, die Buchstaben zu entziffern – als hätte Kurt es darauf angelegt, den Inhalt dessen, was er notierte, zu ver-bergen.

Ein Eintrag über eine Parteiversammlung: Von «Rohdes Hinrichtung» ist die Rede. Von einem ZK-Mann, der Kurt an (unleserlich) erinnert. Von einem blauen Trabbi im Wald mit beschlagenen Scheiben.

Hier und da sogar Aufzeichnungen in Russisch, obendrein so kryptisch, mit Abkürzungen gespickt, dass Alexander lange gebraucht hat, um zu begreifen, worum es sich über-haupt handelt – nämlich um Protokolle erotischer Erlebnis-se. Warum hat Kurt das notiert? Warum in Russisch?

Gut leserlich: eine Beschwerde über Charlotte, die gerade einen Artikel über die wirtschaftliche Entwicklung Mexikos schreibt:

Keine Ahnung von nichts. Ruft sieben Mal täglich an. Will wissen, wie viel Nullen eine Million hat.

Kurioses gibt es mitunter auf Rückseiten zu lesen: eine Beschwerde Kurts über eine ums Hundertfache zu hohe Gas-rechnung oder einen Brief, in dem es um das kollektive Autorenhonorar für eine in Japan erschienene «Teilveröffentlichung» geht, von der Kurt vierundvierzig Mark zustehen, die Hälfte in Valuta auszuzahlen, falls er ein Valuta-Konto besitze; ansonsten in Forum-Schecks: *Bitte umgehend melden!* Der Brief ist vom Institutsdirektor und einem Stellvertreter gezeichnet.

Es gibt auch Notizen, in denen Alexander vorkommt, wobei Kurts Erinnerungen von dem, was er selbst erinnert, erstaunlich stark abweichen: Er erinnert sich nicht, die Uniform für einen Krankenbesuch bei Wilhelm *freiwillig* angezogen zu haben; es wundert ihn, dass Kurt die blonde Christine als *intelligent, aber ein bisschen zu hundertprozentig* ansah; er fragt sich, wo er gewesen ist, als seine Mutter beim Anblick ihres uniformierten Sohns *in Tränen ausbrach*, weil sie sich, wie Kurt behauptet, daran erinnerte, wie ihr ein Vorgesetzter einmal befahl, einem verletzten deutschen Soldaten den Gnadenschuss zu geben – was sie verweigerte, obwohl auf Befehlsverweigerung die Todesstrafe stand. In Klammern: *In Personenbeschreibung aufnehmen.*

Was ist das? Aufzeichnungen für einen Roman? Für einen zweiten, in der DDR spielenden Teil seiner Memoiren?

An diesem Tag – am Tag von Mazunte – wird Alexander auf eine Notiz vom Februar 1979 stoßen. Selbstverständlich erinnert er sich an diesen Winter. Dass jedoch von ihm, von Alexander, die Rede ist, wird er erst ahnen, als es ihm gelungen ist, dies zu entziffern:

Ist offenbar durchgedreht.

Und ein Stück weiter unten:

Belehrt mich, dass mein Leben eine einzige Lüge sei.

Und noch ein Stück weiter unten (und noch erstaunlicher):

Melitta zufolge geht er neuerdings in die Kirche.

Das Bild, das auftauchen wird: die Schönhauser Allee. Schmutzige Schneeränder. Sein Vater geht neben ihm – aber wohin? Wohin gehen sie?

Ziemlich deutlich: wie Kurt plötzlich stehen bleibt und schreit, und es wird Alexander so vorkommen, als höre er – vollkommen absurd – *was* Kurt schreit:

In Afrika hungern die Leute!

Es folgt eine Aufstellung aller geldwerten Zuwendungen, die er, Alexander, im Dezember 1978 erhalten hat – einschließlich der Weihnachtsgeschenke (zusammen zweitausendzweihundert Mark); es folgen Klagen darüber, wie sehr Irina seinetwegen – Alexanders wegen – leide; es folgt ein schwer zu entziffernder Satz über das Leben, das Kurt sich, wenn Alexander richtig liest, nicht *versauen* lassen will.

Am Nachmittag, wenn die heißeste Stunde des Tages sich nähert, wird Alexander die losen Blätter wieder ins Schachbrett packen und zum Gästehaus aufsteigen. Der Motorradrocker wird ihn, als er ihn mit dem Schachbrett unter dem Arm kommen sieht, zu einer Partie auffordern, und Alexander wird zustimmen, obwohl die Nachmittagsschläfrigkeit ihm schon die Augen zuzudrücken beginnt.

Wie immer, wenn sie Schach spielen, werden sie sich, um ungestört zu sein, auf die Bank hinter dem Frida-Kahlo-Trakt setzen, wo Alexander sonst die Zeitung vom zwölften September liest, seitlich einander zugewandt, das Schachbrett zwischen ihnen, leicht geneigt, wie die Sitzfläche.

Alexander wird mit f2–f4 eröffnen, einer aggressiven, etwas leichtsinnigen Variante, die er oft – und anfangs mit Erfolg – gegen Kurt gespielt hat. Der Motorradrocker wird ganz unaufgeregt mit d7–d5 antworten, und Alexander wird, auch um einem späteren Dame h4 vorzubeugen, den Springer, den vor mehr als einem halben Jahrhundert ein Häftling aus dem Holz einer sibirischen Zeder geschnitzt hat und bei dem, seit Alexander denken kann, die Schnauze fehlt, nach f3 ziehen.

Die Hühner der mexikanischen Angestellten werden hinter dem Maschendrahtzaun im fruchtlosen Sand herumpicken.

Alexanders Gedanken werden, während er mechanisch 2. ... c5, 3. e3 e6, 4. b3 Sc6, 5. Lb2 Sf6 und 6. Ld3 spielt, noch einmal zu jenem fernen Wintertag zurückkehren: zu den vereisten Gehwegen auf der Schönhauser, zu dem merkwürdigen, ziellosen Gang, zu der Afrika-Szene ... Aber plötzlich wird der Film weitergehen: Alexanderplatz, kalter Wind. Das alte, längst nicht mehr existierende Automatenrestaurant links neben der Weltzeituhr – ist das möglich?

Der Motorradrocker, der übrigens Xaver heißt, wird sich nach der beiderseitigen Rochade weit über das Brett beugen, sodass sein Kopf das halbe Spielfeld verdeckt, und Alexander wird, um nicht auf die rötliche Haut sehen zu müssen, die an den lichten Stellen zum Vorschein kommt, seinen Blick in die Ferne richten und sich, während der Kopf des Motorradrockers nachdenklich über der Stellung zu wippen beginnt, plötzlich an Details erinnern: an die damals modernen, aber schon abgeschabten Stehtische aus Sprelacart; an den metallenen Tresen; an den Geruch von – war es Kesselgulasch? Er wird Kurt sehen, in seinem Lammfellmantel und seiner biederen Pelzmütze, an einem jener Sprelacart-Tische stehend und seine Suppe löffelnd; er wird sich selbst sehen, von außen: kahl geschoren, in seinem zerschlissenen Parka und – unglaublich, auch das weiß er noch! – in jenem blauen, mehrfach und in nicht ganz passender Farbe geflickten Pullover, den zu tragen er damals für nötig befand, weil er das unerklärliche Bedürfnis verspürte, abstoßend zu wirken.

Der Motorradrocker wird Dame b6 spielen, und Alexander wird schon im Moment, da der Motorradrocker gezogen hat, spüren, dass er nicht die nötige Konzentration aufbringen wird, um diesen eigentlich plumpen, kaum ernstzunehmenden Angriff auf seine durch die Eröffnung f2–f4 leicht entblößte Königsstellung zu entkräften.

Nach der Schachpartie, die er nach dem siebzehnten Zug aufgegeben haben wird, wird er sich in die Hängematte vor seiner Zimmertür legen. Er wird sich mit den Fingerspitzen am Terrassengeländer abstoßen, wird seine vom Laufen ermüdeten Sehnen und Muskeln spüren, und während die Schwerkraft ihn in die Arme nimmt, werden allerlei Gedanken unkontrolliert in seinem Kopf umherspringen, Kolumbus wird ihm einfallen, der die Hängematte nach Europa gebracht hat, und der Gedanke, es könnte sich um eines der größten Missverständnisse zwischen den beiden Kulturen handeln, dass Kolumbus beim Anblick des indianischen Hängebetts nichts anderes sah als eine effektive Möglichkeit, Matrosen in Schiffen zu stapeln, wird Alexander für einen Augenblick als große Entdeckung erscheinen; auch wird er sich fragen, ob er gleich hätte Läufer d5 spielen sollen; noch einmal wird ihm der hässliche, mehrfach und in nicht ganz passender Farbe geflickte Pullover einfallen, und er wird sich fragen, wieso es so schön, sogar tröstlich ist, sich daran zu erinnern.

Dann werden die Palmenblätter aufgehört haben zu rascheln. Verstummt sein wird das Schreien und Lachen im Dorf und das Geklapper in der hauseigenen Küche. Die Motoren werden schweigen, und schweigen werden auch die Radiostimmen, die sonst zu allen Tageszeiten aus den Lautsprechern einer gerade eröffneten Bankfiliale herüberschwappen.

Einzig das Knirschen der Hanfseile wird noch zu hören sein. Und das gleichgültige, ferne Rauschen des Meeres.

Inhalt

DIE HANDELNDEN PERSONEN

Wilhelm und Charlotte Powileit,
geschiedene Umnitzer

Werner und Kurt Umnitzer,
deren Söhne

Irina Umnitzer, geborene Petrowna
Kurts Frau

Nadjeshda Iwanowna,
deren Mutter

Alexander Umnitzer,
Sohn von Kurt und Irina

Markus Umnitzer,
Alexanders Sohn